**William Ivory,
un monstre**

David Flusfeder

William Ivory,
un monstre

Roman traduit de l'anglais
par Oristelle Bonis

Rivages

Titre original : *Man Kills Woman*
Martin Secker & Warburg Limited, Londres, 1993.

© 1993, D.L. Flusfeder
© 1997, Éditions Payot & Rivages
pour la traduction française
106, boulevard Saint-Germain, 75006 Paris

ISBN : 2-7436-0225-2
ISSN : 0299-0520

À Susan

Tu sais comment cela a commencé, et tu sais où. Cet après-midi dans le parc, le pique-nique sur la colline, et Boston en contrebas. On avait fini une bouteille de vin et on commençait à en entamer une autre et tu ne voulais toujours pas me dire pourquoi tu détestais tant les pique-niques ni m'accorder que celui-ci était différent. Comme tu étais proche, dans ta robe d'été bleue. Tu as chassé une guêpe des tranches de jambon italien qui se racornissaient et tu m'as regardé, l'air solennel. Ça faisait un bout de temps que tu ne me regardais pas. Puis tu as sorti l'enveloppe de ton sac. L'étui argenté d'un rouge à lèvres de marque française s'était glissé à l'intérieur et tu l'en as retiré, tu l'as contemplé un moment comme si tu ne voyais pas de quoi il s'agissait et tu as souri, je crois ; puis tu as laissé tomber l'étui dans le sac, repoussé tes cheveux châtains en arrière avant de me tendre l'enveloppe, comme si tu voulais que je l'attrape pour mieux pouvoir me la reprendre.

« Pourquoi les détestes-tu à ce point ? Les pique-niques.

— Aucune importance. C'est un mot idiot. Je ne sais pas. Tu as déjà écrit des biographies ? »

Tu savais parfaitement que non.

« Ça te plairait ? À mon avis tu ferais ça bien. »

Tu m'as passé l'enveloppe. Trois photos et un avis de décès froissé paru dans un journal anglais de 1980. J'ai étalé les photos sur l'herbe, entre nous, je les ai légèrement déplacées pour les protéger des derniers rayons du soleil.

« Qui est-ce ? »

7

Trois photos classées selon l'âge. Je les ai toujours. Elles sont là, sous mes yeux. Sur la première, c'est un jeune garçon pâle et grave assis sur un tabouret de piano. Il a les cheveux gluants de gomina et tout aplatis, comme les petits crooners de la grande époque du jazz. Difficile de se fixer sur le visage, aucune expression n'y retient le regard. On s'attarde plutôt sur les maigres poignets qui dépassent du costume empesé, sur les mains jointes en cathédrale et, juste au-dessus du nom du photographe — *Gerald de Norwich*, en italique —, sur les pieds aux bottines cirées qui s'accrochent à la vis du tabouret. Je regarde son visage, et sans doute parce qu'il ne trahit rien de ce qui se passe au-dedans, rien qu'une pauvre arrogance à peine perceptible, je baisse à nouveau les yeux sur les bottines, la façon dont elles s'accrochent à la vis, car seul ce détail permet de deviner qu'il s'agit de la photo d'un enfant.

Sur la deuxième, c'est un bel homme vigoureux et plus si jeune qui sourit de toutes ses dents sous sa moustache de bourreau des cœurs. Un homme affable, à première vue. Derrière lui, des dunes de sable, un océan démonté, un berger allemand qui patiente un bâton dans la gueule. Le maître du chien porte une cigarette à sa bouche, ses cheveux bruns se soulèvent dans le vent.

La troisième est floue. On l'y voit en couleurs, les yeux roses à cause du flash, qui contemple un objet métallique scintillant posé sur une table. Il est torse nu, et bien qu'il commence à se faire vieux, avec sa moustache grise et sa tête couverte de marques brunes, son torse n'est pas celui d'un vieillard. Une tache d'encre bleue lui cerne le nombril. L'éclat blanc du flash se reflète dans un miroir accroché au mur derrière lui, avec en dessous, dans l'ombre, le corps de la personne qui le photographie, une femme jeune, nue.

« C'est toi, là ?

— Ne sois pas grossier. Évidemment que ce n'est pas moi. Tu as envie de le faire ? Il faudrait que tu ailles en Angleterre.

— Qui est-ce ?

— Je serai de retour dans quelques mois. Nous pourrions plus ou moins travailler ensemble. Ça te plairait, non ? »

8

Tu t'exprimais avec tellement de gêne, peu habituée à flirter pour arriver à tes fins.

« Qui est-ce ? »

Tu as souri, d'un gentil sourire de professionnelle de l'édition : « Un Anglais distingué, oisif et fin lettré. Un aventurier, un héros de la guerre. Un père, un mari. Un monstre.

— C'est débile. Personne n'est un monstre.

— Lui, c'était un monstre. »

Personne n'est un monstre. Les gens sont sympas et salauds, les deux. Le bien ou le mal ça n'existe plus. J'ai à nouveau observé la deuxième photo. Des traits durs et sensuels qui auraient pu appartenir à un Romain de l'Antiquité.

« Et que représente-t-il pour toi ?

— Un bon sujet de biographie, point. Une grande figure de son époque. Les biographies se vendent bien, tu ne le savais pas ? Il était connu au Japon et il a traduit quelques trucs. Mishima. Tanizaki aussi, je crois. »

J'ai voulu prendre l'avis de décès mais tu t'en es emparée, tu l'as rangé avec les photos dans l'enveloppe, et tu as reposé le tout près de ton sac. Là-dessus tu as hésité, en mauvaise actrice, et tu m'as regardé.

« Tu recevras une grosse avance pour les frais de voyage et le reste. Alors ? Tu vas le faire ? »

Bien sûr que j'allais le faire. J'avais besoin d'argent, tu le savais. Et tu savais aussi qu'il y avait quelqu'un que je fuyais à Boston. Un billet gratuit pour l'Angleterre, c'était tentant, et puis je voulais te revoir et tu m'avais fait comprendre que c'était l'unique moyen d'en être sûr.

J'ai fourré l'enveloppe dans ma poche et nous avons terminé la deuxième bouteille de vin. Tu avais les joues toutes rouges, seul signe avec peut-être ton silence (mais j'y étais habitué) que l'alcool t'avait quand même fait de l'effet. Comme on repeignait ton bureau, nous avons convenu de nous retrouver le lendemain dans une pizzeria du nord de la ville. Là je signerais des papiers, poserais quelques questions, toucherais le premier tiers de l'avance, me verrais remettre toutes les adresses en ta possession des gens ayant connu William Ivory, le monstre. Je t'ai raccompagnée jusqu'à un grand immeuble en verre de Milk Street, j'ai reçu ton consciencieux baiser rouge vin devant la porte à tambour et pris un bus le long de Fenway Park. Il y avait un match de base-ball avec Roger Clemens au lancer. En chemin, j'ai lu la notice nécrologique. Tu sais comment cela a commencé, et tu sais où. Tu savais également pourquoi, mais ça tu ne me l'as jamais dit. Ça, je devais le découvrir tout seul.

WILLIAM IVORY
(1925-1980)

Il est difficile d'imaginer un monde sans William Ivory. C'était un homme aux talents multiples : cultivé, grand voyageur, musicien, psychanalyste, romancier, traducteur, il possédait des dons hors du commun. Il se comportait en ami attentif, en hôte généreux, en père fier de ses enfants. Perfectionniste dans la conduite de sa vie, peut-être lui est-il arrivé de pécher par impatience devant les défauts des autres. Jamais il ne souffrit les imbéciles ; en revanche il savait pardonner. Très vite il vous réinvitait à sa table du Norfolk pour un de ces somptueux dîners, toujours préparés de ses mains, où le vin rouge puis le cognac coulaient en abondance. Nous qui avons eu la chance de compter parmi ses amis avons souvent bu à la beauté de l'aube pendant que cet excellent improvisateur nous accompagnait au piano de son jeu spirituel et fluide.

Fils de l'ambassadeur de Grande-Bretagne aux États-Unis, il naquit en 1925 à Hobart Hall, près de Norwich. La guerre interrompit ses études et une ascension autrement inéluctable au sein de l'Académie royale de musique. Sa santé chancelante qui le tourmenta tout au long de sa vie et à l'égard de laquelle il affichait une force d'âme stoïque l'empêcha de servir sous les armes, mais ce qu'il accomplit à Londres pendant le Blitz montra qu'il ne manquait pas de courage et la George Cross vint récompenser son héroïsme.

11

Après la guerre et un épisode « bohème » parmi les artistes et les poètes de Soho et de Fitzrovia, il se consacra pendant une courte période aux affaires, jusqu'à ce que sa nature vagabonde le pousse à quitter ces rivages pour voyager à travers l'Europe. Il alla partout, s'établit un certain temps en France, puis au Japon dans les années soixante ; mais il retournait sans cesse au Norfolk, un comté qu'il aimait et auquel sa famille était liée par un attachement historique autant que sentimental.

S'il ne fut pas toujours le plus accommodant des compagnons, du fait de ses dons innombrables et de sa nature à l'occasion combative, il fut assurément le plus spirituel et le plus amusant que j'ai eu l'heur de rencontrer. Privilégié par la naissance et la fortune, jamais il ne s'est reposé sur ses lauriers ou sur sa position sociale. Sa vie durant il travailla aussi dur qu'un jeune homme contraint par la nécessité, et cela explique peut-être en partie le triste fait qu'aucun de ses mariages n'ait duré. Sa promptitude à prendre parfois la mouche au cours des discussions ne l'empêchait pas d'être un fin connaisseur de l'âme humaine, célèbre pour la sûreté de ses diagnostics.

Son nom s'est tardivement imposé à l'attention du grand public en 1973, avec la publication de *Plaisirs décadents*, étude historique et culturelle d'envergure qui rencontra un succès de scandale et d'estime. Ce n'est que maintenant que son roman *Morita* (1976) recueille l'attention qu'il mérite.

Amoureux du Japon, attiré par cette grande civilisation, il traduisit en anglais plusieurs ouvrages importants. Sa mort prématurée qui nous prive de ses triomphes futurs rend le monde plus étriqué et moins courtois.

Un monstre ? C'est ce que tu prétendais. Pour moi il avait plutôt l'air d'un mec bien. J'aurais pu lui payer un coup dans un bar. Écouter ses histoires, peut-être lui raconter un peu des miennes. Pas toujours commode et drôlement sûr de lui le salaud, pour sûr, mais j'aimais bien l'idée de l'aristo-bohème-globe-trotter-psy et héros de la guerre par-dessus le marché. C'est le problème avec vous, les Anglaises : vous ne respectez pas les héros comme il faut. Je ne t'ai jamais parlé de Ted Williams ? de Luis Tiant ? de Bill Lee l'Astronaute ? Ou, tant qu'on y est, de l'Antéchrist en personne, Bill Buckner l'Estropié ?

J'ai lu l'avis de décès dans le bus pour Fenway, je l'ai lu et relu à Boston où je passai quinze jours à esquiver les attaques verbales d'une certaine Mary, son écœurant sourire de plus en plus pâle et les attentions câlines d'une clique de chefs de bande démunis ; je l'ai lu une fois de plus après t'avoir retrouvée le temps d'un éclair dans la pizzeria des quartiers nord, le jour où tu t'es excusée parce que l'argent n'était pas prêt, en promettant de me l'envoyer à telle date, poste restante, American Express, sur quoi tu partis, me laissant avec un billet d'avion, une petite liasse de livres sterling et un verre de vin plein devant la chaise où tu t'étais assise (tu rejetais la responsabilité de tout ce retard sur la politique de la maison et ça me parut compréhensible : confier une mission internationale à un biographe sans expérience provoque sûrement une certaine surprise dans les immeubles de bureaux) ; je l'ai à nouveau lu dans l'avion qui m'emmenait en Angleterre ; et je l'ai relu pour la centième fois sans doute dans ma chambre d'hôtel de luxe des quartiers ouest. Je n'en ai rien tiré de plus. Pourtant je l'ai gardé sous la main, avec les photocopies des annonces faxées à des journaux britanniques pour dire que je m'intéressais à William Ivory, 1925-1980, et requérir le témoignage personnel de toute personne l'ayant connu. J'ai glissé les trois photos dans le cadre en bois doré du miroir de la coiffeuse.

Tu m'avais réservé une chambre dans ce genre d'endroit où on te sert au lit sur un plateau d'argent et où le soir tu laisses tes chaussures devant la porte pour qu'on les prenne et les astique. J'avais envie que tu y sois, dans ma chambre de luxe. Assise sur le siège en cuir à côté de la porte-fenêtre donnant sur le balcon, les joues en feu à cause de l'alcool. En train de t'arranger les cheveux devant la coiffeuse, avec dans le miroir le reflet du tableau, une course de chevaux, accroché au-dessus de l'immense lit en cuivre. De suspendre tes vêtements dans la penderie assez grande pour y tenir debout. De partir en chasse avec moi au travers des chaînes de télé, sans perdre de vue que ce n'est pas l'Amérique, ici, même s'il y a au programme deux polars new-yorkais vaguement inspirés de séries retirées de l'écran depuis un bout de temps, une émission sur les grands moments d'un match de foot et un Bugs Bunny délirant. D'étaler tes pots, tes flacons et tes tubes sur la tablette en marbre du lavabo, modèle arc-en-ciel de conformité et de complaisance — Nivea, Floris, Clinique, Chanel, Body Shop, Annick Goutal, Clarins, Helena Rubinstein, Elizabeth Arden, Revlon, Max Factor, Guerlain, Christian Dior, Boots n° 7, Mary Quant, Bourjois, Yardley, Shiseido, Lancôme, Estée Lauder, assortis pêle-mêle, réfractant la lumière du néon qui les surplombe en lignes dissoutes de couleurs désunies. (Mais ça c'est venu plus tard, hein ? À l'époque j'ignorais tout de leur existence. Tiens-t'en à l'ordre des faits, Tierney, arrange-toi pour que ça fasse vrai, autrement ça n'a aucun intérêt.)

Je suis sorti sur le balcon. Dans la rue, des putes de luxe en tenue de travail vampiresque fumaient des cigarettes. Invisible du haut de mes deux étages, je les ai accompagnées le temps d'une clope. Quand j'ai eu fini, j'ai jeté d'une chiquenaude le mégot brasillant dans la rue sans qu'elles y prêtent attention. Et pour une raison ou pour une autre, cet instant m'a permis de réaliser que je ne te voulais pas du tout là, pas du tout. Tu nous avais lancés au départ d'un truc. Une espèce de conte de fées : toi, moi, une quête, un monstre. Mais pas un monstre à éliminer, un monstre, au contraire, à rappeler d'entre les morts.

Je suis descendu au rez-de-chaussée et dans un bar couleur de boue j'ai bu de toutes petites mesures de whisky irlandais en me prenant pour un cogneur dans mon costume de toile froissé. Je reluquais les femmes avec cette assurance de dingue que donne le décalage horaire et échangeais de discrètes confidences sur la pluie et le beau temps de part et d'autre de l'Atlantique avec un barman portant une perruque lustrée de la même matière que son plastron de chemise. Lorsqu'une des harpies à la mode qui stationnaient au bar commença à manifester de l'intérêt, j'ai regagné ma chambre. Si tu le pouvais tu en rirais mais je me gardais pur, pour toi.

Deux messages avaient été glissés sous ma porte. *En votre absence,* le bloc-notes à en-tête de l'hôtel, imprimé en belle ronde italique. Tous deux étaient des réponses à mes petites annonces. Julian Brougham Calder et Nicholas Wheel. Brougham Calder (en deux mots, sans trait d'union, le message impérieux, une stricte prescription entre parenthèses à côté de son nom) laissait son numéro de téléphone personnel. Pour Wheel, pas de numéro, juste l'adresse d'un bar de Chelsea avec une heure et un mot. Demain.

Mais d'abord, Helen Ivory. Un des deux rendez-vous que j'avais réussi à prendre avant de quitter les États-Unis ; l'autre, à plusieurs jours d'intervalle, c'était à Brighton avec Roland Gibbs, le généreux nécrologue d'Ivory. Mais d'abord, Helen Ivory. Thé chez Fortnum & Mason.

Semblable à une femme emballée dans du plastique qui colle à la peau, elle avait l'air d'une chose morte en conserve, la chair doucement marquée, écœurante à voir (hé, tu entends ? j'apprends à parler comme lui !), l'œil terne, noir, un rang de perles âprement posé contre sa gorge morte, son cou de poulet. Elle s'était elle-même décrite en usant de termes différents mais tous également cruels, objectifs, et il n'était pas difficile de la repérer avec ses cheveux blancs, ses vêtements noirs, en train de fumer en tremblant une cigarette aplatie d'un côté. L'indice révélateur, c'était la tremblote. Une amie de Parkinson bien malade, avait-elle dit à l'autre bout du fil, une femme devenue trop vieille et qui ne savait plus comment arrêter.

Elle m'a tendu la main ; moi je ne savais pas bien s'il fallait l'embrasser, la serrer ou trouver un bocal à spécimen où la fourrer. Je la pris avec beaucoup de précaution, regardai les veines et les taches qui à elles toutes dessinaient une carte illisible de la terre des vieux, et quand il me vint à l'idée que je la regardais depuis trop longtemps je lui dis combien j'admirais ses bagues.

« Du toc. Asseyez-vous. Vous me donnez le vertige. »

16

La tremblote était semble-t-il tout ce qui lui restait de vivant. Elle commanda pour nous deux des toasts au fromage au nom chic et du lapsang-souchong pour aller avec. Elle avait de la classe.

« L'endroit était assez beau autrefois. On l'a esquinté. Il y a quelques années. En abaissant le plafond. Vous ne préférez pas les hauts plafonds ? Je continue à venir. Par habitude. Il en est qui méprisent l'habitude. J'y suis fidèle. En plus le service est correct. Ils ne vous bousculent pas, et quand vous êtes laid ils font comme si de rien n'était. »

J'essayai de glisser un truc flatteur.

« Merci. Vous êtes très galant. Quelle est votre opinion sur l'habitude ? Feu mon mari la jugeait méprisable. Vous connaissez le prince Boothby ? C'était un dandy de la Régence, si raffiné qu'il. S'est tué parce qu'il est d'un ennui mortel de s'habiller. Et de se déshabiller tous les jours. Quelquefois je comprends. Ce qu'il devait ressentir. Est-ce que mon parkinson vous gêne ? De fait il pourrait, je crois. »

On nous apporta la commande et je fus étonné de la voir enfourner proprement la nourriture. Pour une vieille chose à moitié morte elle avait de la descente, pas de doute. Il n'en tombait qu'un tout petit peu avant que ça arrive à sa bouche.

« Vous vous intéressez à mon défunt mari ? C'était un homme très intéressant. Il m'intéressait. Il serait sans doute juste de dire qu'il me fascinait. Comme un serpent. Avec un lapin. Encore que c'est peut-être un peu trop simple. Après tout. J'en savais long pour un lapin. Et je n'étais pas une jeunesse. J'étais plus âgée que lui. J'étais un lapin riche, en plus. Mais ça se passait il y a longtemps. Êtes-vous au courant. De la situation désespérée des Albanais ? »

Elle parlait, parlait. Elle n'arrêtait pas. Si seulement ça pouvait te faire pleurer. Comme quelqu'un qui depuis dix ans au moins n'aurait adressé la parole qu'à des vendeuses et à des serveuses. Elle a continué sur les Albanais dans son staccato fragile pendant tout le temps qu'il nous a fallu pour venir à bout de deux théières. Elle faisait partie d'un comité paroissial qui se chargeait d'expédier des colis de vêtements et de médicaments à Tirana. Elle m'a tapé d'une contribution et je lui ai glissé un chèque de voyage prélevé dans la pile que tu avais achetée pour moi.

« Merci. Ravissant. C'est de l'argent ? »

Je le lui ai assuré.

« Américain, non ? C'est bien ce que je pensais. Vous êtes américain.

— Je vis à Boston.

— C'est une jolie petite ville. J'y suis allée. Henry James en était originaire si je ne me trompe ?

— Peut-être. Je pensais qu'il était new-yorkais.

— Pour ma part hélas j'ai toujours trouvé ses livres. Un peu répugnants.

— Vous préférez les récits plus enlevés ?

— J'allais souvent à New York autrefois. Pour affaires de famille. Il fallait que je signe des papiers. Que je fasse semblant de prendre des décisions. Par bonheur mon défunt mari m'a appris à me protéger. De tout ça. Cela ne vous ennuierait pas trop de regarder de l'autre côté ? Je dois avaler des cachets. C'est une de mes coquetteries. De ne pas aimer qu'on m'observe. Quand je prends des médicaments. »

Elle dissimula le bas de sa tête branlante derrière une serviette et effectua plusieurs passes en direction de son sac avant de réussir à glisser les doigts à l'intérieur. J'ai déplacé mon siège. Quand j'étais arrivé, la salle était bondée ; elle était presque vide à présent. Quelques couvées mère-fille associées pour les courses, c'est tout, et à la buvette un gros homme en costume à fines rayures qui portait délicatement à ses lèvres de gélatineux cumulus de crème glacée.

« Merci. Vous êtes bien aimable. Galant. Je fais j'en ai peur. Une compagne plutôt effroyable. Qu'est-ce qui vous intéresse chez mon défunt mari ? »

Je lui parlai de la biographie. « Je dois reconnaître que vous êtes la première personne que je vois, dis-je. J'essaie de rencontrer des gens qui l'ont connu, de partir de là. De comprendre le sens d'une vie. Je n'ai jamais fait ce genre de chose, avant, je suis surtout journaliste, je m'y perds un peu.

— Absolument. Ainsi je suis la première personne que vous rencontrez. Qui vous a commandé cette. Biographie ?

— Une femme, Dorothy Burton. À Boston. Une Anglaise.

— Elle le connaissait ? Peut-être une de ses contemporaines ?

— Non, elle ne le connaissait pas, je ne crois pas. C'est une jeune femme. Elle n'a rien précisé. Je ne crois pas qu'elle l'ait connu.

— Et comment ce livre se présentera-t-il ? Il paraît que les biographies prennent un tour assez personnel aujourd'hui. Je ne pense pas hélas. Pouvoir approuver. La trahison. Des choses intimes du passé.

— Ça dépend de ce que j'apprendrai. Pour le moment, tout ce que j'ai, c'est un avis de décès paru dans la presse. Jusqu'ici je n'en sais pas plus.

— C'était un homme remarquable.

— C'est bien ce qu'il me semble. Combien de temps avez-vous été mariés ?

— Nous nous sommes mariés en 1956. Il avait trente et un ans. J'étais plus âgée. Il s'est remarié en 1969, je crois.

— Vous vous êtes remariée, vous aussi ?

— Je suis née catholique. Je reste catholique. Je ne me suis mariée qu'une fois.

— Je vois que vous portez toujours une alliance.

— Les formes conventionnelles de la religion n'avaient pas. Tant d'importance. Pour feu mon mari.

— Est-ce une manière de dire que vous ne croyez pas au divorce ?

— Je crois à tout un tas de choses. Je suis parfaitement capable de croire en des choses impossibles. Telle est la grâce de la foi. Je me conforme en tout aux préceptes de l'Église. »

Ça devenait déjà plus obscur.

« En d'autres termes, si vous me permettez, cela signifie que vous n'avez jamais divorcé ? »

Elle hocha la tête, secoua la tête, mais ce n'était pas la première fois. Elle mit entre ses lèvres une autre de ses cigarettes à la drôle de forme pendant que je suivais le mouvement avec une allumette.

« Ce fut un mariage heureux ?

— Je ne peux pas répondre à cette question. Pas même commencer. C'est une question impossible.

— Vous avez eu des enfants ?

— Deux. Un garçon et une fille.

— Qui s'appellent ?

— Matthew et Deborah.

— Quel âge ont-ils ?

— Matthew est né en 1960. Deborah en 1962.

— Vous les voyez souvent ?

— Nous formions une famille. Assez unie. Deborah m'envoie. Deux cartes postales par an. Une pour mon anniversaire. La dernière venait de Montréal. L'autre pour mon anniversaire de mariage. Matthew vit à Chelsea dans des écuries aménagées. Il passe par un fondé de pouvoir pour m'envoyer de l'argent. C'est. Tout ce qu'il tolère. En fait de contact. Cela doit vous sembler triste, non ?

— Ils étaient plus proches de leur père ?

— C'était un homme puissant. Tout le monde ressentait sa puissance. Y compris ses enfants. C'était un homme fort. Pas un être. Particulièrement démonstratif. Je trouve tout cela pénible. Peut-être pourrions-nous arrêter ?

— J'aimerais poursuivre cette conversation une autre fois, si possible.

— Vous avez mon numéro de téléphone. Appelez-moi d'ici deux ou trois. Jours s'il vous plaît. Et nous organiserons. Quelque chose. Comment vous êtes-vous procuré mon numéro ?

— Dorothy Burton. La femme qui m'a commandé le livre. Elle me l'a donné.

— Je ne connais pas de Dorothy Burton. Qui d'autre a-t-elle prévu de vous faire rencontrer ?

— Uniquement vous et Roland Gibbs. Il a rédigé la nécrologie de votre mari. Et je devrais bientôt voir un certain Julian Brougham Calder ainsi qu'une autre personne, Nicholas Wheel. »

Elle rougit légèrement. « Permettez-moi de vous reprendre. Les noms propres anglais sont parfois traîtres. Pour les étrangers. On prononce "Broom" Calder, pas "Brouffam". Vous apprécierez sa compagnie. Les autres je crains. De ne pas les connaître. Et maintenant je dois y aller, vraiment. Peut-être allez-vous m'accompagner. Jusqu'à l'arrêt de bus ? »

Toute secouée elle enfila son manteau d'astrakan, le genre de manteau qui faisait se précipiter les filles de mon école dans les friperies du quartier, et s'appuya légèrement sur mon bras. Nous avons traversé le rayon d'alimentation pour sortir du côté de Piccadilly, une orgie de chantiers en cours, de bus, de taxis, de touristes en Burberrys et de petits Anglais vêtus, pour quelque obscure raison qu'un sociologue ou un grand sorcier parviendrait peut-être à démêler, comme les garçons des banlieues américaines à l'époque des sixties. Une fois dehors, Helen Ivory pesa sur mon bras d'une main plus nerveuse, comme si le monde était pour elle trop sonore et trop éclatant.

J'essayai de la convaincre de prendre un taxi pour rentrer mais elle ne voulut rien entendre. « J'ai une carte. De bus gratuite », me dit-elle sur un ton qui frisait la fierté. Nous fîmes deux fois fausse route avant de trouver son arrêt, où j'attendis silencieusement à ses côtés que le bus arrive. Je l'aidai à monter sur la plate-forme, la regardai par la vitre pendant qu'elle se laissait tomber sur un siège. Elle a agité la main, esquissé une grimace qui ressemblait à un sourire. Puis j'ai marché au hasard jusqu'à ce que je tombe sur un pub dans lequel j'ai foncé tête baissée pour avaler vite fait deux tout petits whiskys. J'avais des remords parce qu'en partant elle avait l'air plus triste que lors de mon arrivée. Puis la tension de la politesse anglaise s'étant un peu relâchée sous l'effet des deux whiskys, j'en ai commandé un de plus, là-dessus je me suis senti mieux et j'en ai pris un autre.

De retour à l'hôtel, j'ai sorti le magnéto de la poche de mon costume. J'ai transcrit les sons sortis de sa bouche sur mon bloc-notes, et quand ce fut fait je contemplai les mots couchés là en m'efforçant de déchiffrer ce que j'avais appris sur William Ivory, en sus du fait juridique qu'il n'avait jamais divorcé de la première de ses veuves et du fait affectif qu'elle l'aimait toujours.

Une clarinette solo suraiguë qui sautait les notes difficiles, les rythmes pépères d'une basse épaisse grattée par un jeunot à la bouille de pizza qui camouflait son teint derrière un bouc et un béret, une avalanche de percussions frappées par un chevelu en short et tee-shirt publicitaire défraîchi qui ne quittait pas des yeux les très rares filles de l'assistance, au saxo et à la trompette, un duo de mal fringués de défroques encore chaudes lâchant couacs et pets au petit bonheur, et au milieu de tout ça une suite effrénée de jolies semi-mélodies arrachées au piano par la main câline d'un petit homme à la tignasse rare, hirsute et salement oxygénée ; en jouant il se parlait tout seul, comme un amnésique en quête d'un air connu.

Nick Wheel était dans l'orchestre, à ce que m'avait dit le type de l'entrée, aussi ai-je pris une table dans ce bar en sous-sol. Je n'eus pas de mal à en trouver une. Tout en avalant un hamburger qui jouait sans y croire la comédie pur bœuf, j'essayai de reconnaître mon homme. J'ai imaginé qu'il s'agissait du pianiste. J'y allais au hasard, mais au moins je savais qu'Ivory jouait du piano, et puis le pianiste avait l'air le plus intéressant du groupe. Chaque fois que ces types réussissaient à venir à bout d'un morceau, un murmure d'espoir s'élevait du public clairsemé pour mourir dès qu'ils enchaînaient en titubant sur un autre.

Un pingouin est venu se joindre à moi, une de ces victimes nées de la médecine. Il portait un jean noir avec une grosse ceinture cloutée, des sandales de kung-fu, une chemise en jean bleue coupée en haut des manches et un bandana rouge. Une coupe au rasoir, des cicatrices et des bosses sur le visage. Les moignons de ses petits bras étreignaient une pinte de bière.

« On peut s'asseoir ? lança-t-il après s'être installé.

— Sûr. Faites comme chez vous.

— T'es amerloque ? » Il se barbouilla la bouche de bière, en avala un coup, essuya la mousse en frottant prestement son genou contre sa figure. Sa remarque ne semblant pas vraiment appeler de réponse, je n'ai pas relevé.

« J'ai dit que t'étais amerloque.

— Je ne suis pas sourd.

— Tu sais pas à quoi tout le monde rêve, dans ce pays ?

— Dis toujours.

— Tu sais pas ? Dans ce pays, tout le monde rêve de prendre le thé avec la reine. Je trouve ça d'un minable à chier. » Il cracha dans sa bière, commença à paraître content de lui, se pencha sur la table. « Et tu sais quel est le pire cauchemar de la majorité des mecs ? La plus grande trouille de leur vie ?

— Dis.

— Tu vois, tu sais pas. T'es un putain d'Amerloque. Tu sais rien de rien. Moi je vote à gauche. Tu sais ce qui fout vraiment la trouille à tous ces putains de super machos ?

— Étonne-moi.

— Je vais te dire. C'est de l'avoir moins longue qu'un nabot. Tu savais pas ça ? C'est prouvé statistiquement. »

Les musiciens avaient quitté l'estrade. Le batteur rejoignit une tablée de filles aux cheveux longs. Le joueur de piano se tenait déjà près du bar. Les autres s'étaient tous installés autour d'une table et buvaient leurs bières au goulot sans échanger un mot.

« Et je vais te dire un autre truc. Tu sais ce qui est encore plus dur que de l'avoir moins longue qu'un nabot ? Bien plus ravageur psycho-logi-quement ? C'est de l'avoir moins longue qu'un putain de raté de la thalidomide. Tu veux pas sortir faire un tour ? Je vais te montrer.

— Une autre fois peut-être. J'ai rendez-vous ici.

— Avec qui t'as rendez-vous ? Si ça se trouve je la connais. Je connais tout le monde.

— J'ai rendez-vous avec un type, Nicholas Wheel. Tu le connais ?

— Nick Wheel. Tu parles que je connais Nick Wheel. C'est le pianiste. T'es copain avec lui ? J'en ai rien à fiche que tu sois copain avec lui. Je vais finir ma bière, et puis je sors et je t'attends. Hé, Nicky, ce connard d'Amerloque dit qu'il est copain avec toi. Tu veux que j'te le ramène quand j'l'aurai arrangé ? Allez viens, toi, on sort. »

Il lâcha son verre de bière par terre et se mit à me gifler avec son moignon droit. Des coups cinglants sur le coin de la figure. Comme je répondais, il se ramassa sur lui-même en position de karatéka. Le joueur de piano s'est pointé derrière lui. Son grand sourire découvrait largement sa vilaine dentition anglaise. Je me suis levé ; le pingouin m'a balancé un coup de pied qui visait la tête et m'atteignit à l'épaule. Je réussis à ne pas tomber à la renverse et fis comme si de rien n'était.

« Nicholas Wheel ? Je suis Richard Tierney. J'ai eu votre message.

— Ah, ou…ais, dit-il, traînant le mot en longueur et l'interrompant sur un gloussement.

— Il dit qu'il te connaît. Qu'il a rancard avec toi ici. Moi je dis que je vais lui flanquer une putain de dérouillée.

— Vous m'avez appelé à l'hôtel. J'avais mis une annonce. À propos de William Ivory.

— J'ai fait ça, moi ? Ah ouais, c'est vrai. Ça t'a plu le groupe ? »

Le pingouin a recommencé à m'accrocher, cette fois en m'envoyant une tête dans l'estomac. Je l'ai pris par les épaules et je l'ai repoussé mais j'étais tout de même un peu sonné.

« Tu vas pas le décommander ce lèche-cul ?

— Asseyons-nous. Je veux parler à ce mec. Tu arrêtes un peu, hein ?

— O.K. Nicky, j'y vais. Mais toi, connard, t'es un homme mort. »

L'air bravache, le bon bougre agressif se dirigea vers une porte à double battant et sortit par un escalier de secours. Je me suis rassis. Nick Wheel prit la chaise du pingouin.

Quelqu'un mit un disque et la musique repartit. Assourdissante et moche.

« Ça t'a plu, le groupe ? hurla Nick Wheel.

— Non ! hurlai-je en retour. Vous, ça allait mais les autres c'est de la merde. »

Le volume sonore diminua brusquement et on put parler comme on l'entendait.

Je lui demandai comment il avait connu William Ivory.

« C'était mon père.

— Quoi ?

— C'était mon frère. Mon copain. Ma fin. Mon turbin. Ma frangine. Ma voisine d'à côté. Mon bébé. Ma pépée.

— Tout ça.

— Moi son frère. Moi son homme. »

Il me souriait comme un collégien en train de montrer à un prof ce qu'il sait faire. « Il m'a baisé avec ses listes. Listes anales.

— Comment ça ? C'était votre analyste ?

— L'âne à listes, oui. »

L'air blagueur et bête, on aurait dit un gamin. Mais il n'avait plus l'âge d'être un gamin. Déjà il perdait ses cheveux oxygénés. Il y avait des rides au coin de ses yeux sombres et autour de sa bouche la peau commençait à plisser.

« Quel âge avez-vous ?

— Quel âge avez-vous ? Tu me trouves bien ? Je parie que mon papa est plus fort que le tien. Mon papa, il est policier.

— Le mien il est soldat.

— Et le mien il est général.

— Gagné.

— Mon papa, il est maréchal et c'est une femme. En plus. Tu crois que j'ai des problèmes ? L'acné ? J'ai appris à faire avec. Calvitie typiquement masculine — le triste sort de l'espèce.

— William Ivory ?

— Un boucher. Bill le Boucher.

— Si on parlait un peu de lui ? C'est pour ça qu'on est ici, non ?

— J'adorerais. Sans blague. Mais mon public attend. »

Dans la lumière plus crue de la seconde partie, on distinguait l'acné sur le visage des musiciens. Seuls le batteur romantique et ce chahuteur de pianiste avaient la figure propre. Ils jouaient aussi mal qu'avant et je suis parti sans attendre la fin du premier morceau. Le pingouin m'attendait dehors. Frissonnant, tout mouillé, il avait envie d'en découdre. J'ai levé la main pour arrêter un taxi et je l'ai tenu en respect le temps qu'il en passe un. Je l'ai planté là, furieux, jurant tout ce qu'il savait, et je suis rentré à l'hôtel.

Il devait être trois heures et demie du matin quand on frappa à la porte. Dans le couloir, Nick Wheel posait sans se gêner le pied sur la paire de chaussures que j'avais laissée dehors.

« T'as vraiment bien arrangé Bob. Joli, le peignoir. Je peux entrer ? J'ai un tas de trucs à te raconter. Je boirais bien un coup. J'aime boire. J'aime être pété. Y'a pas mieux. »

On a ouvert des petites bouteilles de whisky écossais trouvées dans le mini-bar. Il s'est assis sur le lit. J'ai pris un fauteuil.

« Joli, le peignoir. Ça te va bien. T'en as pas un pour moi ? On devrait toujours s'habiller pareil, tu ne trouves pas ? Pour supprimer les différences de classe. Si tu m'en dégotais un, je le porterais, et personne n'arriverait à nous distinguer l'un de l'autre.

— C'est le seul que j'ai. L'hôtel est radin.

— Ouais. Sale boîte. Radine. Mesquine. Qu'est-ce que tu tripotes dans ta poche ? T'as un pétard, là-dedans, où tu te fais juste plaisir…

— Il paraît que tu avais des trucs à me dire.

— Ça se descend un peu vite, ça. J'ai fini la mienne. Tu as fini la tienne ?

— Prends-en une autre. Prends-en trois. Alors, et l'âne ?

— On a l'âne que l'on mérite. L'âne a le… L'anal ! Maman ! Il m'a touché ! Enculé. La honte, moi, végétarien pur et dur… Tu aimes Londres ? »

Aimais-je Londres ? Londres, c'était une corvée, un décor sans intérêt, aussi dépourvu d'intérêt que les calembours et les jeux de mots de Wheel, un décor pour mission impossible, un lieu infirme et grisonnant où tout n'était que du toc. Mais pas du toc américain, pas du toc Las Vegas, rien que du toc sérieux d'amateur bidon dans le genre des gamins acnéiques du club en sous-sol qui jouaient leur be-bop froid avec des sons qui n'allaient pas, mais des tenues qui allaient bien. Un toc faux, un toc moche, un toc de pingouin qui joue les gros durs, un toc de ville en mille morceaux piteusement recollés au petit bonheur la chance, un toc à la David Niven au lieu du toc à la John Wayne : un toc style trop d'eau a coulé sous les ponts, au lieu du toc encore un truc qu'on rate, hier encore on tenait le bon bout.

Jusque-là, je t'avais suivie à la lettre ; j'avais presque cassé la figure d'un mec sans bras ; échangé de courtois propos sans queue ni tête avec une veuve à l'air encore plus mort que son mari ; écouté du mauvais jazz et des bons mots pires encore. Et tout ça pour trouver un mort, sans plan du cimetière.

« Je suis fatigué. Parle-moi de William Ivory. Je ne suis pas du genre patient.

— T'es du genre toubib raté, alors ? La schizophrénie, ça te dit quelque chose ?

— Sûr. Sûr que ça me dit quelque chose, la schizophrénie.

— Et l'hébéphrénie ? La paranoïa ? Le syndrome de Tourette ? La maniaco-dépression ? L'épilepsie, petit et grand mal ? L'hystérie ? La névrose, la psychose, normale ou sous amphétamines, l'intoxication alcoolique, l'angoisse de la puberté, la normalité ?

— Je connais, oui, pour la plupart.

— Le diagnostic ? Ça te dit quelque chose le diagnostic ? Un diagnostic, des diagnostics, tu sais ? Tout ça c'est des diagnostics. Sur moi. Pour vous servir, monsieur.

— Des diagnostics d'Ivory ?

— Non. De psychiatres. D'analystes. De médecins. Tous des docteurs, des minces, des gros, des docteurs avec la barbe, bibliques comme Moïse, d'autres avec des barbichettes branchées, des docteurs femmes, des docteurs androgynes, des docteurs qui travaillent dans des cliniques, dans des cabinets privés, dans les ex-appartements privés de maisons de Hampstead, des docteurs avec des divans et des photographies signées Herr Meister Fraude, des docteurs qui jouent de la musique et qui te tapent sur l'épaule, des qui te crient dessus, des qui veulent que tu te déshabilles complètement et que tu les appelles papa, des docteurs avec des machines à orgone à la con de Reich, des docteurs jungiens, des docteurs kleiniens, des docteurs lacaniens, des anti-docteurs à la Ronald Laing, des docteurs zen, des docteurs qui consultent en public, des docteurs qui consultent en privé, des docteurs qui ne sont pas vraiment docteurs mais qui s'appellent quand même docteurs, des docteurs qui sont docteurs mais qui n'aiment pas s'appeler docteurs parce que ça met une distance, et toi tu n'es pas un patient, tu es un analysant, ou parce que ça serait réifier un pouvoir officiel, alors ils veulent que tu leur dises Larry, ou Ronnie, ou Leon, ou Julia.

— Ou William ?

— Non. Pas William. Mr. Ivory. Toujours. Je n'ai découvert son prénom que le jour…

— Le jour où quoi ?

— Pousse pas. Je vais tomber.

— Comment il t'appelait, lui ?

— Nicky. Nicholas, quelquefois.

— Et son diagnostic c'était quoi ? »

Wheel liquida sa troisième petite bouteille et tendit la main pour en avoir une autre. « Ça, c'est personnel. C'est entre mon docteur et moi.

— Tu me fais perdre mon temps, bordel.

— C'est ce qu'il me disait. Sans gaspiller autant de salive. Il s'abstenait de toute grossièreté. Il me disait que j'étais un professionnel de la maladie. Que ma famille me bousillait. C'est classique. Les familles, elles te tuent. Tu connais cette citation de David Cooper ? "La mort naturelle n'existe pas. Une mort, c'est toujours soit un suicide, soit un meurtre."

— Et la sienne ? Celle d'Ivory.

— Je ne sais pas, je n'y ai jamais pensé comme ça. Astucieux.

— Que s'est-il passé, alors, quand il t'a dit que tu lui faisais perdre son temps ?

— J'ai niqué sa fille. Par-derrière.

— Pourquoi ?

— C'était son truc à elle.

— Lui, qu'est-ce qu'il a fait ?

— Il a vendu des billets pour que les gens puissent regarder. Hé, juste pour rigoler. Ça lui a fait de l'effet. La preuve que j'avais envie de changer, d'après lui. Ça a marché, il m'a repris en cure.

— Et ça consistait en quoi, la cure ?

— Je parlais. Lui, il écoutait. Après c'est lui qui parlait et moi j'écoutais. Chacun son tour. Des fois on parlait tous les deux en même temps et d'autres fois on ne disait rien ni l'un ni l'autre de toute la séance. Quelquefois on jouait du piano ensemble. Il connaissait ses classiques, Ravel et Debussy. Je lui montrais le jazz. Il connaissait déjà. Je crois qu'il m'a sauvé la vie.

— Tu l'aimais ?

— Je le détestais. Pour moi il était horrible. Je ne savais jamais ce qu'il avait derrière la tête. Il me manque.

— Et sa fille ?

— Je ne sais pas. Elle aimait bien que je lui joue du piano. Elle était sans doute plus bousillée que moi. File-moi encore un coup. J'ai envie d'être pété. Et d'ailleurs, qui tu es, toi ? Pourquoi tu t'intéresses à Ivory ?

— Je l'ai expliqué dans l'annonce. J'écris la biographie de ce type pour un éditeur américain. Il était comment, comme analyste ?

— Il disait que presque plus rien n'arrive à faire changer les gens à partir de l'âge de sept ans, environ, sauf quelque chose qui te secoue vraiment, le truc vraiment gros, la guerre par exemple. Quelquefois il appelait ça l'apocalypse, d'autres fois le Grand Machin. Grand G, grand M. Son but, c'était de devenir le Grand Machin de ses patients. Je crois que ça marchait, la plupart du temps. (Wheel s'allongea sur le lit.) Mince. Il fait chaud, là-dedans. Monsieur Tierney. Ça, par exemple. »

La sale impression de me retrouver devant une provocante

beauté du Sud, quand il a défait le premier bouton de sa chemise pour découvrir sa peau imberbe et pâle. « Tu veux coucher avec moi ? D'où tu viens ?

— De Boston. Non. Je ne veux pas coucher avec toi. »

Il m'a lancé un adorable sourire édenté. « Pas de problème. Je posais simplement la question. Je ferais mieux de filer. Tu as besoin d'un coup de main ? Je travaillerai pour toi.

— Pourquoi ?

— Parce que tu es américain. Tu me paieras en dollars amerloques. J'aime être pété. Il faut de l'argent pour se péter. Je peux conduire une bagnole. Je peux poser des questions indiscrètes. Il me manque. »

Il s'extirpa du lit, alla se planter devant le miroir de la coiffeuse et examina les photos d'Ivory. Il les sortit pour les regarder de plus près. « Vilain petit poseur. Vieux cochon. Bel homme. » Il les retourna et déchiffra ce qui était inscrit au dos. « À Mattie. Qui c'est, Mattie ? À ma petite fille à moi. Ma femme chérie… À voir ta tête on dirait que tu n'avais rien remarqué. Je croyais que les biographes jouaient les détectives. Toi, tu es détecté. Alors, j'ai décroché le boulot ? Je suis ton homme ?

— Tu es trop vieux. » Je l'ai fichu dehors. Dans mon idée je ne devais jamais le revoir. Dans mon idée, rien de ce qu'il m'avait raconté ne pouvait m'aider, mais il fallait que je cultive mon professionnalisme. J'ai sorti le magnéto de ma poche et j'ai transcrit ses mots déjetés en me dépêchant le plus possible.

Je me réveillai tard. Désorienté. De vieilles douleurs de joueur de base-ball dans les genoux et dans les hanches. L'affichage numérique de la pendule de la télé indiquait l'heure en rouge : 13 :13 et je gardai les yeux fixés dessus jusqu'à ce qu'il passe à 13 :14, sur quoi je me suis senti un peu plus tranquille. Composé le numéro du service de l'étage pour qu'on me monte une pile de bagels chauds au fromage blanc et au saumon avec de l'oignon, commande qui, une fois négociée à la baisse, devint un sandwich crudités au pain de mie. La mayonnaise est préparée dans nos cuisines, déclara la fille avec un sans-gêne qui laissait craindre le pire.

Le sandwich était mauvais. La mayo piquait parce qu'il y avait trop de citron. Les tranches de pain étaient minces. Pas assez de bacon au milieu. J'ai piqué le bacon et la tomate avant de jeter le reste par la fenêtre pour que les oiseaux aient de quoi picorer. Me suis déplacé à pas feutrés dans la chambre. Ai longuement contemplé les photos, puis examiné les dédicaces inscrites au dos. Un gosse sérieux et gominé sur un tabouret de piano : *À Mattie*. Qui était Mattie ? Son fils Matthew ? Mais l'écriture avait l'air trop datée pour. Des lettres gothiques tracées d'une main enfantine, pâlies par le temps. La suivante. Sur la côte, il est beau, il fume une cigarette : *À ma petite fille à moi*. Sa fille ? Sa femme ? Une quelconque pouffiasse ? Et la dernière. *Ma femme chérie*. Il a le crâne dégarni, sur celle-là. Impossible qu'elle soit dédicacée à Helen. Ils étaient séparés depuis longtemps à l'époque. Et de toute façon on n'envoie pas à son ex une photo de soi prise par une fille nue. Ça devait être sa deuxième femme. Personne ne m'avait encore rien raconté sur elle. Où était-elle ?

Enduré la douche — deux jets de chaud et de froid qui giclaient côte à côte. Puis j'ai enfilé mon costume en lin passe-partout et je suis sorti faire un tour. À la réception, un employé en uniforme (Guy, annonçait le badge à son nom) m'a gratifié d'un sourire dents serrées et m'a indiqué la librairie la plus proche.

Je me rappelle dans quel état d'esprit j'étais lors de cette promenade dans une rue ensoleillée où l'on vendait des légumes, du poisson, des accessoires de salle de bains et des bonbons européens dans des boîtes à offrir, à travers un square bordé d'immeubles d'habitation où des bambins torse nu de toutes les couleurs de peau couraient en rond en piaillant sous les yeux de leurs parents paresseusement appuyés au rebord des fenêtres de leurs appartements, en train de fumer des cigarettes et des joints pendant que la musique qui sortait à plein tube de chez eux se télescopait au milieu du square dans une joyeuse cacophonie, le long d'une rue bordée de restaurants chics — italiens, français, américains bidon, du toc, tous avec des gens pleins aux as qui avaient l'air content de ce qu'ils avaient pour leur argent. Et moi aussi je me sentais content pour eux. Je m'étais évadé de Boston, s'en évader était une nécessité, et même si j'avais agi avec une lâcheté cruelle il n'y avait plus de passé, plus que du mystère, et je ressemblais à Lee Marvin jeune et je n'avais plus de responsabilités qu'envers la vérité.

Je suis revenu à l'hôtel, qui avait l'air vieux et imposant dans son square résidentiel à lui, et je suis monté à ma chambre (# 244, mais tu le sais, tu avais choisi pour moi) avec mon butin : *Plaisirs décadents* (« abondamment illustré [...], un tour d'horizon aussi érudit que stimulant sur les excès de l'histoire ») et *Morita* (« récit troublant, écrit à la première personne par celui qui fut le premier lieutenant de Yukio Mishima et l'assassin qu'il avait élu [...] avec une conclusion macabre [...] exploration pleine d'élégance de la noirceur »). J'ai feuilleté le beau livre grand format comme on regarde un film

— la Rome antique, Ben Franklin au Hellfire Club, les châteaux de conte de fées du roi fou, Ludwig de Bavière, Aleister Crawley, Gilles de Rais. Me suis longuement attardé sur le portrait de l'auteur, un délicat dessin au trait de Philippe Jullian représentant un dandy moustachu en costume vert appuyé contre le mur d'un balcon, et je me rappelle m'être alors mis à penser à mon propre livre. Une exploration érudite, stimulante, pleine d'élégance et signée de moi de la personnalité de William Ivory (1925-1980). Au dos de la couverture, ma pomme en noir et blanc, maussade ; les photos du bonhomme réparties au fil du texte, pas regroupées au milieu par souci d'économie ; la couverture ? J'hésitais, sur la couverture ; rien d'autre peut-être qu'une simple photographie, celle d'Ivory devant l'Océan avec son berger allemand derrière lui (*À ma petite fille à moi*), ou peut-être juste son beau visage sardonique en surimpression sur des images d'une décadence fascinante, son nom et le mien associés et une formule frappante en guise de titre, peut-être une citation tirée de lui ou quelque chose d'approchant ; un index détaillé à la fin, une bibliographie, aussi, pourquoi pas ; éventuellement deux ou trois citations sur la page de garde pour montrer la profondeur de ma pensée, et une dédicace, peut-être, à toi.

On se caille dans cet appart'. Je n'ai jamais compris comment marchait le système de chauffage et il n'y a plus personne à qui demander. Tu es bien installée ? Tu m'écoutes ? Je devrais peut-être me faire plus lyrique, ou plus exigeant. Je devrais peut-être apprendre tout seul à jouer du piano dans le salon du rez-de-chaussée. Ou nettoyer cet endroit à fond. Jeter les saloperies qui traînent dans la coupe de fruits. M'exciter avec des détergents sur les carrelages de la kitchenette et de la salle de bains. Téléphoner à l'étranger, ravaler mon orgueil, me rabaisser plus bas que terre et reconstruire ma vie antérieure. Il est trop tard pour ça. Boston me manque. Le baseball me manque. La saison des matchs de qualif' va s'ouvrir, maintenant. Il y a trop de graffitis sur les murs. Les vitres sont noires de crasse. Je frotte, troue la couche de nicotine pour regarder dans la rue où je vois qu'il ne se passe absolument rien. À une époque ça t'intéressait, pas vrai ? Les dames fatiguées avec leurs chariots de supermarché qui interrompaient leur course grinçante pour s'essuyer les mains sur leurs fronts en sueur ; les gosses du quartier qui posaient pour la galerie, si timides que ça les rendait à moitié dingues et du coup d'autant plus dangereux ; les employés de bureau qui rentraient du boulot par petits groupes tenant tous le même journal sous le bras ; jusqu'aux chats qui se lissaient le poil au coin des maisons et s'allongeaient sur les murs de séparation le temps d'un repos vigilant. Oublie ça. Assez. Repousse ça pour l'instant. On a tout le temps d'y penser. Reviens en arrière. À l'époque où l'on ne s'y retrouvait pas encore, où un vieux bohème qui prêchait en secret pour son saint racontait sur Ivory des histoires contradictoires.

« Avez-vous jamais rencontré un assassin ? »

La voix traînante sort du magnéto. Ivres voyelles aristos. Souvenirs de guerre. Mets plus fort. Monte le son.

« Avez-vous jamais rencontré un assassin ? » Cette insistante délectation dans la voix du vieillard. « Comment vous le représentez-vous, alors ? Bien tranquille et pointilleux, peut-être, un homme aux allures de petite souris sèche, rongé en dedans par le ver de la colère ? Ou alors en lèche-bottes sournois avec quelque chose de malade dans le regard, comme John Christie ? Drôle, non, qu'ils soient si nombreux à porter des lunettes ? Vous croyez que la myopie joue un rôle dans l'instinct de meurtre ?

— J'imagine que la plupart des tueurs ont la même tête que tout le monde. » Ma voix, gauche en sa compagnie.

Julian Brougham Calder (j'avais toujours du mal à ne pas l'appeler Brouffam, je m'en souviens) reprit avidement haleine. Qu'est-ce que c'est que ce bruit ? Il t'a fait sursauter ? Ce n'est que le souffle d'un vieillard enregistré sur bande magnétique. Permets-moi de planter le décor à ton intention. De te courtiser en paroles. De te conquérir avec mon pouvoir de description. Nous nous faisions face de part et d'autre d'une table basse, dans un club au premier étage au-dessus d'une taverne grecque d'une petite rue de Soho. L'endroit était confortable, il me plaisait. De vieux fauteuils éreintés accueillants aux formes du corps, des lumières atténuées pour flatter jusqu'à les rendre invisibles les nez fleuris de vermeil et les joues aux veines variqueuses. Derrière le bar, un homme froid au teint cireux. Aux murs, des tableaux qui dans la pénombre constante évoquaient des pièces de viande. Des boiseries sombres, aussi patinées que le cuir d'un éléphant qui meurt.

Le jour où je devais le voir pour la dernière fois, il serait habillé en bouffon élizabéthain et boirait du cognac avec une paille. Mais ce soir-là, lors de notre première rencontre, je ne le voyais pas sous les traits d'un bouffon. J'avais pour hôte un vieux monsieur gracieux en costume de velours côtelé blanc et chemise jaune à col ouvert. Le rouge de l'alcool pommelait légèrement sa peau lisse. Il avait les cheveux coupés très court, chaume blanc et doux épars sur le crâne. Le visage était noble, meurtri, les pommettes hautes, le nez concis, bien dessiné, avec une bosse sur l'arête. Remets le magnéto en marche.

« Je pourrais vous raconter une histoire de meurtre, dit-il en baissant presque pudiquement les yeux sur le champagne qui remplissait son verre. Si vous voulez.

— Oui, répondis-je. Il y a un lien ? »

Il arbora un large sourire. « Tout a un lien, mon petit. Donc, je commence ? »

Il inspira une profonde goulée d'air, s'en emplit les poumons, décroisa les jambes et ferma les yeux, se frotta vigoureusement le front comme s'il essayait de faire jaillir une étincelle, à moins que ce geste fût simplement destiné à faire démarrer la bécane de sa mémoire.

« De quoi avons-nous besoin pour notre histoire ? De quels éléments ? Pensez à vos durs à cuire dans leurs villes dépravées, ou même aux énigmes que recèle ce petit salon terne. Il nous faut un décor, puis une présentation soignée de nos personnages que nous devrons observer avec le regard attentif du détective sur la scène du crime : leur conduite nous fournira-t-elle des indices sur le mobile ? Et pour finir nous témoignerons sur l'acte effroyable. Nous commencerons avec l'atmosphère et finirons dans le sang, comme toute bonne histoire qui se respecte.

« Notre décor c'est Londres, la guerre, ne l'oublions donc pas, le Blitz dans toute sa splendeur. J'ai bien sûr écrit sur cette période dans mes Mémoires, mais les petits hommes de loi ont coupé certaines anecdotes. Je me suis battu, la lutte fut sanglante, les petits hommes de loi ont gagné, comme souvent les petits hommes, mais peu importe, l'aigle dédaigne les mouches. La guerre, le Blitz. Londres sous son plus beau jour. Une époque merveilleuse, privilégiée. Ne vous laissez pas refiler l'image du piaf cockney mal débarbouillé, son casque sur la tête, qui sifflote l'air de Vera Lynn en guidant sa bicyclette au milieu des sites bombardés où des femmes et des enfants le saluent gravement. Propagande ! Autant de minables scénarios à l'eau de rose rêvés par des gros provinciaux malins qui ont joué les tire-au-flanc. La guerre ? Une libération ! La ville devenait notre terrain de jeux. Tout changeait. Levez les yeux, regardez le ciel. Autour de nous, les bombes pleuvent comme des étoiles. D'un seul coup, du jour au lendemain, tout ce qui est mortellement familier disparaît. Vous venez de quitter votre escadrille, vous êtes en permission, vous fumez une clope en attendant l'ouverture du pub, et soudain, comme par enchantement, le bus qui passait dans cette rue intacte décolle pour aller s'enfouir là-haut, dans le toit d'une nouvelle ruine magnifique où des fleurs sauvages prendront bientôt racine. Tout est à vendre ou à prendre, on se sent si vivant à respirer cet air dangereux, tout est possible quand tout le monde enfile sa tenue de combat. (Sa voix frémissante et fleurie verse dans l'élégie.) Mais comme les sous-bois bleus de jacinthes ou les bouteilles de whisky, les bons côtés de la vie n'ont qu'un temps. Même la guerre se lasse. Alors les Londoniens se transforment en troupeau anémique et miteux affublé de vêtements en lambeaux, l'odeur du poisson pourri, des égouts à ciel ouvert et du plâtre brûlé emplit l'air chargé de la poussière des briques, le Blitz est fini et la nuit les gens ont besoin de somnifères pour supporter le calme. Mais nous sommes en 41, superbe année de débauche, les chances fluides s'offrent à qui veut, la monnaie de l'aventure, ses livres sterling, ses shillings et ses pence ont pour noms hasard, désir et violence. Je me fais bien comprendre ?

— Voulez-vous encore un peu de champagne ?

— Foutez-moi la paix avec vos digressions ! » Il serra les lèvres, sans doute pour me priver des trésors qu'elles contenaient, et baissa les yeux sur son verre vide. Une fois que je l'eus rempli, il repartit comme s'il n'y avait jamais eu la moindre trace d'animosité.

« Nous nous dirigeons d'un pas chancelant vers Fitzrovia. Contrée bénie des dieux où le verbe est roi et le tonneau de bière Premier ministre. Nous nous rendons dans un petit appartement de Percy Street. La façade a besoin d'un coup de neuf. Au rez-de-chaussée, la boutique du quincaillier ; juste au coin, le Wheatsheaf, un endroit où les gars prennent des cuites, et où les filles savent ce qui les fait courir. Pas de bombes aujourd'hui — au Fitzroy, au Marquis de Granby, au Burglars Restaurant, les journées coulent tranquilles dans les brumes de l'alcool. Les pubs nous appellent mais nous passons au large, nous n'avons pas le temps, pas encore, il faut revenir à Percy Street, l'appartement au-dessus de la quincaillerie, des rideaux en dentelle, le silence, une patine de poussière sur les vitres obscurcies, déplacez-vous dedans comme si vous teniez une caméra : trois petites pièces, du jaune moutarde sur les murs, ornés, si le mot n'est pas trop raffiné, de tristes aquarelles façon scènes champêtres. Dans la pièce la plus grande, jadis la salle à manger, pend à un crochet une cage à oiseaux dorée qui dans le temps abritait un ara albinos et contient toujours *in memoriam* ses fientes desséchées, inodores. Une minuscule et frêle dame en robe blanche empesée par les taches de vin séchées gît chiffonnée sur un canapé recouvert de cachemire. Une choucroute de cheveux blonds mousseux, genre barbe à papa, le teint jaune bilieux, un nez levantin crochu qui émet un grondement, un ronflement océanique, élémentaire. C'est la comtesse F***, Eileen la folle, la dame aux Benzédrines.

« Tout doux, il serait cruel de la réveiller, cette mordue des amphét' dont les joues flétries autrefois albinos portent la rouge morsure des amphét', car voilà quatre jours qu'elle est debout, sans dormir, sans fermer l'œil, à danser d'étranges danses flamboyantes au hasard des rues, à hanter les pubs, les clubs, les bouges à ivrognes et les maisons de jeu en braillant des mots qui n'en sont pas, elle est au-delà des mots, de rauques cris d'oiseau pour croasser sa formidable fringale de cachets de Benzédrine et de choux à la crème, tout ce qu'on l'ait jamais vue manger, et maintenant que l'effet des cachets s'est dissipé, son corps cède à un repos chiffonné, elle va dormir un jour, deux peut-être, puis la fête recommencera de plus belle.

« Le jeune Will Ivory se tient dans sa chambre, oasis de propreté dans ce désert de saleté, son gramophone va doucement égrener une étude de Debussy... d'ailleurs vous savez, lui-même n'était nullement godiche au piano, je le reconnais, il jouait bien, même s'il manquait d'originalité. Il rentre à peine, il était de garde à la caserne des pompiers auxiliaires de Westminster, et il enlève son uniforme, son bel uniforme bleu de pompier avec des boutons en cuivre et la ceinture blanche avec un étui pour la hache. Drôle de race, le corps des auxiliaires, il n'y avait pas beaucoup de vrais pompiers dans ce méli-mélo d'hommes atteints de légers handicaps, parfois trop vieux pour l'active, objects et...

— Objects ?

— Pour l'amour de Dieu, cessez de m'interrompre. Vous voulez que je m'arrête ? Je peux, vous savez, et aussi sec. Un petit claquement de doigts et — fini. À boire, Corniaud ! Au moins vous écoutez. Les gens n'ont plus le don d'écouter. Aujourd'hui on rirait de Cicéron en le traitant de raseur et il en serait réduit à cramponner les vieilles dames aux arrêts de bus. Vous savez pourquoi il est devenu impossible d'écouter ? Il y a beaucoup trop de boucan, les automobiles avec les prouts prouts pétaradants de leurs moteurs, les romanciers qui braillent comme des politiciens, tout le monde se prend pour M. Météo de nos jours et éructe des rodomontades hystériques. Fini, le temps des adagios. Vous connaissez le mot de Trotski à Maïakovski ? "Vous criez trop, qui vous entendra le jour où vous chuchoterez ?" Des objecteurs de conscience, autrement dit des objects. Mais permettez-moi de vous dire qu'il y avait chez les pompiers auxiliaires des hommes autrement plus distingués que notre petit Ivory : Stephen Spender,

William Samsom, pas un de ses collègues ne savait que le modeste Henry Yorke était aristocrate et que sous le nom de Henry Green il écrivait les plus grands romans de notre génération, oh, non, pas un sauf Ivory, notre jouvenceau imberbe, car il n'y a pas d'ombre sur la belle lèvre du jeune Willy, et savez-vous comment on l'appelait, lui ? "L'Honorable*." Ne vous méprenez pas, ce n'était pas une marque de respect mais une façon de railler. Si je peux me permettre, c'était un bouseux.

— Je croyais qu'il était noble ? Un fils d'ambassadeur ?

— Une fois de plus vous m'interrompez. Merci, Corniaud, prenez un verre, vous aussi, c'est l'Amerloque qui régale. Encore un peu, Rupert ? Du champagne pour mes amis, la castagne pour mes ennemis. Tchin. »

Je le laissai remplir mon verre. Sans me donner la peine de le reprendre sur mon prénom.

« La comtesse F***, ou simplement Eileen, une créature d'une générosité fougueuse droguée aux amphétamines, éblouie par l'alcool, une vie gâchée, un cas désespéré, une pauvre idiote. Cette femme est un gouffre ; à l'occasion elle fait la plonge au Claridge pour compléter son héritage et prend en pension des gens qui ont besoin d'un coup de pouce, ce pourquoi elle accueillit Ivory à un moment où il était désargenté. Ils forment un couple étrange, l'aristocrate et l'arriviste. Qu'est-ce qui les réunit ? L'argent, sans doute. L'envie de compagnie, assurément : la comtesse F*** ne supporte pas de rester seule. Le sexe ? Je serais enclin à penser que non. Notre jeune Willy est un adolescent au goût délicat. Un accord parfait de leurs deux natures ? Peu probable a priori. (Soudain sa voix se fait stridente comme un cri d'oiseau.) Je vais vous le dire. La foutue ascension sociale, rien d'autre. Et pour ce qui est d'elle, une pulsion maternelle tordue.

— Ivory avait quitté le Norfolk pour Londres ?

— C'est ce que l'on raconte. C'était un gamin, quinze ans peut-être ? Mais il était vieux pour son âge et il devait vite

---

* Ce titre est donné, entre autres, aux benjamins de familles nobles occupant un certain rang dans l'aristocratie britannique. *(N.d.l.T.)*

découvrir… les plaisirs et les vices de la bohème ! Fitzrovia ! (Il se pencha vers moi avec un clin d'œil, les doigts joints.) Le Blitz en a transformé plus d'un en homme.

— Vous l'avez donc bien connu ?

— Tête de nœud ! Je ne pouvais pas l'encadrer. »

Je ne voyais pas ce qui dans ma question l'avait offensé. Je ne voyais pas comment me rattraper. Il se retrancha dans un silence buté, se cala dans son fauteuil avec à la main sa flûte de champagne où crevaient les bulles et dans les yeux un regard fixe et blessé. Je lâchai quelques paroles d'apaisement, et aussitôt il se redressa, raide comme un soldat, et me coupa la parole.

« Nous traînassons. Ne perdons pas le fil de notre récit. Une histoire de meurtre s'accommode mal de trop de longueurs. Il est temps d'entamer les présentations. Où allons-nous trouver le reste de la troupe ? Nos personnages, Matthew Glaven, Martin Poulsen, la Truffe et George de Silvertown. Qui nous mènera jusqu'à eux ? La comtesse assoupie ou le bébé pompier crâneur ? Je parierais plus volontiers sur le pompier, pas vous ? Nous pouvons laisser Eileen à ses ronflements et revenir demain — ils empliront toujours la pièce couleur moutarde. Le petit monsieur sort, suivons-le dans sa nuit. Il fait une première escale au Wheatsheaf. Poussez la porte, rabattez votre col, il fait bon dedans. Tambi ressemble à un prince de conte de fées déguisé dans son costume élimé, avec les filles et les pédales qui se pressent autour de lui pendant que de médiocres coloniaux se relaient pour lui payer des coups qu'ils espèrent échanger contre une page ou deux de leurs médiocres poèmes dans *Poetry London*. Aleister Crowley est là, ses sourcils emmêlés en méphistophéliques cornes de cocu, entre ses poings calleux de mage un bâton de sorcier vaudou qui bat le lino écarlate du sol sur un rythme javanais. Il a entrepris d'intéresser Dylan Thomas aux plaisirs de l'héroïne, peut-être aussi à ceux de la pédérastie. Savez-vous comment Dylan a échappé à l'enrôlement ? En se soûlant à mort la nuit qui précédait son passage devant le Conseil, ce qui fait qu'il s'est retrouvé dans de sales draps de tire-au-flanc. Et Francis Bacon ? Les tableaux sur les murs sont de lui, il croyait qu'ils avaient brûlé, il n'a pas remis les pieds ici après la guerre à cause d'un petit malentendu avec le papa de Corniaud, le Grand Corniaud. La veille de son passage devant le Conseil, Bacon a loué un berger alsacien chez Harrods, il a couché avec toute la nuit et comme il était allergique aux cabots il s'en est sorti avec une crise d'asthme vraiment moche ; il a passé la guerre à peindre des horreurs, à boire du champagne, à tremper son biscuit dans le cul des garçons, à tout risquer au jeu, à s'empiffrer d'huîtres jusqu'aux yeux, mais c'est tout, soit dit en passant...

« Ivory sirote sa pinte de bière au bar. Engage la conversation avec moi, je sers dans une escadrille de la RAF mais je suis en permission, nous nous sommes connus à Percy Street, c'est là que je vivais quand il a débarqué, ce fichu comploteur de mes deux, il m'a viré de ma chambre et relégué sur le canapé mais je me suis bien vengé, oh, oui, la vengeance est un plat qui se mange froid, et plus tard, quand ça a commencé à barder pour lui en ville et qu'il a dû regagner le Norfolk vite fait, bien fait, je l'ai supplanté et j'ai récupéré ma chambre pour de bon. Mais à l'époque on a renoué et on discute de choses et d'autres, de littérature surtout, je lui montre l'exemplaire du *Penguin New Writing* où figure mon premier poème publié, on reste sourds aux slogans bêtes et méchants des beaux esprits, ou prétendus tels, du lieu, et au moment où je range le recueil de poésie dans la poche de ma veste d'officier, la Truffe arrive.

« La Truffe — da da da ! — en avant la fanfare, un roulement de tambours, une ombre émerge des ruines plongées dans le noir. La guerre dénichait des talents funestes, dont la Truffe, funeste entre tous. Une haute silhouette, on aurait dit la Mort, voûtée dans un long pardessus noir, qui déambule l'air indifférent dans les ruines fumantes, un homme squelettique auréolé de la poussière des briques, à sa suite marche son escorte, les gars des Équipes d'intervention d'urgence. On n'a jamais su son nom, on ne l'appelait que comme ça, la Truffe, et c'est bien ce qu'il était, un long nez plein de talent qui reniflait l'odeur du sang invisible sous les décombres. "Pas la peine. Il est refroidi." "Creusez ici, çui-là respire. Du sang frais qui coule encore." Il avait du nez pour le sang et un don particulier, personne ne savait d'où il le tenait : à l'odeur, il était capable de dire si le sang s'échappait d'un corps vivant ou d'un cadavre irrécupérable.

« Vous frissonnez, hein ? Les films d'horreur exploitent le même filon. Nul n'a jamais su ce qu'il faisait avant la guerre ni jusqu'où l'auront mené ses sombres talents, ensuite. Mais à l'époque, pendant le Blitz, il sauve des vies, son savoir-faire permet d'éviter bien des tâches inutiles. Sa présence était très appréciée dans les fiestas de la haute. On le voyait dans les soirées, dans les boîtes, au Wheatsheaf, toujours à la même place, sur le divan au bout du bar, sous le bow-window où un cygne en porcelaine trônait au milieu des flaques de bière et des mégots. Dans son pardessus, la Truffe sourit, son escorte ne le quitte pas, on lui réclame des anecdotes macabres et il en raconte parfois, de sa voix fluette et banale de prof de maths. S'il avait eu l'air moins horrible, ç'aurait été un héros. Car l'héroïsme est autant question d'allure que de hauts faits, vous ne croyez pas ?

« Comme il a l'air fringant le photogénique William Ivory, de tout temps le chéri de ces dames, dans sa tenue de soirée. Vous êtes là ? Avec moi ? Nous vidons nos chopes, je remplis ma fiasque du cognac le meilleur marché de Red, et après avoir écarté l'idée d'une virée à La Gargouille de Meard Street — Merde Street, disions-nous — nous décidons d'aller danser. Vous ai-je donné la date de cette journée particulière ? C'était le 8 mars 1941.

« Dehors, c'est le black-out. À pied nous gagnons le Café de Paris, à Leicester Square. Nous franchissons la porte, passons en dessous du cinéma Rialto et nous y sommes ! Un endroit merveilleux, la boîte la plus sûre de Londres, affirme la rumeur, une reproduction de la salle de bal du *Titanic* — ah, on choisit son destin, on peut le dire ! Il y a un orchestre, ce soir, Snakehips Johnson et son Grand Orchestre des Indes occidentales, et ils sont bons, Snakehips et ses gars, des Noirs en frac blanc qui jouent du swing, mais pas un swing de Blanc, le seul Blanc du groupe c'était le trombone et ils lui faisaient la bouille noire pour que ça reste authentique, mais presque tout le monde savait... »

Il ouvrit les yeux et cligna à plusieurs reprises. Me fixa d'un regard mauvais.

« Vous m'écoutez ? Parce que sinon...

— Continuez je vous en prie. J'écoute. »

Il me récompensa d'un sourire et referma les yeux.

« Snakehips et son orchestre jouent, ce soir Martin Poulsen, un civil bichonné, un flambard, est là, il baratine les dames et Ivory est venu tout exprès pour lui parler, il cherche à se faire engager comme pianiste. Poulsen est le proprio du club, il s'est enrichi en faisant main basse sur le marché du champagne du West End — si nous commandions une autre bouteille ? En souvenir de lui ? En souvenir de l'atmosphère ? Non ? Filou... Ivory s'apprête à se diriger vers Poulsen quand soudain quelque chose l'arrête net : il vient d'apercevoir Mattie.

« Vous pigez, petit malin, vous le connaissez ce secret-là ? Un peu sans doute. Oui ? Mattie. Matthew Glaven, son cousin, des hors-la-loi l'un et l'autre, des fugueurs, des renégats, deux gosses à la pureté malsaine doués pour le grotesque. Ils ont débarqué à Londres ensemble, ces finauds provinciaux en cavale. Mattie c'est l'infréquentable des deux, une tapette ridicule qui adore les michetons qui cognent et cède volontiers au prestige de l'uniforme. La nuit on le croisera en costume de général confédéré sur le chemin de halage, près de Putney Bridge, harnaché en officier de l'armée de Napoléon dans le parc de Hampstead, ou encore dans le métro où il fait des avances à des jeunes gens à l'air grave, le plus souvent au fin fond de Silvertown où des garnements qui n'ont rien dans le crâne vous font tout ou presque pour une demi-couronne. Copains comme cochons, les cousins se sont précipités ensemble à Londres lors des premiers bombardements. Pour eux ce fut une vraie fête de piller les ruines — ils n'étaient d'ailleurs pas les seuls.

« Voilà un bout de temps que Mattie et Ivory ne s'adressent plus la parole, ils sont brouillés, ces deux gosses aux secrets nauséeux. Ivory est surpris de voir son cousin en ce lieu —

45

des cheveux blonds sur un visage marqué de rides précoces, un garçon mince vêtu comme un officier de la France libre parce que ce soir c'est comme ça qu'il le sent. Il est seul au balcon, le faux franchouillard, de là-haut il contemple la piste de danse, le bar qui la borde sur un côté, l'estrade de l'orchestre où Snakehips Johnson présente le morceau suivant : "Une rengaine à mourir", lance-t-il avec son ersatz d'accent de Harlem, *Dear Old Southland* ça s'appelle, un air lent qui swingue, l'indicatif du groupe. Snakehips Johnson reste un instant comme en suspens, une baguette dans la main droite, un petit groupe s'est formé sur les marches, à côté de l'estrade, et dedans il y a le cousin William qui se tient respectueusement derrière Martin Poulsen.

« Mattie est quelqu'un au destin tout tracé, on le sent rien qu'à le voir. Peut-être est-ce pour cela que sur la galerie les autres ne s'approchent pas trop près, ni les officiers, ni les dames, ni les putes en deux-pièces rouge luisant et bas de soie galamment offerts par les premiers Amerloques arrivés à Londres. Leurs lampes électriques sont au vestiaire, dans la poche de leurs manteaux de fourrure, et si on a du mal à faire la différence, ici, en revanche, à Piccadilly, du côté de Half Moon Street, elles offrent par centaines, en rangs serrés, un spectacle surréaliste grandiose quand elles caressent du faisceau bleu des lampes de la défense passive leurs jambes soyeuses, de haut en bas — rarement leurs visages — pour que les clients voient bien le produit qu'ils cherchent en plein black-out... Encore qu'on imagine mal pourquoi il faudrait choisir de payer pour ça puisque le danger et la mort sont les aphrodisiaques les plus puissants jamais inventés par l'homme. Elle est partout, l'odeur du sexe, de l'animal en rut, voilà ce que sent la ville, tout le monde le fait, c'est la sauvagerie, la débauche, la licence, un rite dionysiaque mêlant tous les sexes, toutes les combinaisons. Ivory savait manier la langue. Mais écoutez-moi bien : souvent ce n'était que de la triche, il se contentait de piquer la formule d'un autre et de l'adapter à son propre usage. Il n'a jamais été original. C'était un tricheur et un voleur, et si la petite ouvrière l'avait regardé lui au lieu de me regarder moi, et s'il n'avait pas eu des idées dangereuses dans la tête, cette nuit aurait fort bien pu être différente, il y aurait peut-être eu un peu moins de morts. Mais telle qu'il la décrivait, l'époque du Blitz était une floraison tropicale de sexualité. »

Brougham Calder se fâchait. Son ressentiment prenait le pli de son rictus. Il se pinça le nez d'une main et se frotta vigoureusement le front de l'autre.

« Mattie n'est plus seul. Il y a un petit dur avec lui, sans doute un vaurien de Silvertown. Je vais sur la piste. Je dois rejoindre mon escadrille le lendemain et ce serait gâcher mon temps que de rester avec Ivory ou de me demander pourquoi la petite frappe de Mattie a cette singulière expression de triomphe en contemplant Ivory de là-haut. Où en étions-nous ? Taisez-vous. Ne dites rien. Je m'en occupe. »

Nous avons échangé un regard. Il eut un hochement de tête encourageant. Je fis de même. Il ferma les yeux, se carra dans son fauteuil. Je ne bougeai pas, observant ses paupières en peau de lézard rouge.

« Le 8 mars 1941. Nuit chère et implacable entre toutes. Octroyons-nous un petit interlude romantique. Il y avait là une fille. Vingt et un ans. Et un officier de la RAF qui tâtait un peu de la poésie lui fit des mamours et un brin de cour sur la piste de danse du Café de Paris. Un garçon aux blonds cheveux bouclés, son recueil de poèmes déformait la ligne de sa veste d'officier, et une petite mignonne, grisée par la jeunesse, le danger, le champagne. Une histoire typique de la guerre : un gars et une fille, l'alcool, le risque, la danse. Une équation évidente dont la solution coule de source. Personne n'était vierge, à l'époque. Elle s'enticha de ses boucles, il s'enticha de ses charmes, et ils sortirent dans la nuit du black-out jusqu'à l'hôtel où il la conduisit, près du British Museum ; là ils signèrent le registre sous le nom de Lieutenant et Mme C. Chaplin. Vous comprenez ? C'était une nuit pareille à mille autres et ils étaient des milliers à vivre une nuit pareille, ce qui la rendait étrangement intime. Ils retirèrent leurs sous-vêtements, elle dans un froissement soyeux, et ils passèrent une nuit fort semblable à n'importe quelle autre nuit. Et lorsqu'ils eurent terminé, ils fumèrent des cigarettes françaises, des Caporal, ils burent directement à la fiasque le cognac bon marché qu'il avait acheté, se pelotonnèrent dans les bras l'un de l'autre et dormirent un moment. Et il se peut que des bombes soient tombées autour d'eux, mais ils ne les entendirent pas, et même s'ils les avaient entendues, même si lui était resté éveillé toute la nuit, couché sur le dos, pétrifié par la peur, la vue de la fille endormie avec son slip en soie, paisible comme une enfant, lui aurait donné le sentiment, curieusement, que tout était pour le mieux.

« Chacun devait faire son devoir le lendemain, aussi s'éveillèrent-ils au petit matin ; chacun se souvint du prénom de l'autre, ils s'embrassèrent comme des étrangers car ils l'étaient l'un pour l'autre, et, quand elle s'habilla, il se tourna sur le côté et surprit le regard de gratitude qu'elle lui lançait dans le miroir. Ensemble ils descendirent nonchalamment les marches qui craquaient sous le tapis, elle entortilla son bras au creux du sien et il ressentit de la fierté à la voir rougir, et comme ils passaient devant la réception, elle s'arrêta pour lui donner un baiser, un baiser d'amoureuse, pas d'étrangère, puis murmura, assez fort pour que le gardien de nuit entende : "Qu'est-ce que ça peut bien faire qu'Hitler débarque tant qu'on s'amuse comme ça." »

Brougham Calder souriait. Il ouvrit un œil et le referma après s'être assuré qu'il retenait toujours mon attention. Un froncement de sourcils déconcerté vint remplacer le sourire.

« Les gardiens de nuit n'ont pas une vie des plus drôles. Ils veillent sur les objets précieux des autres, écoutent les autres caqueter au saut du lit, et puis il faut boucler les comptes, calmer les cuisiniers, faire du plat aux femmes de chambre et les virer, et toutes ces choses et d'autres encore peuvent vous tourner les sangs en vinaigre amer et vous donner un cœur de citron acide. Il se considérait comme un patriote, ce gardien de nuit amer et acide, avec son cardigan gris défraîchi et ses lunettes à monture métallique. Derrière le bureau de la réception, il les appela et leur demanda si cela ne les dérangeait pas d'attendre un peu. Comme il le leur demandait, eux ils attendirent, et il se faufila dans le froid petit matin londonien, dehors un ciel gris surplombait les ruines de Londres, il alla arracher un policier à la grisaille, le planta devant le couple d'une nuit et lui répéta les mots entendus de la bouche de la jolie fille.

— Pourquoi ?

— N'est-ce pas évident ? L'envie, l'amertume, la haine de la jeunesse et des plaisirs. Les sentiments qui conduisent un homme au suicide, à des petites vengeances chicanières. La misère aime la compagnie. Ils furent embarqués, nos deux tourtereaux. L'officier poète de la RAF fut pudiquement renvoyé à son escadrille et la fille, une simple fille d'usine et même pas d'une usine d'armement, bonne donc pour le gâchis et la vie dure, elle passa devant les juges au motif d'avoir inscrit un faux nom dans un registre d'hôtel et fut condamnée à un mois cruel, impitoyable, dans la taule pour femmes de Holloway. »

Je risquai une autre question : « Pourquoi ?

— Pour faire un exemple. Nous vivions alors sous une dictature militaire, il y avait une loi contre "l'inquiétude et le découragement", comme on disait, ceux qui ne restaient pas bouche cousue s'attiraient des emmerdes.

— Combien de temps avez-vous passé dans la RAF ?

— On m'a réformé pour raisons de santé en 43. » Brougham Calder ouvrit les yeux. Il se pencha en avant pour remplir son verre et vida d'un coup le vin dans sa gorge pour l'avaler en une longue gorgée. Puis il alluma une cigarette. De marque anglaise, ce qui me déçut.

Je fis signe à Corniaud de nous apporter d'autre vin (sachant maintenant que ce serait à moi de régler l'addition, j'avais mis un terme au champagne. Apparemment, B.C. s'en moquait, je crois qu'il était content de passer une soirée digne de ce nom). Il me regardait en bougeant silencieusement ses lèvres lustrées de l'éclat du vin. Déjà des questions s'ébauchaient dans ma tête, mais j'hésitais à intervenir.

« Je suis tombé dans une embuscade. Excusez-moi. Un interlude romantique. Notre histoire de meurtre sera bientôt consommée. Où en étions-nous ? Ne dites rien. Mattie se tient sur la galerie. Ses cheveux, quand il les secoue, lui tombent dans le cou. Son corps balance au rythme du swing de Snakehips. Ivory a gagné la piste de danse, il y traîne sa silhouette élégante derrière Poulsen. Mattie observe son cousin et se colle à son joli vaurien, corps tout proches, qui se frottent l'un à l'autre sur cette galerie libidineuse. Ivory pivote sur lui-même, s'écarte de Poulsen. Il regarde son cousin, le fixe droit dans les yeux, et le cousin descend lentement l'escalier à côté des musiciens, le voyou sur ses talons. Qui lance un regard rapide vers la sortie, aperçoit un officier de la RAF aux cheveux bouclés s'en aller avec une jolie fille, son recueil de poésie dans la poche… Mattie est arrivé au bas de l'escalier et Ivory ne le quitte pas des yeux, la foule applaudit, danse et flirte quand soudain… badaboum !… les bombes font mouche. Deux bombes, cinquante kilos d'explosifs lourds tombés du ciel comme une bénédiction qui pulvérisent la verrière du Rialto, fracassent le plancher du cinéma et traversent le plafond de la boîte de nuit. La première explose dans un éclair bleu tout près de l'orchestre, à droite.

« Snakehips est tué sur le coup mais comme à son habitude sa mort est impeccable : il gît là, allongé de tout son long sur ce qui fut autrefois l'estrade, intact dirait-on, pas de sang, avec son teint de rose, seule touche de rouge sur son beau corps longiligne. L'estrade est en miettes, il y a des cadavres sur la piste de danse. Et quand la seconde bombe dégringole en envoyant valdinguer de la maçonnerie, du plâtre, des vêtements, les poutres du toit, on se croirait dans une maison de fous. Un charnier. Trente-quatre morts en tout, et d'autres bien plus nombreux bloqués sous les décombres.

« Dedans, c'est la folie. Hurlements de détresse, de douleur. Poulsen est mort, *exit* le roi des nuits au champagne. Ivory entre en lice avec sa formation de pompier, blessé par un éclat de shrapnel il saigne à la jambe mais s'occupe vaillamment de mettre les survivants au travail pour dégager ceux qui sont restés coincés sous les décombres. Brave Ivory. Héroïque Ivory, décoré de la George Cross.

« Les auxiliaires arrivent, éteignent ce qui subsiste d'incendie. Puis les Pionniers arrivent, sale racaille de forçats et de déserteurs qui attendent à la porte, la cigarette au bec, en sachant pertinemment que le temps qu'on leur demande de passer à l'action il ne restera plus grand-chose à piller. Puis viennent les Équipes d'intervention d'urgence, et la Truffe avec elles.

« Ivory s'est démené comme un beau diable. Il a dégagé l'estrade des décombres, poussé les gravats à coups de pied, jeté de côté les instruments éventrés, il s'est colleté des danseurs blessés et des fragments de l'estrade de l'orchestre, l'air ailleurs, il a hissé des survivants sur le plancher effondré, tout à son affaire, vociférant des ordres de sa voix de jeune homme. Dans son sillage, la Truffe s'y met nonchalamment, cassé en deux dans son manteau, il renifle le sol de son long nez funeste, suivi de son escorte de costauds matés et muselés.

« Et voilà qu'Ivory, Ivory à l'humeur égale, Ivory le rancunier, le cachottier, arrive enfin au point qu'il voulait atteindre. Entre l'estrade et l'escalier qui menait à la galerie, l'endroit où il a vu tomber Mattie et son joli voyou. Il jette un regard à la ronde. La Truffe renifle, le nez sur le sol. Des morceaux de corps vivants ou morts, seul la Truffe le sait, pointent entre les blocailles et les poutres cassées… un pied nu, un bras en uniforme formant un angle à soulever le cœur, un visage de fille, calciné, désincarné, qui implore l'aide de Dieu.

« C'est autre chose que traque l'œil d'Ivory. Les deux gamins blonds en dessous de lui, à moitié ensevelis seulement. Il a tiré par-dessus le corps de Poulsen, commode cadavre de camouflage. Avec grand soin, oh, très posément, Ivory recouvre ce qu'il pense être son cousin du corps de Martin Poulsen. Et sur ce qui est un cadavre et sur ce qui sera un cadavre, il échafaude une tombe avec du bois de l'estrade pour dissimuler ce haut fait. Ivory est solide. Ivory est vindicatif. Mais Ivory se laisse avoir. Il faisait sombre là-dedans, partout de la poudre, de la poussière, et, quoi qu'il en soit, même les êtres les plus démoniaques se laissent avoir de temps en temps. Dans un endroit dévasté par les bombes, un blond ressemble parfois à s'y méprendre à un autre blond. Et lorsque la Truffe arriva dans ce coin de l'estrade, du côté de l'escalier de la galerie, il fut effectivement berné par les efforts d'Ivory, mais pas exactement comme notre brave héros l'avait imaginé. Immobiles derrière lui avec leurs pelles, leurs barres de fer et leurs bâtons, ses hommes attendent les ordres. "Du sang de mort, ça. Il est refroidi", puis juste après : "Là, du sang frais et qui coule encore !" Alors les hommes des Équipes d'intervention d'urgence creusèrent et sortirent un Mattie choqué, dans un sale état, vivant, ils le tirèrent de là dans son uniforme de la France libre en lambeaux, et après que l'un d'eux se fut adressé à lui dans un français petit-nègre, Mattie se mit à dégoiser en anglais, répétant inlassablement "Vous devez sauver George" sans que personne lui prête attention : la Truffe avait parlé — là du sang mort, il est refroidi, aussi s'éloignèrent-ils, laissant Mattie creuser seul de ses mains impuissantes pour essayer de sauver, en vain, sa petite amourette.

« Ivory était parti pour Percy Street. Et la Truffe était parti, des bijoux et de l'argent frais plein les poches, et les gars des Équipes d'intervention d'urgence étaient partis, lestés de tout ce que la Truffe leur avait abandonné, et, pendant ce temps-là, les Pionniers avaient fini par gagner l'endroit où Mattie était toujours en train de gratter faiblement, et ils remontèrent le corps de Martin Poulsen puis, en dessous, le cadavre de George, mort par suffocation. »

Brougham Calder se lécha les lèvres. Il liquida la dernière goutte de vin et en commanda d'autre. Il avait l'air fier, il avait l'air satisfait. Je lui posai une question, sachant qu'il allait s'en offusquer : « Mais vous avez vous-même reconnu que vous aviez déjà quitté les lieux. Comment savez-vous qu'il a essayé de tuer son cousin ? Ce n'est qu'une rumeur. Vous êtes allé dans un hôtel, vous vous êtes envoyé une ouvrière et vous n'avez pas fermé l'œil de la nuit tellement vous aviez les jetons à cause des alertes aériennes. Vous ne savez pas. Quelle preuve avez-vous ? »

Il souriait. Il me tenait. « Sophie, la sœur aînée de Mattie, avait été envoyée par ses parents à la recherche de l'enfant égaré. Fourvoyé dans la nuit. Elle y était, cette nuit-là, dans la boîte. Ivory ne l'a pas reconnue et par mégarde il l'a sauvée, elle aussi. Recevez la George Cross, monsieur Ivory. Elle l'a vu faire. Elle m'a raconté… Avez-vous jamais rencontré un assassin ? Moi oui. Il s'appelait William Ivory. Encore un peu de vin ? »

J'ignore ce que tu éprouves à entendre tout ça. Absolument rien, peut-être. Je hochai la tête, avalai encore un peu de vin, et les traits de Brougham Calder s'embrumèrent. Il tenait bien l'alcool, cet écrivain débauché. Il se mit à me parler de quelques-uns des livres qu'il avait écrits. Je ne me souviens pas des titres. Mon inattention ne lui a pas échappé. Je ne crois pas que ça l'ait gêné.

L'heure était avancée, tout le monde était parti vivre la vie des rêves sauf lui, moi et l'homme au teint cireux affecté au bar. Brougham Calder lui hurla dessus : « Hé, Corniaud ! Apporte une bouteille de ta meilleure piquette !

— Allez vous faire foutre. On est fermés.

— Rien qu'une. Je régale un ami étranger.

— Il peut dégager, lui aussi. Je ferme.

— Alors je démissionne du club.

— Vous n'avez jamais payé de toute façon. Rentrez chez vous. »

Brougham Calder avait l'air au bord des larmes. « Où logez-vous ? Nous pouvons poursuivre là-bas. Je sais où trouver des chauffeurs de taxi qui nous vendront bien quelques bouteilles.

— En fait j'irais assez volontiers me coucher. Nous pourrions peut-être nous retrouver un autre jour. »

Il acquiesça, distrait. « Oui, oui, bien sûr. Vous avez raison. C'est simplement que j'ai trouvé le fil, voyez-vous. Je déteste interrompre une soirée. Laissez-moi vous reconduire jusque chez vous. Ne vous faites pas de souci pour l'addition, vous réglerez ça demain. J'en ai encore long à dire sur notre William Ivory. Toutes les histoires que je pourrais vous raconter sur lui. Elles vous plairont, j'en suis sûr. Vous allez revenir demain, n'est-ce pas ?

— Demain je dois aller à Brighton. J'ai rendez-vous avec l'auteur de la nécrologie d'Ivory. »

Son expression se fit inquiète. Il lui fallait son public. « Alors vous reviendrez la nuit d'après. Je serai là. Je suis toujours là. Vous reviendrez, n'est-ce pas ? Je vous en prie.

— Si vous voulez. Je reviendrai. »

Il se détendit. Lâcha le souffle qu'il avait retenu en attendant ma promesse. « Je crois qu'il vaudrait de toute façon mieux régler l'addition maintenant. Corniaud est contre le crédit. »

En rentrant à l'hôtel (les fonds que tu m'avais promis me poussaient à régler d'extravagantes notes de champagne et à prendre des taxis partout) je trouvai des messages de Nick Wheel glissés sous la porte. Je les jetai à la poubelle. Puis me hissai sur le lit. J'étais fatigué, trop fatigué pour lire une ligne des *Plaisirs décadents* ou même la conclusion macabre de *Morita*. Fatigué des récits sur les anti-héros miteux. Ah, Brougham Calder, un jour une réfutation sera publiée.

J'attendais une partie de mon avance pour le lendemain matin. Rien ne vint. Je me rendis au bureau de l'American Express de Haymarket, murmurai la formule magique, poste restante, épelai trois fois mon nom à trois employés différents et regagnai la rue avec sur moi autant d'argent qu'en entrant. Et l'impression d'être délaissé, l'impression d'être pauvre. D'abord je m'indignai de la consommation d'alcool de Brougham Calder. Puis je m'inquiétai pour ma note d'hôtel — comment la payer ? Je t'imaginai, là-bas à Boston, occupée à fouetter un chat plus intéressant, ayant tout oublié de ton biographe, dans ton bureau que je n'avais jamais vu.

Flânant sans but, je passai devant l'Eros de Piccadilly Circus, la statue protégée par des échafaudages, sur les marches des groupes compacts de gamins scandinaves en train de se photographier mutuellement, des rockers punks vieillissants aux bras ornés de tatouages, cramponnés à leurs canettes de bière, à leurs bouteilles de cidre ou à de longs bouts de ficelle noués autour du cou de gentils clébards aux pattes entravées. Je marchai le long de Piccadilly, m'arrêtai à l'angle de Half Moon Street et essayai d'imaginer la rue quand des prostituées en rangs serrés l'arpentaient en deux-pièces rouge et fins bas noirs offerts par leurs amis américains, en caressant de haut en bas leurs corps, mais rarement leurs visages, du faisceau bleu des lampes de la défense passive. J'essayai d'imaginer la rue telle qu'Ivory l'avait vue, la rue dans laquelle il s'était promené avec dans ses narines de pompier auxiliaire l'odeur de la poussière de brique et du poisson pourri, des égouts à ciel ouvert et du plâtre cramé, et contre ses jambes de gamin pubère le contact des pantalons bleus qui lui battaient les mollets, j'essayai de rappeler l'esprit de Mattie, le cousin au destin tout tracé, j'essayai d'imaginer en ces lieux le funeste la Truffe humant le sang sous les cendres. Et j'échouai sur toute la ligne. Une vieille rue sous un jour maussade sans le tumulte de la grandeur, sans un éclair de vérité, rien qui évoque Ivory ou Mattie dans la cohue béate des filles au hâle de station de sports d'hiver et des jeunes gens habillés en vieillards à tête de bébé.

Je doute que le voyage de Londres à Brighton t'intéresse ; une voiture louée au tarif week-end pour aller là-bas, mon sac de couchage à l'arrière, l'auto-stoppeur à l'en croire en cavale parce qu'il connaissait des coins à champignons hallucinogènes, soudain la vue de la mer, rassurante, le camion-remorque du cirque qu'il a fallu suivre des plombes. Je ne sais même pas jusqu'à quel point tu t'intéresses à Roland Gibbs, imposteur au petit pied et au comportement débile qui cillait d'abondance et tirait sur sa pipe en présidant un violent jeu de croquet sur sa pelouse, derrière chez lui.

Après avoir déposé mon auto-stoppeur, j'ai appelé Gibbs d'une cabine à proximité du front de mer. (Comment les Britanniques font pour supporter les stations balnéaires aux plages de galets ?) Je m'apprêtais à lui rappeler la mission qui m'amenait quand il m'interrompit, désireux de savoir d'où je venais. De Boston, lui dis-je, et il me demanda si donc j'étais de Harvard, à quoi je répondis non, simplement de Boston. Il en fut quelque peu décontenancé, mais avant que j'aie pu ajouter quoi que ce soit, il m'indiqua la route à suivre pour me rendre chez lui, à Little Milton. En chemin je tombai trois fois sur Great Milton avant de m'arrêter devant une bâtisse moche dans un village frileux.

Une dondon en robe sac à fleurs m'entraîna dans un couloir encombré, puis, par une cuisine qui sentait le bacon et les chiens, jusque sur une pelouse jonchée de balles de différentes couleurs et piquetée d'arceaux argentés. Là se tenaient, à divers degrés d'abattement, des gens assez jeunes de tailles et couleurs de peau diverses. Beaucoup se balançaient tristement sur une jambe. Chacun tenait un maillet.

« Chéri ? Nous avons un Américain.

— Ah, bien. »

Gibbs, un monsieur au poil grisonnant en costume de tweed anglais, s'avança vers moi en battant des paupières, un maillet de croquet dans une main et une pipe dans l'autre.

« Harvard ?

— Boston. Il me semble que nous en avons déjà parlé. »

Il pencha la tête d'un côté et ouvrit la bouche, histoire de me montrer ses grandes dents jaunes.

« Et vous vous appelez ?

— Tierney. Richard Tierney. Nous nous sommes parlé au téléphone il y a quelques jours. Je ne voudrais pas trop abuser de votre temps… J'écris une…

— Passionnant. Merveilleux. Cela vous dit de vous joindre à nous ? Nous avons commencé à jouer. Croquet du Norfolk. C'est un jeu de croquet. Avec des combines. »

Me précédant, il s'élança à l'autre bout de la pelouse où une jeune Japonaise coiffée à la Jeanne d'Arc se balançait sur une jambe, l'air inconsolable.

« Je vous présente Masako. Université de Tokyo. Votre coéquipière. »

Gibbs regagna au petit trot le centre de la pelouse afin d'examiner l'emplacement de sa balle. Il exécuta pour s'entraîner deux swings dirigés contre un malheureux gosse aux cheveux blancs qui, le pied gauche contre le genou droit, ressemblait à un flûtiste envisageant avec désespoir la perte de son instrument. Gibbs se concentrait. Il prit position derrière sa balle, les jambes bien droites et jointes, le maillet immobile derrière le mollet, le dos légèrement penché en avant, la pipe entre les dents. Son regard se fit perçant, une délicate traînée de mucus lui gouttait du nez. Le coup partit, la balle fila dans l'herbe pour venir ricocher sur la cheville du gamin. Après une course parfaite, elle s'arrêta devant l'arceau suivant pendant que sa victime s'écroulait sans un cri en agrippant sa cheville. Gibbs courut à la poursuite de sa balle et se prépara à l'envoyer sous l'arceau.

« C'est fini, Thoralf, vous n'êtes plus flamant rose. Au prochain tour ce sera à vous. »

Gibbs expédia en expert sa balle sous l'arceau avant de se retourner vers nous. Il avait tout du virtuose du croquet du Norfolk. Évoluant au milieu des cris de douleur aigus, des promptes culbutes dans l'herbe et des jurons marmonnés dans tant de langues différentes, il mit environ une demi-heure pour gagner la partie avec son partenaire, un boutonneux prénommé Ray. Quant à moi, après avoir raté le premier et le seul de mes coups, je devins flamant rose et flamant rose demeurai. L'action se déroulait trop loin pour qu'un joueur puisse nous libérer, Masako et moi, aussi nous restâmes à tituber côte à côte, elle en chemise de soie blanche et shorts noirs bouffants, moi dans mon costume de paumé vanné, deux flamants roses embarrassés qui tenaient Gibbs à l'œil.

« En quel honneur, tout ça ? Pourquoi êtes-vous tous rassemblés ?

— Je crois qu'il est sadique », répondit Masako pendant que Gibbs, sans s'occuper de l'arceau qui l'attendait, visait Thoralf à la cheville pour la troisième fois. « Nous sommes tous en première année de maîtrise, sous la houlette du professeur Gibbs. Le thème du jour, c'est "mieux se connaître". »

Lorsque personne, pas même Ray, ne se fut laissé convaincre d'entamer une nouvelle partie, notre petit groupe gagna clopin-clopant le salon de la maison où Mrs. Gibbs avait préparé des verres de vin blanc avec des petites saucisses et des cubes de fromage empalés au bout de cure-dents. William Wilson de Harvard était arrivé, un gros garçon avec un début de calvitie et un costume de chez Brook Brothers. Mrs. Gibbs nous présenta et j'adoptai un ridicule accent irlandais pour ne pas me laisser entraîner dans la solidarité entre Américains à l'étranger.

Masako disparut avant que j'aie pu saisir l'occasion de lui demander de me parler de William Ivory, bien connu au Japon. Je me retrouvai tour à tour mêlé à un groupe d'Italiens et d'Africains qui dissertaient sur les grands satiristes ghanéens, happé dans un coin par une fille anorexique qui voulait à tout prix savoir ce que je pensais de Katherine Mansfield, et près de la fenêtre où j'écoutai Thoralf raconter avec force détails à Mrs. Gibbs l'intrigue d'un film pornographique norvégien.

Sur ce je me mis à la recherche de mon hôte. Que je finis par coincer dans le bureau où, tout fier, il montrait à Masako sa collection de premières éditions japonaises. Me voir arriver le contraria je crois un peu, et plus encore quand Masako nous laissa seuls après s'être excusée.

« Un sacré jeu, le croquet du Norfolk », fis-je observer.

Il n'avait pas une envie folle que je reste. J'avais bien vu comment il regardait Masako. D'un regard bien différent de celui qu'il avait pour sa femme. Nous nous dévisageâmes. Il tirait sur sa pipe, moi je sortis les mains de mes poches puis les y remis.

« Je vous ai appelé, vous vous en souvenez ? Je cherche à me documenter sur la vie de William Ivory. J'ai lu son avis de décès. J'ai lu ce que vous avez écrit.

— La notice n'était pas signée. Depuis, l'eau a coulé sous les ponts.

— Il y a eu une autre nécro par la suite dans le *Répertoire biographique national*, presque identique à celle du *Times*. Celle-là vous l'avez signée. Mais je n'ai pas réussi à en trouver d'autres. J'ai vérifié tous les journaux de l'époque. J'aurai sans doute laissé échapper quelque chose.

— Que voulez-vous savoir ? »

Tout. C'était bien cela, non ? La vérité, plus ou moins, illustrée par des détails. N'est-ce pas ce que tu avais demandé ? Comment il était mort. Comment il avait vécu. Quel genre d'homme c'était.

« Vous le connaissiez bien ? »

Il leva vers moi ses yeux papillotants puis les baissa sur sa pipe qu'il prit dans le creux de ses mains pour protéger les braises. Mrs. Gibbs introduisit son gros visage charmant dans l'embrasure de la porte du bureau.

« Chéri ! Nous commencions à nous demander...

— Oui. Changement de plan provisoire. Je montre ma collection japonaise à ce jeune homme de Harvard. » Ouvrant la bouche, il lâcha un nasillement de politesse qui dura jusqu'à ce qu'elle s'éclipse. « C'était mon ami. Je l'admirais… Vous avez peut-être envie de boire un bloody mary ? C'est une habitude dominicale que j'ai ramenée de chez vous. »

Il ouvrit la porte d'un réfrigérateur astucieusement dissimulé derrière une édition strictement décorative de la *Vie de Johnson* par Boswell. Il en tira un pichet de bloody mary, deux verres givrés et deux bâtonnets de céleri. Et confectionna les boissons.

« Installons-nous dans les grands fauteuils. »

Nous nous installâmes dans les grands fauteuils. Une paire de sièges profonds disposés un peu en biais de part et d'autre d'une table où poser nos verres.

« Je le fais très relevé, j'espère que c'est aussi comme ça que vous l'aimez.

— Très relevé, c'est parfait. »

Il attendait que je goûte le premier. Je m'exécutai et décrétai le breuvage bon. Lui continua à remuer son cocktail avec son bâtonnet de céleri. Il n'était de toute évidence pas disposé à me donner spontanément des informations. La gêne me gagnait. J'étais encore novice à ce jeu. Puis une phrase de Wheel me revint en mémoire.

« Commençons par la fin, partons de là pour remonter en arrière. Nous sommes en 1980. Ivory meurt. Était-ce un meurtre ou un suicide ? »

Peut-être est-ce à cause de l'assaisonnement très relevé qu'il faillit cracher ce qu'il venait d'avaler. Sa tête partit en arrière, sa bouche au pli blessé se barbouilla de rouge mouron.

« Quelle question bizarre, vraiment. Elle est ridicule. Si c'est le Grand Guignol qui vous intéresse, j'ai le plaisir de vous dire que vous avez frappé à la mauvaise porte. J'ai chez moi tout un groupe d'étudiants étrangers qui attendent à côté. Le temps que je vous consacre n'est pas le mien, mais le leur. Je vous prierai d'en faire cas.

60

— Je suis désolé. Je vous suis reconnaissant de prendre la peine et le temps de me recevoir. Simplement vous ne dites nulle part dans la nécrologie comment Ivory est mort. »

Il prit son ton pontifiant, un ton que je n'avais pas fini d'entendre.

« Il n'est pas je crois d'usage de donner aux notices nécrologiques l'allure de rapports d'autopsie. Une nécrologie a à mon sens pour objet de célébrer la vie d'un homme, ou d'une femme.

— Vous disiez que sa mort était prématurée...

— Il n'y a aucun sous-entendu là-dedans. Il n'était pas vieux et il est mort. Prématurée est bien le mot. Voyons. Est-ce que vous me demandez de quoi est mort William Ivory ? Si telle est votre question je suis incapable de vous dire précisément ce qui l'a tué. Je peux vous dire qu'il était souvent très malade. Sa vie durant. Atteint d'un rhumatisme articulaire aigu dans l'enfance. Ça fatigue le cœur, je crois. Il a toujours été assez sérieusement handicapé par son asthme. Il donnait l'impression d'être fort. Un physique qu'on remarquait. Un comportement d'homme fort. Aussi le croyait-on solide. Ce n'était pas le cas. Il n'y a rien de secret là-dessous. Pas de motif à scandale.

— J'essaie simplement d'arriver à sentir son personnage. De découvrir tout ce que je peux sur lui. Je ne voulais pas vous choquer.

— Et vous ne me choquez pas. Absolument pas. La tâche qui vous attend ne sera pas facile. Je suis ravi de pouvoir vous aider.

— Vous l'avez rencontré où ?

— À l'université. En fait je l'avais invité. À venir parler de son livre, *Plaisirs décadents*, au centre Gardiner. Vous l'avez lu bien sûr ? Un travail magnifique. Assez révélateur de l'homme, à mon avis. Nous nous sommes plus ou moins liés d'amitié. Un certain nombre d'intérêts en commun. La littérature japonaise, pour commencer. Pas mon domaine à strictement parler, disons que je suis un amateur curieux. C'était un merveilleux traducteur. Si vous avez une minute, je vais vous montrer quelques-uns de ses livres. »

Gibbs jaillit de son grand fauteuil pour aller s'agenouiller par terre. Pendant qu'il passait le doigt le long d'une étagère de bouquins j'essayai de le prendre au dépourvu.

« On ne sait apparemment pas très bien ce qu'il a fait pendant la guerre. »

Gibbs continua à regarder le dos de ses livres. C'est distraitement qu'il répondit : « Je ne peux pas me prononcer. Je l'ai rencontré longtemps après. Dazai, Endo, Kawabata… non. Je crois savoir qu'il s'est bien comporté et qu'il a reçu la George Cross. Mishima, oui, Oe, non, en voici un de Tanizaki, cela suffira pour l'instant… Je n'en sais pas plus, très franchement. »

Regagnant son fauteuil, Gibbs me tendit les deux livres qu'il avait dénichés. Deux recueils de nouvelles, *Patriotisme et autres histoires*, de Mishima Yukio, *Sept Contes japonais*, de Tanizaki Junichirô. Traduits par W.S. Ivory. Je les feuilletai l'un après l'autre, sans trop savoir s'il fallait y chercher quelque chose de précis.

« J'ai été chez lui bien des fois. Un endroit épatant. Chaleureux. Très isolé. Des champs partout alentour. Très plat, avec un ciel immense. Et la mer, pas loin de la maison. Des dunes de sable, des réserves d'oiseaux sur des kilomètres et des kilomètres. On trouve de fabuleux harengs fumés, par là-bas. Son chien, il adorait son chien, il l'emmenait se promener avec lui dans les dunes de Holkham Bay.

— Dans le Norfolk, c'est ça ?

— Oui, bien sûr. Au nord du Norfolk.

— Il y était né ?

— Il me semble qu'il est né à Norwich même. Il voyageait énormément mais retournait toujours dans ce comté. Ça c'est un trait anglais dont vous devez absolument tenir compte. L'importance des racines. Si vous voulez sérieusement comprendre William Ivory, il faut monter là-haut et passer un peu de temps dans ces lieux qu'il aimait.

— Et vous lui avez souvent rendu visite ?

— Oh, plus d'une fois, assurément. Les dîners qu'il organisait étaient sensationnels. C'était un cuisinier fabuleux. À d'autres occasions il y était seul, ou alors, comment dire ? dans l'intimité.

— Avec des femmes.

— Effectivement. Des femmes, oui. Un vrai don Juan. Mais il a toujours tenu très discrètement à l'écart cette partie de sa vie. Et naturellement, ses enfants restaient parfois avec lui.

— Vous les avez rencontrés ?

— Non. Jamais. Il avait un fils, et une fille aussi, me semble-t-il, mais non, je ne les connais pas.

— Et ses femmes ?

— Elles non plus je ne les ai jamais rencontrées. Désolé. Je ne vous suis pas d'un grand secours, n'est-ce pas ?

— Il est impossible que vous n'en ayez pas rencontré une.

— Une fois seulement, et à Londres. Elle était bibliothécaire, et dès qu'il m'a aperçu il a tourné les talons en faisant mine de ne pas me connaître... »

Gibbs hocha la tête. Nous servit à chacun un autre bloody mary. M'offrit un bâtonnet de céleri frais à mâchonner avec.

« Je l'admirais pour son intelligence, ses livres me plaisaient, et j'aimais monter à Binham et y séjourner en sa compagnie. Épatante, l'ambiance, dans cette drôle de vieille bâtisse. Will pianotait, il interprétait à merveille Debussy et Ravel, ou alors il exécutait à la file des rengaines éculées qui dataient de la guerre en nous laissant inventer les paroles qui allaient avec. Et sa cuisine. Seigneur, que ces festins me manquent. Un maître-queue vraiment prodigieux. Des repas si raffinés, tout d'une seule couleur quelquefois, exotique, comme l'orange. De l'entrée au vin doux, jusqu'au pudding. Et des invités toujours tellement captivants.

— Y a-t-il eu d'autres nécros sur lui ? Dans d'autres journaux ?

— Pas autant que je sache. Toutefois je ne saurais vous l'affirmer catégoriquement. Ce qu'il faut bien saisir, à propos de Will, c'est son côté "cénacle hédoniste". *Plaisirs décadents* eut un fabuleux succès, mais Will était bien trop intelligent pour notre époque. Il était censé écrire quelque chose d'exceptionnel, à la fin, mais tout a été balayé à sa mort. Je crois que ça s'appelait *Point final*, à moins que ce ne soit *Derniers Points* ? Vous ne vous en souvenez pas ?

— Je suis confus. Je n'avais pas réalisé qu'il y avait un autre livre. On en apprend tous les jours.

— Écoutez. Laissez-moi vous raconter une soirée à la table d'Ivory. Et puis nous pourrons peut-être nous en tenir là. D'accord ? Vous savez comment il était, bien sûr. Toujours parfaitement habillé, comme un aristocrate. La moustache. Des traits un peu lourds. Un début de calvitie qu'il tentait, vanité surprenante, de dissimuler en arrangeant habilement ses cheveux. Ce regard pénétrant. Des dents qu'on aurait dit fausses. Des doigts de pianiste.

« Nous étions toute une petite troupe, son agent littéraire venu de Londres, un professeur de l'université du coin, d'autres bonshommes, un romancier, deux scientifiques qui faisaient la paire, je suis incapable de me souvenir des noms aujourd'hui, et un type rougeaud qui s'appelait Harkin. Jeremy Harkin je crois, c'est ça. On buvait des cocktails, on discutait de choses et d'autres, Ivory exécutait à tour de bras un morceau de musique d'ambiance au piano.

— C'était quand ?

— Milieu des années soixante-dix. Je ne saurais vous dire l'année exacte. Après *Plaisirs décadents*, en tout cas, et avant *Morita*. C'était l'hiver, là je suis catégorique. Je me rappelle un grand feu de bois qui brûlait dans la cheminée, et je me rappelle que les routes qu'il fallait prendre pour aller chez lui étaient parfois dans un état précaire. Je ne vais pas vous détailler tous les plats par le menu. Il y a plein d'étudiants qui m'attendent dehors, ce n'est pas juste pour eux, vous comprenez. Qu'il me suffise de dire que du début à la fin le repas fut un délice. En plat de résistance nous avons mangé une sorte de ragoût à la française, il avait des vins fantastiques dans sa cave. Enfin bon, ensuite, on boit du cognac, on fume, on bavarde, on se défoule, comme on disait à l'époque.

— Il n'y avait pas de femmes avec vous ?

— Pas de femmes. Comme je l'ai dit tout à l'heure, Will était assez don Juan. Mais il avait pour habitude de ne pas mélanger les aspects de sa vie. Enfin bon, nous passons un rudement bon moment. Des potins intellectuels, par-ci, par-là, un bout de confession sous l'effet de l'alcool, les causettes habituelles, quoi. Et soudain Harkin, le genre grand timide, assez maladroit en société, se met à raconter une anecdote à propos du Japon dans les années cinquante. Et c'est à ce moment-là qu'Ivory intervient.

« Jusqu'à maintenant Ivory était resté au second plan. Il avait laissé les uns et les autres saisir l'occasion de briller. Mais on a l'impression qu'Ivory s'ennuie, et lorsque Ivory s'ennuie il risque de devenir un peu dangereux. Il commence à s'amuser à vos dépens.

— De quelle manière ?

— Cela peut prendre bien des formes. Faire apparaître comme des imbéciles ceux qui se conduisent comme s'ils étaient très malins. Obliger les gens à livrer leurs secrets en les poussant à boire et en leur posant des questions subtiles. Recourir aux tactiques de son métier de thérapeute pour vous embarrasser profondément. Et c'est ainsi qu'il procéda avec Jeremy Harkin... Non, Jim, c'était ça son prénom, Jim Harkin. Celui-ci venait de commencer maladroitement à nous expliquer qu'il travaillait au Japon dans les années cinquante, et Ivory se penche en avant, le cigare au bec, la tête entre les mains, et lui dit, l'air innocent : "Raconte-nous, Jim, cette histoire marrante qui t'est arrivée à Bangkok."

« Voilà Harkin qui pique son fard. Il rougit toujours facilement, tous les trucs rigolos ou intimes le font virer au rouge pivoine. Alors il rougit, bien sûr. Il secoue la tête. Il bégaie un peu. Ivory sourit pour l'encourager. Il arbore son sourire de requin. "Oh, allez Jim. C'est une histoire tordante, tu ne peux pas l'avoir oubliée. Cette nuit à Bangkok, tu te rappelles ? Tu n'arrivais pas à dormir dans ton hôtel et tu es descendu au bar américain..."

« Harkin est très, très mal. Il se met à glousser, horriblement intimidé. Plus personne n'ose le regarder, on espère tous qu'Ivory va laisser tomber. Mais non. "Je la raconterais volontiers mais je ne me souviens pas de tous les détails et je suis sûr que je n'y arriverais pas aussi bien que toi. Tu veux que j'essaie ?" Jim ne pipe pas mot, alors Ivory commence à sa place, comme pour lui rafraîchir la mémoire. Et Harkin a beau être mort de honte, il se décide quand même à la raconter, l'histoire, ce qui était exactement le but d'Ivory.

« Cette histoire n'est pas la meilleure que je connaisse, mais l'important n'est pas là. C'est une anecdote assez minable et très embarrassante que Jim nous bafouille, mais jusqu'au bout, grâce à Ivory qui lui souffle de temps en temps. Il nous explique donc qu'il a levé une fille dans le bar de son hôtel à Bangkok, et à l'écouter on a l'impression que c'est plutôt lui qui s'est fait ramasser. N'empêche qu'il remonte avec elle dans sa chambre. Le fin mot de l'affaire, c'est qu'en réalité la fille est un garçon, un travesti, et qu'il s'est taillé avec tout l'argent de Harkin et avec son passeport ; Harkin s'est retrouvé paumé et sans un rond à Bangkok où il lui a fallu plusieurs jours pour prendre son courage à deux mains et demander assistance au consulat britannique. »

Gibbs se fendit d'un grand sourire malicieux. Il remplit son verre et s'excusa que la cruche fût vide. « Après cela, naturellement, la soirée ne pouvait que tourner court. Le pauvre Harkin n'ouvre plus la bouche. Il s'assied dans un coin et fait semblant de lire un bouquin. Mais de toute la nuit il ne va pas tourner une page, il a le visage cramoisi. Et Ivory s'installe au piano, il joue des airs de musique française pleins de délicatesse, épatants, et la soirée ne s'achève qu'au petit jour. Pourquoi me suis-je lancé là-dedans ? L'idée c'était de parler des dîners magnifiques que Will organisait.

— Où est-ce qu'il avait connu Harkin ? À l'époque où il était au Japon ?

— Probablement. C'est ce que nous nous disions. J'ai perdu de vue ce qui m'a lancé sur le sujet de Harkin. Jamais entendu parler de lui depuis. Tant pis. Maintenant il faut vraiment que j'aille retrouver mes étudiants.

— Je vous suis reconnaissant de m'avoir consacré tout ce temps. Si je pouvais simplement risquer une ou deux questions très brèves… »

Il regarda sa montre. M'adressa un regard des plus froids.

« Veillez alors à ce qu'elles soient vraiment très brèves.

— Un point qui m'échappe. Vous m'avez dit qu'il était né à Norwich, c'est bien ça ? »

Il opina. Je poursuivis : « Dans la notice nécrologique vous déclarez qu'il est né à Hobart Hall. Ce n'est pas la même chose.

— Bien sûr. C'était une façon de parler. Il est sans doute né à l'hôpital de Norwich. Je n'ai rien voulu dire d'autre.

— Il vivait à Hobart Hall ? Son père était ambassadeur ?

— Absolument.

— Que savez-vous encore que vous ne dites pas ? »

Il battit des paupières, me dévisagea. « Bien des choses sans doute. N'est-ce pas ce que vous avez envie de croire ? Maintenant il est grand temps que je vous raccompagne.

— A-t-il eu une histoire avec votre femme ? »

Je m'attendais à un coup de colère ou à une réaction pontifiante. J'eus droit aux deux. Une fois qu'il se fut calmé et que, me tenant toujours par le bras, il m'eut fait traverser l'entrée pour me reconduire à la porte, il ajouta, l'air pensif : « De toute façon elle n'avait pas les qualités pour.

— Qu'entendez-vous par là ?

— Ravi de vous connaître, monsieur Boston. Passez, à l'occasion. »

Et ce fut tout. Il ne m'en dirait pas plus, ça au moins c'était clair. Il me lâcha une fois dehors, dans l'allée. Je montai dans ma voiture. Je le remerciai très poliment, et lui demandai où aller pour trouver des endroits où Ivory se sentait chez lui.

« J'ignore s'il s'est jamais senti chez lui quelque part. Vous pouvez toujours essayer Hobart Hall. C'est géré par le National Trust, maintenant. » Il ferma obligeamment la portière, sourit. « Rien ne dit qu'il n'avait pas, ah, un petit faible pour la mythologie de sa personne. »

De retour à Londres, je me dirigeai droit vers Soho, dans le bar privé de Corniaud, pour entendre le prochain épisode de l'histoire de William Ivory dans la version non autorisée de Brougham Calder.

Le bouge était aux trois quarts vide et Brougham Calder ne s'y trouvait pas. Bourdonnement étouffé de quelques vieillards assoupis dans des fauteuils rangés le long du mur. Deux gentlemen déglingués buvaient du whisky au bar. Corniaud, un sourire sarcastique aux lèvres, me demanda si j'avais ma carte de membre. Je lui répondis que je cherchais Julian Brougham Calder et Corniaud en devint presque humain.

« Première fois que je ne vois pas le pauvre bougre depuis qu'il s'est fait jeter de l'hôpital. L'a peut-être cassé sa pipe. Si ça se pouvait. Comme ça au moins on pourrait nettoyer ce foutu fauteuil. »

Une des choses que j'aurai apprises sur les Britanniques : vous aimez bien camoufler votre tendresse sous des dehors agressifs. Ça n'est pas sans rapport avec le célèbre sens de l'humour anglais.

« Vous ne savez pas où je pourrais le trouver ?

— Il a peut-être ses habitudes ailleurs, mais je ne sais pas où. Pouvez toujours essayer chez lui.

— Où est-ce qu'il habite ?

— Vous, méfiez-vous ! » Il se mit à gesticuler à l'autre bout du bar.

Un des gentlemen déglingués se tourna vers moi en grinçant un peu. Il ouvrit la bouche à grand-peine pour articuler : « Percy Street. Au-dessus de la quincaillerie », et se détourna dans un nouveau grincement.

C'était forcément chez la comtesse F***, la dame aux Benzédrines. Percy Street, en haut d'Oxford Street, mon plan pour touristes m'y emmena. La quincaillerie était une vieille boutique avec dans la vitrine un grille-pain d'occasion entouré de marmites et de casseroles. Au-dessus, des fenêtres crasseuses, pas besoin de rideaux en dentelle. Une porte en bois peinte en vert, sans sonnette ni heurtoir. Je cognais dessus. Cognais sans discontinuer. Enfin le volet de la boîte aux lettres se souleva et un œil bleu me lorgna en coin.

« Allez-vous-en, glapit-il d'une horrible voix de fausset. Je suis une vieille femme. J'ai un chien, vous savez.

— Julian. Monsieur Brougham Calder. C'est moi, Rick Tierney. J'espérais vous voir au club.

— Je suis une vieille femme. Par pitié laissez-moi tranquille. Si c'est de l'argent que vous cherchez vous n'en trouverez pas ici. » Là-dessus il toussa un moment. La voix de fausset qu'il s'imposait mettait son larynx à rude épreuve.

« Je pensais que vous vouliez m'en dire plus, à propos d'Ivory. »

Silence. L'œil continuait à me lorgner, en larmoyant parce qu'il lui en coûtait de tousser.

« Ouvrez-moi s'il vous plaît.

— Déguerpissez ou j'appelle la police. »

Le volet de la boîte aux lettres se referma. Je l'entendais respirer derrière la porte.

« Je vous ai apporté du whisky. »

Le volet se rouvrit.

« Faites voir. »

Je brandis la bouteille de whisky irlandais, l'agitai, de-ci de-là, observai la manière dont la pluie frappait le verre pendant que j'attendais. La nuit commença à tomber avant que le volet se rabatte. Enfin vint le bruit des chaînes de sûreté qu'on décrochait et des nombreux verrous qu'on poussait.

La porte s'ouvrit grande. « Entrez. Personne ne vous a vu ? » En peignoir de bain rose, des tennis noires aux pieds, Brougham Calder m'attrapa par le bras pour me tirer à l'intérieur, ferma la porte d'un coup de pied et me tournicota autour

69

le temps de dûment remettre en place deux chaînes de sûreté et cinq verrous.

« Vous êtes absolument sûr que personne ne vous a vu ? Venez, montez. »

Nous entrâmes dans une pièce où du plafond pendait une cage à oiseaux dorée poussiéreuse avec un téléphone dedans. Des murs jaune moutarde fané ornés de scènes champêtres. Brougham Calder éteignit le plafonnier, alla à la fenêtre, et frotta la saleté pour ménager un trou d'où épier la rue.

« Je crois qu'on ne risque rien. Vous avez vraiment eu de la chance. Alors, où est-il ce whisky ? Je vais chercher des verres. Asseyez-vous. »

Je m'assis. Il ralluma la lumière. Je jetai un œil aux étagères qui m'entouraient, n'y vis aucun de ses livres. Tout en attendant qu'il revienne je me demandai s'il n'avait pas cette espèce de maladie du cerveau qui précède la mort.

« Vous ne pouvez pas vous attarder, vous le savez, n'est-ce pas ?

— C'est sûrement l'appartement d'Eileen ? Où Ivory a habité ? Depuis combien de temps êtes-vous ici ? Vous n'avez pas trop repeint les murs...

— Je vis ici depuis très longtemps, un temps remarquablement long. Il est bon ce whisky. Je l'aime bien.

— Vous deviez m'en dire plus sur William Ivory.

— Jamais entendu parler de lui. Et qui êtes-vous d'abord ? D'où sortez-vous pour essayer de soûler un vieil homme ? » Il ramena péniblement un peu de salive de sa gorge à sa bouche et vice versa. Il serra plus étroitement son peignoir rose contre son corps étriqué. Tendant vers moi un index crocheté, il se pencha en avant. « Je vais ouvrir les robinets », chuchota-t-il.

Je l'entendis déambuler, puis il y eut un bruit d'eau giclant à gros jets au fond des cuvettes dans différentes pièces de l'appartement. Une fois de retour, il s'allongea de tout son long sur le canapé en laissant pendouiller ses tennis. Il m'obligea à m'approcher. Puis reprit son ton de voix normal. « On ne sait jamais, hein ? Je suis content que vous ayez apporté du whisky.

— Gardez la bouteille. Elle est à vous.

— Pardon ? Même si je ne vous dis rien ?

— Même si vous ne me dites rien.

— Ça alors, quel brave soldat vous faites. » Il se livra à un petit aparté, à moins qu'il ait simplement voulu apprécier la force de ses rots. « Voyons. Vous êtes sûr que personne ne vous a suivi jusqu'ici ?

— Sûr et certain.

— Bon, je ne sais pas, je vais peut-être parler. Je ne devrais pas. C'est irresponsable. Quatre murs ça devient vite assommant. Il vous arrive de vous sentir seul ? Imaginez-vous seulement comme la vie est triste une fois qu'on a perdu tous ses amis ? Jack Crew. Dylan Thomas. Paul Potts. Francis Bacon. John Deakin. Je les ai tous vus partir. La famille ne remplace pas les amis. Vous savez comment Bacon s'est débrouillé pour sécher l'armée ? »

Je ne lui dis pas qu'il m'avait déjà raconté tout ça. Je n'en avais pas le cœur. Une fois de plus j'eus droit à l'histoire du berger alsacien loué chez Harrods, et l'artiste qui la veille de sa visite médicale passe la nuit avec ce chien pour réveiller son asthme. Lorsqu'il eut terminé, je lui demandai s'il connaissait Roland Gibbs, ou un certain Jim Harkin.

« Gibbs ça ne me dit rien. Harkin je m'en souviens. On le voyait à Fitzrovia, toujours muet comme une carpe. Vous écrivez sur Harkin, maintenant ? Je suppose qu'il est mort, lui aussi. Avez-vous lu mon livre, *Indispensables Nègres* ?

— J'adorerais en voir un exemplaire. »

Il en fut tout émoustillé. « C'est vrai ? C'est bien vrai ? » Comme il se redressait brusquement en position assise, le peignoir s'entrouvrit sur sa vieille queue ratatinée et ses grosses couilles de vieux. « J'aimerais beaucoup que vous le voyiez. Que vous voyiez tous mes livres. Ça vous montrerait que je ne fais pas que bavasser. Mes exemplaires à moi sont au clou, des premières éditions de grande valeur, voilà comment on traite les hommes de lettres dans ce pays. J'ai débuté avec *L'Apprentissage de l'homme libre*. 1946. George Orwell l'a qualifié d'*Éducation sentimentale* à l'anglaise. Publié chez Jonathan Cape — un homme épatant, épatant —, au prix de

71

cinq shillings, six pence. *Indispensables Nègres*, Allen Lane, 1951, neuf shillings. Accueilli là encore par un concert de louanges chez ces messieurs de la presse. *Après la pluie*, Martin Secker and Warburg, ils me faisaient des conditions de rêve, 1954, mis en vente treize shillings, six pence. *Mortes Années, ou Manière d'autobiographie*, qui est sorti chez Hamish Hamilton, une merveille d'indulgence, cet homme, Cyril Connolly l'a mis sur la paille, 1961, trente shillings. *Lesbiennes de poussière : l'œuvre poétique complète de Julian Brougham Calder*, un volume mince mais non sans valeur, Faber and Faber, 1962, dix-huit shillings. *Essais entre chien et loup*, étude abondamment illustrée sur les excès de l'histoire qui...

— Ça rappelle les *Plaisirs décadents* d'Ivory.

— Et comment, hein ?

— C'est pour cela que vous le détestez tant ? »

Brougham Calder retroussa ses lèvres en coin. Bien des années plus tôt, quand le monde était plus jeune et lui aussi, la mimique eût pu passer pour un sourire.

« Je ne le détestais pas complètement. Il a indisposé mon frère plus d'une fois, ce dont j'étais absolument ravi, et mieux, encore mieux, il les faisait tous se carapater, mais le fait est qu'il était cruel, et d'une vulgarité à pleurer derrière ses grands airs et ses gracieusetés.

— Tout à l'heure vous avez dit...

— Oh ? Voilà que je me répète, alors ?

— Ne le prenez pas mal. Simplement on m'en a parlé comme d'un aristocrate. Le fils d'un ambassadeur.

— Vraiment ? » Il se mit à rire, comme s'il s'étranglait. « Qui d'autre avez-vous rencontré qui l'ait connu ?

— Helen, sa femme, pour commencer. Et elle ne me l'a pas décrit comme quelqu'un de cruel. Fort, c'est tout.

— Exactement. *Omnia vincit amor et nos cedamus amori. Volenti non fit injuria.* Il y a deux avantages à avoir fréquenté une école privée — avec bien sûr en contrepartie une vie tout entière vouée à la pédérastie et à la flagellation, encore que pour certains ce ne sont pas là des inconvénients mais des avantages. À mon sens en tout cas, primo on en sort avec une prose honorable et, deuxio, on y apprend à pimenter la conversation de locutions latines. Vous êtes sûr que personne ne vous a suivi jusqu'ici ? *Nunc est bibendum.* Traduction : c'est le moment de boire. Horace. À la vôtre.

— Vous disiez qu'il les faisait tous se carapater. Qu'entendez-vous par là ?

— Comme vous y allez, camarade. Vous jouez un jeu bien dangereux. » Il bondit du canapé, étonnamment agile, pour aller une fois de plus à la vitre. Il souffla dessus et essuya la buée avec la manche de son peignoir. « Écoutez. Que venez-vous faire ici, au juste ?

— Je vous l'ai dit. Glaner d'autres histoires sur Ivory.

— Pour votre livre.

— Pour mon livre. »

Il se réinstalla sur le canapé. L'ennui c'est que malgré sa paranoïa, ou peut-être à cause d'elle, le vieux s'amusait beaucoup. « À quel moment Ivory a-t-il quitté cet appartement ? Est-ce qu'il a laissé des choses derrière lui ? Je pourrais les voir ?

— Vous vous croyez très malin, hein ? Môssieur le livreur de whisky, môssieur le détective amerloque. Eh bien je vais vous donner le choix, monsieur Petit Malin. Le choix entre trois récits extraits du catalogue de William Ivory. Lequel a votre préférence ? La vérité sur le Japon, un suspense au casino ou une saga familiale ? Décidez.

— Le suspense au casino me tente assez.

— C'est votre dernier mot ? Alors allons-y pour le suspense au casino. » Il rassembla les plis de son peignoir autour de lui, huma profondément son verre de whisky avant de le caler sur sa poitrine, ferma les yeux et commença.

« Cela se passe en 1951. Imaginez un casino dans l'ouest de Londres. Une ancienne maison particulière transformée en maison de jeu dans une rue mélancolique en haut de Kensington. Pas de nom sur la porte, pas de plaque en cuivre ni de judas façon clandé d'Al Capone, juste le numéro dans la rue, 112, peint sur le pilier de droite qui marque le départ de l'allée, avec au-dessus une tête de cheval qui brille. Certains appellent l'endroit La Tête de Cheval, d'autres le 112, tout simplement, mais les vrais affranchis, eux, disent Chez Jackie. On joue gros à Londres, en 1951. Le jeu a commencé à faire fureur pendant la guerre et ça y va toujours fort. Naturellement les casinos sont tout ce qu'il y a d'illégal mais on trouve toujours le moyen de contourner ce genre de choses. Chez Jackie, les jeux les plus courus sont le chemin de fer et la roulette, ainsi que le black-jack et le poker, l'influence amerloque.

« Tout va comme vous voulez, monsieur Petit Malin ? Vous me suivez dans la rue ? Alors arrangez votre cravate, retirez vos gants et tambourinons à la porte. Si le malabar qui tient l'entrée veut bien nous laisser passer, ce qu'il fera, vous êtes avec moi, tout va bien, c'est un drôle de ramassis que nous allons trouver là-dedans. Il y a des Chinois et des Jamaïcains, des Juifs, bien sûr, des Américains, toujours déserteurs depuis 45, des Espagnols et des Portugais qui travaillent dans des restaurants du quartier et qui, deux fois par semaine, réglés comme des pendules, viennent claquer leur paye pour que le brave Jackie continue à se la couler douce. Nul ne sait d'où il vient, ce Jackie. Il est moitié chinois et moitié portugais, ou alors c'est un Peau-Rouge avec une goutte de sang de missionnaire catholique européen. D'ailleurs je crois qu'en fait il est jamaïcain. Mais sa maison est devenue l'endroit chic où se montrer, ce pourquoi les débutantes y viennent, les peintres y viennent, et de riches homosexuels qui cherchent désespérément un mignon un brin exotique à s'envoyer dans des lieux invraisemblables, et des jeunes gens véhéments frais émoulus d'Oxford en guerre contre la respectabilité, des lycéens qui s'imaginent poètes, des propriétaires de taudis accompagnés de leurs jolies petites locataires, des petites bourgeoises de province prêtes à offrir leur corps à qui le leur demande, et nous tous, en nombre, nous qui avons fait ensemble nos adieux à la guerre que l'un dans l'autre nous regrettons plutôt. Voilà la fine équipe que nous allons rencontrer Chez Jackie.

« C'est ouvert le mardi et le vendredi. Dieu sait ce qui s'y passe les cinq autres jours de la semaine, l'imagination des alcoolos galopait là-dessus. Et à une dangereuse époque bénie, Ivory y venait tous les vendredis. Il joue les mystérieux, à présent. On l'avait perdu de vue après la mort de Mattie. Oh, oui,

Mattie est mort, peu de temps avant la fin de la guerre, il fallait bien puisque c'était ce qu'il voulait, mais je ne peux pas me lancer là-dedans, hein, monsieur Petit Malin ? Cette histoire fait partie de la saga familiale et souvenez-vous que je ne vous ai donné droit qu'à un récit. Des rumeurs circulaient au sujet d'Ivory, naturellement... il tenait le piano dans un bordel du Caire, il était diplomate en poste en France, il s'était installé sur la côte Ouest des États-Unis où il exerçait comme astrologue dans la mouvance rosicrucienne. Il était dans la marine marchande, il donnait dans le trafic d'armes, conduisait un bateau de négriers du côté de l'Afrique ou de l'Asie. Je n'ai pas d'informations là-dessus, et on le voyait quelquefois dans le pays, à des fêtes. Jusqu'à ce vendredi soir où il fit son apparition Chez Jackie, en 1951. Il s'était laissé pousser une moustache qui le transformait en personnage d'allure plus redoutable et il cultivait un comportement assez mystérieux qui, forcé ou non, nous tenait à distance. Ignorant où et de quoi il vivait nous ne pouvions que supputer ses aventures, et qu'on l'aime ou pas, tout cela avait un côté plutôt fascinant. Il lui arrivait de se joindre à nous pour un souper tardif et parfois même autour d'un verre, le lendemain. Mais c'est tout. Il ne nous parlait jamais de lui. Ni entre deux vins ni pour rire.

« Il s'était trouvé une fille. Cette céleste et godiche créature apparut un beau soir dans une robe blanche sans manches. C'est toujours comme ça que je la revois d'abord. La robe était splendide, une coupe française sexy, mais elle portait par-dessus un cardigan de mémé. C'était une très belle fille, mais une drôle de fille, avec un visage d'ange déchu et cette démarche bizarre, on pensait à une sirène qui aurait encore su se servir de ses jambes de femme. Elle adorait qu'il joue du piano, ça lui faisait des choses. Elle tournait les pages de la partition, ou bien quand il jouait de mémoire elle se tenait juste derrière lui et son corps suivait chaque mouvement de ses doigts puissants. Telle une mère éperdue de fierté veillant sur son surnaturel fils prodige, elle tressaillait au moindre bruit rival. Un tintement de verre, le cliquetis des piles de jetons, un éclat de rire, des potins stridents. Elle était beaucoup trop timide pour réclamer l'attention, mais il était visible que ces sons la blessaient. Des signes de douleur manifestes.

« Ressortons, éloignons-nous du piano, traversons le vestiaire, saluons le malabar au passage et espérons qu'il se souviendra de nos têtes, poussons la lourde porte en bois et glissons-nous derrière la haie de buis qui borde l'allée, laissons passer une semaine. Nous allons attendre l'arrivée d'Ivory et de sa fiancée. Nous n'attendrons pas en pure perte. Ce sera une soirée très spéciale parce que Ivory va pour la toute première fois mordre au jeu.

« Les voilà qui arrivent. Il pleut, ce soir, et elle tente vaille que vaille de se protéger sous son parapluie noir. Ils tournent tout de suite après la tête de cheval et s'immobilisent avant d'arriver à la porte. À présent, elle a la main sur son bras. Ils jettent un regard à la ronde, ne nous voient pas dans la haie. Chut. Respirez tout doucement. Il ne faut pas qu'ils vous entendent. Ils vont préparer leur petit secret.

« Voilà des lustres que tout le monde porte une montre-bracelet mais Ivory est resté fidèle à une assez exquise montre à savonnette accrochée par une chaîne au gousset de son gilet, très certainement un souvenir du Blitz. Leur numéro d'amoureux, leur quête obsédée de la chance, leur sacrement commence cette nuit et durera aussi longtemps qu'Ivory jouera et gagnera de façon aussi extravagante. Il soulève la montre en tirant sur la chaîne et l'offre à sa fiancée. Elle la prend dans le creux de la main, presque comme s'il s'agissait d'une chose vivante et capable d'éprouver du plaisir, et elle la lui remonte tout en gardant constamment les yeux fixés sur lui. Quand ils en ont fini, il donne une légère secousse à la chaîne qui quitte la main de la fille pour retomber dans le gousset. Ils remontent l'allée, Ivory montre sa carte de membre au malabar à l'entrée. Nous leur emboîtons le pas.

« Elle se débarrasse de son manteau qu'Ivory donne à la fille du vestiaire, puis ils se dirigent vers le bar, en haut de l'escalier, pour boire chacun un verre du fameux punch au rhum de Jackie. Elle porte toujours son cardigan. Ils redescendent les marches, au passage ils adressent un petit signe de tête aux types qu'il connaît. Avant de pénétrer dans la salle

Macao, décorée comme une bibliothèque de gentilhommière, ils font halte dans le vestibule, le temps pour Ivory de pianoter une petite mélodie au grand ravissement de sa compagne.

« Il y a deux tables de chemin de fer dans la salle Macao. Ivory et sa fiancée s'approchent de la table où ça joue le plus gros. À cet instant il n'envisage pas encore de jouer. Ce n'est pas l'heure. Ils se tiennent tout près l'un de l'autre, ils regardent. Regardons, nous aussi. Nous connaissons la plupart des joueurs. Mike Callaghan tient la banque. Cet as du billard en complet veston noir sort de Holloway. Il sourit de toutes ses mauvaises dents et fume des cigarettes sans filtre. À côté de lui, notre vieil ami Jack Crew, un habitué du Wheatsheaf, un solide buveur. Le croupier est un petit dur sec et noueux aux manières très comme il faut, portant smoking. Des cheveux bouclés coupés court, un teint de mulâtre, il se tient très droit sur son siège, parfois il sourit lorsqu'il ratisse la part des gains de la maison.

« Ivory et sa fiancée sont debout derrière Callaghan et notre ami Jack. L'ami Jack est dans le pétrin. Il a un peu de mal à reconnaître ses cartes. Mais c'est le cadet de ses soucis. Jack est quelqu'un qui aime perdre. La fiancée donne un petit coup de coude à son homme et Ivory sort sa montre. Il indique l'heure à sa fiancée. Ils restent à la même place. Observons le jeu.

« C'est tout vu. Le banquier, autrement dit Callaghan, cache un quatre et un deux. L'ami Jack met le paquet après avoir obtenu sept avec deux cartes. Pas très malin et de plus complètement illégal d'y aller avec sept, mais le bonhomme ne se tient plus. Le six l'emporte. Jack quitte la table pour aller se chercher un autre punch au rhum. Ivory regarde d'abord la place vide, puis sa montre. Sa fiancée acquiesce de la tête. Le croupier bat les cartes.

« Ivory remet la montre dans son gousset, s'assied à la table, le dos très droit, les mains jointes en cathédrale — vous savez, pouce contre pouce, les petits doigts en clocher —, et annonce "banco". Ce qui signifie qu'il joue à hauteur de la pile du banquier. Ivory vérifie l'heure tous les deux ou trois tours. Les autres misent le maximum contre lui, impatients qu'ils sont de mettre à sec ce néophyte arrogant. Ils misent le maximum et Ivory gagne chaque partie. C'est une vraie foule qui se presse autour de la table. Ce genre de chose n'arrive jamais. Il arrête au bout d'une demi-heure seulement. Vous avez bien entendu, une demi-heure très précisément. Il lève les mains, paumes ouvertes, vers le croupier, et quitte la table avec sa fiancée et ses gains.

« Sortons en même temps qu'Ivory et sa fiancée. Son comportement est le même qu'à l'habitude, cordial, poli, distant, plutôt barbant même, tant il est parfait, mais il a le visage rouge comme le fard à joues des grues de Piccadilly, et sa manière de tenir serrée contre lui la main que sa fiancée a posée sur son bras trahit la passion qui l'étreint.

« Il est revenu le vendredi, accompagné de sa fiancée. Même topo. Vite. Je vais vous raconter. J'ai vu la fille remonter sa montre avec cet air de se masturber en silence et je les ai suivis à l'intérieur, les petits chéris de la fortune. La foule habituelle. Crew était là, une lesbienne aussi, et Callaghan de Holloway, et Freddy l'abruti, les autres j'ai oublié. Peu importe. Un peintre, il me semble. Possible que ç'ait été Lucian Freud. Pour une fois c'était Crew le grand gagnant. Il se tenait là, image parfaite du poète de gauche selon les pisseurs de copie, avec casquette à la Trotski et godillots de travailleur délibérément éraflés, une énorme pile de jetons devant lui. La fille donne le signal à son homme et Ivory s'assied, le dos bien droit comme un petit soldat, sa fiancée derrière lui, une main en l'air presque à toucher l'épaule droite de sa chérie.

« "Banco", lance Ivory de sa voix qui manque d'assurance en tendant le bras pour que sa fiancée lui passe les jetons qu'il a gagnés la semaine dernière. Crew sourit, il en bave d'avance, déjà ça remue dans ses pantalons. Le croupier est toujours le petit dur mulâtre qui officiait l'autre jour. Il bat les cartes. Tous les joueurs étalent leurs jetons pour contrer Ivory. Sa première carte est une figure, elle ne compte pour rien. La deuxième est un neuf. Simple comme bonjour. Crew ne se donne même pas la peine de regarder sa carte et le croupier pousse son tas vers Ivory qui l'arrange en piles impeccables pendant que Crew quitte la table en se tenant l'entrejambe à deux mains.

« La veine d'Ivory fait s'épanouir sa fiancée. Envolé, le cardigan de mémé. Elle porte une longue robe noire, un tissu français aux plis qui tombent en un dégradé parfait. Une robe de poule de luxe. Une robe pour le gratin. À présent elle marche comme si elle avait conscience de son pouvoir. Sa coupe de cheveux est plus élégante, et si astucieusement dessinée qu'elle tombe d'elle-même avec une forme parfaite. Elle ressemble à cette actrice de cinéma, Audrey Hepburn. Délicate. Toujours céleste mais pleine d'aisance maintenant. Typique d'Ivory, en revanche, le fait qu'il lui prête moins d'attention que jamais. Avant il ne lui manifestait que de menus égards, n'était prévenant que par intermittence. Là, mis à part le petit truc qu'ils font avec la montre, il se conduit comme s'il l'avait complètement oubliée ou comme si elle lui tapait sur le système.

« Jackie en personne assiste au jeu. Il y a foule autour de la table. La rumeur a circulé. En quelques semaines ce brave Ivory est devenu un sujet de légende. L'homme qui a fait sauter la banque du 112. Ivory abat huit points, Freddy sept. On rejoue. Callaghan a six. Ivory, sept. Callaghan annonce banco. Il faut essayer d'arrêter ça. Ivory tripote son jeu sans le retourner, sa main tremble. On a le sentiment qu'il est sous l'emprise d'une chose qu'il sait bien plus forte que lui. Sa fiancée aimerait voir sa carte. Il ne la lui montre pas. Il retourne sa carte, un cinq, et il en demande une autre. Callaghan découvre son sept. Ivory montre le trois qu'il vient de tirer. Ça fait huit. Le mulâtre pousse le tas de jetons de Callaghan vers les piles d'Ivory. La foule se fait plus dense. Cette demi-heure-là promet d'être bonne.

« Le croupier se laisse parfois aller à sourire, Ivory jamais. Il est tout rouge mais contrôle parfaitement ses mains. Il contemple ses cartes et le monde qui l'entoure. Il est fier, il est arrogant. Ceux qui veulent désespérément récupérer leur fric misent le maximum, et Ivory gagne à tous les coups. Autour de lui le bruit enfle, le murmure envieux des habitués de la déveine qui observent celui à qui le destin sourit. Sa fiancée ceint son cou de ses bras, il la repousse. La main de la fille glisse le long de sa poitrine, tire sur la chaîne de montre et il se laisse fléchir. Il la regarde, rassemble ses gains. "Vous m'excuserez, messieurs, dit-il. J'ai fini de jouer pour ce soir." Une demi-heure s'est écoulée. Le couple s'éloigne de la table et les croupiers se relaient.

« Ivory et sa fiancée s'en vont comme deux personnes qui ne se connaissent pas mais se trouvent aller du même côté. Elle a envie qu'il joue un peu de piano mais il n'en tient aucun compte. Il se fait rembourser ses gains, et il a gagné un paquet ce soir, des milliers de livres, il prend le pardessus, le parapluie et le chapeau que lui tend la fille du vestiaire et il sort dans la nuit. Sa fiancée lui court après, ses talons claquent sur le pavé luisant de pluie des quartiers ouest, sa voix pressante vacille derrière lui qui file droit devant, à la poursuite d'on ne sait quoi. La semaine suivante, il vient seul, sans sa fiancée, sans son pébroque. Il arrive plus tard que d'habitude, cet homme du monde d'ordinaire irréprochable, et on dirait qu'il a piqué une tête tout habillé. Son manteau et son chapeau sont à tordre, et c'est avec une certaine brusquerie qu'il les remet à la fille du vestiaire. Il va droit à la table. Les gens se sont massés, impatients de le voir, et Jackie en personne joue et tient la banque. Toutes les places sont prises mais, dès qu'Ivory se présente, un des joueurs, il me semble que c'était l'ami Jack, lui offre son siège. L'ambiance est à la folie, un tintamarre, une pagaille incroyables, on croirait un match de boxe, quand les gosses du quartier envahissent le ring avant que le combat commence.

« Ivory est toujours trempé, la pluie tache son costume par plaques, tout autour de sa tête ses cheveux s'aplatissent à l'endroit où il portait son chapeau, il sent la ville, sale et mouillée. Sa nervosité est plus marquée que d'habitude, ses mains continuent de trembler longtemps après qu'il a touché les premières cartes et il joue comme s'il avait la fièvre. Mais bien sûr il gagne. Les autres joueurs abandonnent. Ils n'ont plus leur place, à présent. Tout se passe entre Jackie et Ivory. De temps en temps Ivory regarde sa montre comme s'il rêvait tout éveillé, il joue, frénétiquement, mais il gagne toujours. Huit contre le sept de Jackie, neuf contre son huit, six contre son cinq. Ça n'arrête pas, il finit toujours par piocher un cinq. Et il continue à gagner. Il gagne envers et contre tout, contre des forces diaboliques. Il montre un quatre et une reine — il ne se soucie même plus de cacher son jeu —, tire une autre carte. Jackie a sept. Il retourne sa carte. Encore un quatre.

« Ça n'arrête pas. Ivory transpire maintenant. Je ne me souviens pas l'avoir jamais vu transpirer auparavant. Il défait sa cravate. Prend une autre carte et gagne à nouveau. Il jette soudain un œil par-dessus son épaule comme s'il manquait quelqu'un qui aurait dû être là.

« Ceux qui étaient au fond commencent à s'éclipser. Ça fait une demi-heure qu'il est là, alors il va forcément arrêter. Mais non, il n'arrête pas, même s'il est suffisamment maître de lui pour consulter sa montre, quoique d'un air perplexe, comme s'il ne savait plus très bien à quoi elle sert. Quelqu'un, sûrement pas moi, lui rappelle que sa demi-heure s'est écoulée mais c'est comme s'il n'entendait pas. Il continue à jouer. Avec une folle témérité. Des sommes d'argent colossales lui sont passées entre les mains, pourquoi cela cesserait-il ? Ses cheveux pendent par mèches, détruisant la perfection de sa coiffure pommadée. Il a tombé la veste et remonté les manches de sa chemise. Il manque un bouton au bas de son gilet mais il ne s'en rend pas compte. Un regard vers son ventre me découvre l'étonnante vision d'un tatouage. Il tapote sa moustache, joint les mains, tripote le coin de ses cartes en homme pressé. Jackie sourit toujours, joue toujours son jeu, et voilà qu'Ivory ne gagne plus à tous les coups. Il a un cinq après son as, mais Jackie a un quatre et un trois. Il a un sept, mais Jackie tire un trois après un six. Il a le sept de cœur, Jackie le neuf de carreau. Ivory remporte deux parties à la file pour ensuite en perdre trois. Il gagne les trois suivantes et perd les cinq autres. Il ne peut pas s'arrêter quand il gagne mais pas plus semble-t-il quand il perd. Il regarde à nouveau sa montre, secoue la tête, se remet au jeu. Et il perd.

« Il n'y a qu'eux deux assis à cette table. Une lampe au-dessus de leurs têtes. Et le bruit des cartes qu'on mélange, qui glissent sur le tapis et font des ravages. Jackie ne plaisante plus. Il ne sourit même pas. Ivory n'a plus de jetons devant lui. Il signe une reconnaissance de dettes. Jackie en a déjà tout un paquet. Il n'en veut plus. Ivory insiste. Et pour finir Jackie accepte. Ivory se retrouve avec un as et un quatre. Jackie retourne un dix, une carte qui ne vaut rien. Jackie se laisse convaincre de monter les enjeux et Ivory demande une nouvelle carte. Jackie la lui donne à l'envers. Impatient, Ivory la retourne comme s'il commençait à en avoir assez des secrets. C'est un sept. Ce qui fait douze. C'est trop.

« "Dernier coup, prévient Jackie. On ne joue que si on suit." Ivory acquiesce de la tête, les yeux fixés sur le sabot. "À découvert", dit-il, et Jackie hausse les épaules, lui envoie d'une chiquenaude la première carte : un as. Jackie se donne un six. Ivory reçoit un deux. Ivory, Ivory obnubilé, voué au malheur, le regard fixe et tout en sueur, Ivory indique d'un geste qu'il veut une autre carte. Un silence de mort tombe dans la pièce, c'est la chute d'un homme que nous contemplons. Jackie retourne sa deuxième carte. Un roi. Il a toujours six. Ivory sort sa montre, un assez vilain sourire lui retrousse les lèvres. "Elle s'est arrêtée, dit-il. Personne n'aurait l'heure exacte ?" Quelqu'un la lui donne en criant. "Ça doit bien faire trois heures qu'elle s'est arrêtée, dit Ivory. Je ne pensais pas jouer si longtemps. Personne…" Là-dessus il se tait et retourne sa carte. Il lui faut un cinq, un six ou un sept. C'est un neuf de pique. Il est perdu.

« Un gâchis sans nom. D'après un gars doué pour les chiffres, au cours de ces trois heures, Ivory aurait perdu cinq fois le montant de ce qu'il avait gagné précédemment.

— Comment l'a-t-il pris ?

— Ivory a toujours su garder son sang-froid. Il baissa ses manches, agrafa très adroitement ses boutons de manchette sans requérir l'aide de quiconque. Il enfila sa veste et arrangea sa cravate. Son gilet toujours en partie déboutonné était le seul signe de la catastrophe qui venait de se produire. Sous la lumière qui le faisait briller, son tatouage avait l'air sinistre. Il se lissa les cheveux, aspira une goulée d'air et eut son sourire habituel, très civil. Il attendait que nous nous écartions pour le laisser passer et nous, nous attendions… qu'est-ce que nous attendions ? Le point final, un dénouement. Nous attendions de voir Ivory s'écrouler, se mettre à divaguer, nous attendions l'arrivée de sa spectrale fiancée. Nous voulions que tout se déroule comme prévu, s'achève comme il se doit. Qu'Horatio, le démon de la pièce, fasse son apparition. Car cette histoire ne traite de rien d'autre. De l'intrusion, durant ce bref laps de temps frappé d'un sombre sortilège, d'une force mauvaise, d'un pouvoir extirpé de sous le rideau des habitudes. Mais Jackie se contenta de dire : "Messieurs dames, je vous en prie", de sa voix aux charmantes inflexions jamaïcaines, et cela suffit à nous ébranler. Nous fîmes la haie à Ivory. Il rectifia son col en traversant notre petite foule. Son coude me frôla au passage. Je l'ai senti trembler.

« Il ne devait pas remettre les pieds au club. Le bruit courut qu'il s'était arrangé avec Jackie au cours de la semaine suivante. Et il disparut une nouvelle fois. On le prétendait parti au Japon, en Grèce, en Italie. En train de faire du bateau dans le sud de la Méditerranée avec un de ses cousins. Vivant dans quelque banlieue de Londres dans un cruel anonymat. Engagé dans la Légion étrangère. En prison. Joueur de piano dans un bordel du Caire.

— Et sa fiancée ?

— Nul ne revit plus jamais son merveilleux porte-bonheur. Jack Crew affirmait à qui voulait l'entendre qu'il l'avait aperçue, mal fagotée à nouveau, à jamais privée de son éphémère beauté de papillon. Personne ne l'a cru, franchement. Tout le monde savait que cette fille avait quelque chose d'irréel, de plus fort que la vie. »

L'obscurité semblait gagner la pièce. Un petit souffle froid vint troubler l'apparente quiétude de l'appartement de Percy Street. Les tableaux accrochés au mur se faisaient terrifiants dans le noir, rien à voir avec des peintures de paysages et de vaches.

« Ce n'était pas un coup monté ?

— De la magie, mon petit, il n'y a pas d'autre explication. Un pacte avec les forces des ténèbres. La fille dans le rôle du passeur. Tant qu'elle a été là pour lui remonter sa montre, Ivory n'a pas dépassé le temps imparti et il a gagné. Elle envolée, une fois qu'il l'a eu chassée ou qu'il est revenu sur sa promesse avec l'autre monde, il a connu la déchéance. En tout cas il s'en est élégamment tiré. Il n'a pas fait d'esbroufe quand il gagnait, et il a perdu avec dignité. Je lui reconnais au moins ça.

— À quel moment l'avez-vous revu ?

— Ivory est revenu à Londres cinq ans après, en 1956, et plus dur qu'autrefois, mais il n'a jamais parlé de ce qui s'était passé, et mon verre est vide et mon histoire finie. »

Un conte moral où l'on apprend pourquoi il ne faut jamais se fier à sa chance et pourquoi les hommes ne devraient pas chasser leurs femmes. Je ne sais pas si ce principe marche dans les deux sens. Nous achevâmes la bouteille. En silence, pendant que Brougham Calder jetait des coups d'œil nerveux à sa montre. Une histoire de fantômes pour faire peur aux petits enfants. Plus je m'attardais, plus il devenait nerveux. Quand il ne resta plus une goutte de whisky, il me raccompagna d'un pas mal assuré, me poussa dehors, sous la pluie, dans Percy Street, et poussa derrière moi les cinq verrous de la porte.

En rentrant à l'hôtel j'avais tout de suite compris que mes affaires n'allaient pas fort. Une petite tape sur le bras de la part du gérant de nuit, et demi-tour en douceur vers la réception. C'était de ta faute. Une expression sévère sur ses traits. Un bout de papier doucement poussé vers moi. En bas, des chiffres énormes, entourés d'un trait net. Gênant pour moi. Il attendait que je dise quelque chose. J'attendais qu'il dise quelque chose. J'étais fatigué. Et lui implacable. Il incarnait la loi. Je jouais les gangsters. Il était net et propre dans sa jaquette noire. Dans mon costume de toile, j'étais trempé, et déjà ça commençait à me courir d'avoir laissé mon sac dans la voiture et d'être obligé de ressortir pour aller le chercher. Ma conduite le décevait. J'aurais voulu qu'il m'aime. Il me désapprouvait.

« Votre note. »

Je respire à fond, à grandes goulées d'air, histoire de me calmer. « Il est tard.

— En effet. Si vous pouviez la régler ? Le détail nuit par nuit, ici. Service à l'étage ici, ici et ici. Mini-bar ici, ici, ici, ici, ici et ici. Ici la TVA. Ici le total. Avec un report page suivante. Le total net est ici. La somme est assez importante.

— J'aimerais bien vous régler.

— Nous aimerions bien que vous nous régliez.

— Je compte rester encore quelque temps.

— Nous ne demanderions pas mieux. »

Il me sourit. Je lui souris. Mes tympans résonnaient. Je regardai la note. Il regarda la note. Nouvel échange de sourires. Je complotais un meurtre. Le tien. Un ancien collégien en culottes de golf bleu pastel et casquette à carreaux traversa le hall d'un pas nonchalant. Ça m'a soufflé qu'il ne soit pas mouillé. Il traversa nonchalamment en nous gratifiant d'un sourire. Je te haïssais. Salope, pensais-je. Foutue salope. J'étais trempé, gelé, minable, et je n'avais pas d'argent pour négocier le coup.

« Demain matin ? Je réglerai cette note avant toute chose. »

Il leva vers moi un visage rayonnant. Hocha la tête en signe de camaraderie, l'air poli et dédaigneux.

« Ce serait bienvenu. Je vais laisser un mot à cet effet. »

Je l'abreuvai de remerciements outranciers. Nous restâmes à nous admirer en silence jusqu'à ce qu'il en ait assez. Il me tourna le dos. Je me dirigeai vers l'ascenseur, une envie de meurtre au cœur.

J'avais une douche dans ma chambre. Je me suis servi de toutes les serviettes — je les ai toutes salies, brave petit, et les ai laissé traîner n'importe où. J'ai allumé la télé, la radio, j'ai appelé le garçon d'étage, j'ai ouvert le mini-bar et j'ai bu. Je me suis assis sur le lit en m'appliquant à bien défaire les draps. J'ai ouvert les fenêtres en grand pour laisser entrer la pluie et le vent. J'ai soigneusement rangé les photos d'Ivory dans mon portefeuille.

Les mauvais sentiments ont des couleurs éclatantes et la colère est rouge écarlate foncé. Quand je suis sorti sur la terrasse, le monde m'est apparu écarlate, tout ce dont je me souviens c'est que je tremblais et que j'ai peut-être trépigné sur place en serrant dans mes poings le fer forgé de la terrasse. Je me suis déchiré les mains en me cramponnant à ce balcon et j'ai hurlé ton nom.

Cela t'étonne ? Plus rien ne t'étonne, je sais, mais peut-être que cela t'émeut dans un sens nouveau pour toi. Comment me voyais-tu à l'époque ? Un mec bonne pâte qui s'empresserait d'exécuter tes ordres. Un type aux appétits simples et directs. Une espèce de primitif bon à porter tes valises et à trimballer ton barda. Cheveux bruns et zyeux verts, l'exotisme mexicain qui se rebiffe contre le sang irlandais, ton très indispensable nègre à toi.

Ralentis. Reviens en arrière. Contrôle-toi. Respire comme au yoga. La colère ne mène nulle part. Le souvenir de la colère... mais je veux que tu saches. Je veux que tu comprennes comment les choses se sont passées et comment elles se passent. Quoique ça non plus ça ne mène nulle part. Ne laissons pas les sentiments interférer dans cette histoire. Arrête. Ce froid. Laisse-moi simplement faire quelques pas dans la chambre. Étudier son périmètre. Ouvrir les rideaux et regarder dans la rue. Aller dans la salle de bains, passer mon front et mes poignets sous l'eau froide. Ouvrir la porte de l'appartement et humer le silence qui règne en bas dans la maison. La refermer, léger déclic, m'asseoir à la table, enfoncer les doigts dans les oranges et les pommes pourries. Allumer le four. Revenir à la salle de bains, apprécier la beauté soignée des pots de crème et de fard. Examiner mon reflet dans le miroir et vaguement penser que je devrais me raser. Il sera toujours temps demain. Retourner à la chambre, m'allonger sur le lit, trouver le calme dans la contemplation du plafond. M'asseoir sur le lit, les pieds contre la porte, et me sentir rassuré par la nécessité de la pesanteur et du poids. Ignorer soigneusement l'endroit là-bas dans le coin. Ne même pas le regarder. Ne même pas y penser. Me lever et tirer à nouveau les rideaux. Conserver à ce lieu son secret, sa quiétude. Me verser un verre d'eau purifiée. Allumer une cigarette. Sortir peut-être me balader en ville. Non. Pas besoin. Ça ne ferait qu'embrouiller les choses. Détends-toi.

Dur de se souvenir. Les faits eux-mêmes sont assez simples. Mais peut-être que je n'étais pas si en colère que ça, après tout. Peut-être que je n'avais pas une envie de meurtre au cœur après cette conversation avec le gérant de nuit. Les sentiments nous les colorons après coup, dans les nuances primaires des coloriages pour enfants.

Ça tombait bien que j'aie laissé mon sac dans le coffre de la voiture de location. J'ai enfilé le reste de ma garde-robe, mon autre costume en toile, une paire de jeans par-dessous, deux chemises, un gros pull marin, et j'ai fourré mes chemises de rechange dans mes poches. Je suis sorti de ma chambre engoncé comme une super momie égyptienne habillée moderne. Entravé dans mes mouvements par le coton et la laine, j'ai titubé jusqu'à l'ascenseur, les mains pleines de bouteilles de whisky du mini-bar.

À la réception mon ami le gérant était plongé dans la première édition du *Sun*. Il leva les yeux pendant que je passais, tout emmitouflé. Et haussa les sourcils. Je l'ai salué d'un raide geste amical.

« Je sors pour un petit tour. Il fait froid ce soir. »

J'ai continué d'avancer sans lui laisser le temps d'en placer une. Et sitôt le tambour franchi à grand-peine, je me suis propulsé hors d'atteinte. J'ai réussi à me hisser dans la tire et j'ai roulé au hasard pendant des kilomètres.

Traversé Londres en voiture en suant comme un porc, en suffoquant sous les couches de vêtements superposés que je n'avais pas le courage d'enlever. Et des rues et des promenades et des avenues mouillées par l'orage, des banlieues grises endormies, la lumière tremblotante des réverbères. J'ai roulé dans Portobello Road jusqu'au bout, j'ai roulé dans Harrow Road, puis j'ai fait demi-tour et j'ai pris vers l'ouest sur un grand axe à six voies bitumées. J'ai baissé ma vitre, ça m'a demandé un temps fou. Trop de fringues pour actionner le coude. À toute allure je suis passé devant un supermarché de bagnoles et devant l'immeuble Hoover, art déco blanc. Vu des panneaux indiquant un cimetière polonais. L'influence de la ville s'atténuait et, comme ça me perturbait, j'ai tourné et je suis reparti vers Londres à travers les banlieues grises. Rouler en ligne droite m'a toujours aidé à ne pas perdre le fil.

Au volant de la Ford j'ai traversé des rues étroites où il y avait des vidéoclubs, des magasins de sanitaires, des boîtes de bookmakers, un pub à tous les coins de rues. Regardé les rares personnes encore dehors. Les gamins en vélo qui arpentaient sans joie leur territoire, des clodos qui pique-niquaient dans les poubelles par cette douce nuit printanière, de temps en temps des grappes d'ivrognes qui se raccompagnaient en titubant après la fête ou un tour au pub. Des adolescentes en courtes jupes blanches qui balançaient leurs petits sacs blancs et marchaient en zigzag, les bleus de la ville sur leurs jambes solides, la faim du sexe au ventre ou simplement son désenchantement, qui se faufilaient jusqu'à la maison où leurs parents les attendaient pour leur en faire voir de toutes les couleurs et les rappeler à la pudeur.

J'ai continué à rouler. Jeté un œil à la jauge qui oscillait vers le rouge. Pensé, espéré que s'ouvre une magique enfilade de tunnels qui me ramèneraient chez moi, dans les lieux de mon enfance. Je ne me sentais pas partie intégrante de cette ville. Elle était trop grande, trop resserrée, trop entravée, trop triste, et il y avait trop longtemps que s'y était produit tout ce qui compte. Mais chez moi c'était aussi un endroit qu'il fallait quitter, que j'avais quitté, ici au moins s'offraient des certitudes. La vie d'un homme, c'est du solide. Les interprétations ne portent que sur des faits passés qui restent froids, distants, muets. J'avais découvert peu de choses sur Ivory, moins que j'aurais pensé, et je ne m'attendais pas à tant d'ambiguïté, mais il restait à découvrir les faits, le dessin secret qui attendait que ma main le trace ; c'est là, dans cette ville, que se trouvaient les indices, cachés ou enterrés, et j'arriverais bien à les dénicher. Le fin limier, le fouineur d'archives, le bonhomme à la loupe et à la casquette fourrée : il suffit de se concentrer sur le sujet, William Ivory, homme et monstre à exhumer, à ériger dans la lumière de sa vie. À interroger sans lexique des morts. Il suffit de rester sourd à tout le reste et de n'écouter que lui avec l'espoir de tout entendre.

Je suis revenu en ville, tourné à gauche, à droite, à gauche au hasard des rues et continué comme ça jusqu'à ce que me parvienne enfin un crachotement de moteur sur le point de canner. Je me trouvais non loin du fleuve, je descendais au point mort une rue pleine d'hôtels miteux quand le moteur rendit l'âme devant une des taules où, derrière une fenêtre, une pancarte déglinguée annonçait CHAMBRES.

Empêtré et suant dans mes couches de vêtements je me suis traîné jusqu'à la porte, j'ai appuyé sur une sonnette, actionné un heurtoir, attendu. Il a fallu un moment pour que l'Australien chevelu en jean effrangé et tee-shirt à l'effigie d'un groupe de rock veuille bien à peine entrebâiller la porte, une bombe de désodorisant parfum muguet à la main. Je lui demandai s'il avait une chambre, sur quoi il reconnut à contrecœur qu'il lui en restait une de libre. Je le suivis jusqu'à la réception où j'inscrivis mon nom dans le registre pendant qu'il aspergeait encore un peu de muguet pour masquer l'odeur du joint qu'il avait fumé.

Il n'avait rien d'un hôtel de charme, le Continental de Belgrave Road. Et ma chambre n'avait rien de charmant elle non plus. Aux murs une peinture marron devenue beige avec le temps. Des draps blancs tachés de jaune et une alaise sur le matelas. Une aquarelle — un cheval — dans un cadre cassé même pas peint, au-dessus de la coiffeuse plaquée teck. Une fenêtre couverte de crasse donnant sur la rue où quelques putes affolées en jupes de cuir verni offraient leur décolleté aux automobilistes qui suivaient le trottoir au ralenti. Des toilettes au fond du couloir et, tout en dessous, le sous-sol qui abritait une espèce d'académie d'anglais servant probablement de couverture à une cellule de terroristes du Hezbollah.

Tel un serpent se dépouillant d'innombrables peaux, j'ôtai l'une après l'autre mes couches de vêtements superposées, grimpai dans le lit, éteignis la lampe de chevet à la lumière tremblotante en tapotant sur le fil mal branché et restai allongé là, la gorge irritée d'avoir trop fumé, le corps ankylosé par les heures de conduite, un exilé loin, bien loin de chez lui en seule compagnie du fantôme de William Ivory.

Il était un peu plus de midi quand j'ai ouvert les yeux. J'ai allumé une cigarette. Au moins quelque chose à quoi se raccrocher. Puis sans m'être rasé je suis descendu au rez-de-chaussée pour affronter ce que l'hôtel baptisait fièrement breakfast anglais traditionnel (un breakfast apporté par l'Australien et préparé à grand bruit par un Pakistanais) : du bacon cru, un œuf caoutchouteux tant il était cuit, un toast brûlé et des tomates en boîte servies froides pour complaire aux fins gourmets. Comme la bouffe me donnait mal au cœur, j'ai allumé une autre cigarette qui m'a rendu un peu de forces. Compté toute une pile de pièces de cinquante pence avant de me diriger vers le téléphone dans le placard que l'hôtel baptisait fièrement hall d'entrée. J'appelais pour te traquer jusqu'au fin fond de l'univers.

Appelé le bureau dont tu m'avais donné le numéro. Sur le répondeur, toujours le même message pour expliquer que la ligne était en dérangement. Appelé chez toi. Le message du répondeur disait que tu étais au bureau. Appelé les renseignements internationaux, qui me donnèrent trois numéros pour ta maison d'édition de Milk Street. Appelé les trois. Chaque fois le même réceptionniste au bout du fil. À la première il déclara poliment qu'il ne savait pas qui tu étais. À la deuxième il fut on ne peut plus ferme. Au troisième appel il raccrocha dès qu'il eut reconnu ma voix.

J'ai rappelé chez toi. Et j'ai recommencé. Recommencé. Laissé des messages sur ton répondeur. Tu ne les oublieras pas, ces messages. Ils n'étaient pas polis, eux. Là-dessus je suis monté, me suis rasé, suis redescendu pour te rappeler encore. Laissé un nouveau message. Puis j'ai cherché dans l'annuaire à Harkin, J. dans l'espoir de trouver l'homme qui piquait des fards et s'était fait humilier à la table d'Ivory. Quatre Harkin, J. Trois d'entre eux étaient chez eux, grossiers tous les trois. Quant au quatrième, s'il était bien celui que je cherchais, s'il n'était pas, comme le pensait Brougham Calder, mort, il ne se trouvait pas dans les parages pour répondre au téléphone. À ce moment-là j'étais presque à sec, aussi ai-je appelé Helen Ivory qui se souvenait de moi et m'invita à passer. J'ai enfilé mon autre costume en toile et j'ai pris le métro pour les beaux quartiers.

La maison de Helen Ivory ne ressemblait pas à ce que j'avais imaginé. Un bouquet de lys blancs à la main, j'attendis qu'elle vienne m'ouvrir la porte d'une maison intercalée entre d'autres semblables, un peu à l'écart de Holloway Road. C'était un quartier irlandais pourri, et une Helen Ivory n'y avait pas sa place. Pour elle j'avais imaginé un manoir aux ailes couronnées de tourelles. Un parc paysagé tout autour. Une folie. Un temple à coupole pour rencontres au clair de lune. Une escorte de serviteurs. Un fumoir. Une salle de billard aussi. Pas cette étroite bâtisse du XIXe dont elle ouvrit la porte. Elle se tenait sur le seuil, tremblotante et distinguée dans sa robe de soie bleue, soucieuse d'interrompre ses spasmes suffisamment longtemps pour tendre la main et sourire.

Où étais-tu ? Que faisais-tu alors que la roue se remettait enfin à tourner ? Dans ton appart' de fortune bostonien, écoutais-tu, l'esprit ailleurs, les messages que j'avais laissés sur ton répondeur en t'amusant à découper des silhouettes d'animaux dans des journaux ? Lisais-tu les lettres d'un notaire de province au fond d'une bourgade anglaise ? Jouais-tu au solitaire pendant qu'une des dernières tempêtes de l'été attaquait tes fenêtres ? Ou alors tu marchais dans les rues d'une ville étrangère en essayant de concilier ta vie avec les faits ? Tu déjeunais du bout des lèvres dans une crémerie branchée où un juriste ou un architecte chauve en costume de marque française te barbait avec son discours papier glacé et reversait du vin dans le verre auquel tu n'avais pas touché ? Tu peignais ta longue chevelure devant le miroir de la chambre en laissant la lumière rouge du répondeur clignoter en vain pendant qu'un disque emplissait la pièce d'une dure musique de jazz ou de punk nostalgique, peut-être même de l'air de *Siegfried* ? Ou, ramenant lentement tes cheveux au sommet de ta tête, avec ton cou qui paraissait trop frêle pour supporter leur masse, tes épingles et un peigne ornemental entre les dents, tu ourdissais la perte d'un autre pauvre mec ?

Helen Ivory m'introduisit dans le capharnaüm poussiéreux qu'elle appelait son salon. Elle m'invita à me replier sur un sofa pendant qu'elle-même se perchait sur une chaise au dossier droit.

« Il y a des carafons et des verres, là. Il faudra vous servir. Vous-même je le crains. J'évite d'approcher le cristal. »

Elle était amoindrie par le lieu. Par les cartons et les caisses d'emballage portant tous, inscrite dessus au pochoir, la même adresse à Tirana, par les insectes à l'agonie qui frétillaient dans la toile d'araignée là-bas dans le coin, par les carafons couverts de poussière sur le plateau d'argent posé sur la table basse, les obscurs trophées sur la cheminée, les photographies dans des cadres déglingués.

« Je peux ? » J'examinai les photos alignées. Ivory figurait sur la plupart. Un bel homme. Une femme presque belle avec cette bizarre tignasse de cheveux blonds crêpelés qu'elles portaient à l'époque l'accompagnait sur deux d'entre elles. La première la montrait dans sa robe de mariée, une robe longue avec une queue de sirène, à ses côtés son mari, hésitant, décontracté, en redingote noire. Sur l'autre elle est assise avec devant elle deux petits enfants jambes croisées sur l'herbe, attentifs et posés, raides, elle en manteau à col de fourrure se tient sur un siège bas, derrière elle se dresse la masse d'une demeure imposante. Les deux enfants, un garçon qui a les mêmes cheveux que sa mère et une fille plus jeune qui tient de son père, regardent l'appareil comme s'il était en son pouvoir de leur faire mal.

« Il. A pris cette photo.

— Vous étiez très belle.

— On a du mal à me reconnaître. C'était. Il y a très longtemps. »

Ivory a un jour publié dans la revue *The Listener* un poème intitulé « Beautés accidentelles » où il se livre à des observations sur « la rencontre hasardeuse de la chair et du temps/ promesse d'exemption/ de la décrépitude physique des amants ». Des vers écrits du temps de sa jeunesse.

« Il a. Toujours gardé sa beauté. »

Je me versais un verre d'un truc que j'espérais être du scotch. Il s'agissait en fait d'un cognac au goût âcre.

« Vous paraissez fatigué. Notre climat vous incommode-t-il ? »

Je n'avais pas l'habitude des marques de sympathie. Ma gorge en devint douloureuse de compassion. « Il n'est pas de tout repos, dis-je, de courir après les morts. »

Peut-être a-t-elle cillé. Peut-être pas. Un soupçon fou me frappa subitement. « Car il est mort, n'est-ce pas ?

— Mais oui. Tout ce qu'il y a de mort.

— Personne n'a pu me dire de quoi. (Je vidai encore un peu de cognac au fond de ma gorge.) J'ai découvert quelques petites choses, avançai-je comme pour la mettre en garde contre ce qui allait suivre. Il n'a pas fait la guerre en héros comme le prétend sa nécrologie. Je ne suis même pas sûr qu'il ait été d'origine noble.

— Vous avez un nom irlandais. Mais vous n'avez pas tout à fait l'air. Irlandais. Pas assez clair de peau.

— Mon père était irlandais. Sa famille venait de Londonderry.

— Vous avez peut-être du sang espagnol. Beaucoup d'Irlandais passent pour descendre. Des marins de l'Armada espagnole.

— Je ne saurais pas vous dire. Ma mère n'était pas irlandaise. Elle était mexicaine.

— C'est merveilleux. Où se sont-ils rencontrés ?

— À Boston. Elle a fait ses études à l'Institut catholique de Boston. Mais écoutez. Je suis ici pour parler de votre mari, pas de mes parents.

— Je vous en prie. Je reçois peu de visites. Et pour apprécier un individu. Il faut comprendre sa famille. N'est-ce pas ?

— J'imagine que oui.

— Alors accordez-moi ce petit plaisir. Mieux je vous connaîtrai. Plus je pourrai vous faire confiance. Et plus je vous ferai confiance. Plus je serai probablement tentée de vous en dire plus. Vous ne croyez pas ? »

Je n'aime pas parler de mes parents. Pur et sans tache je suis né de moi-même. « Bien sûr. Que voulez-vous savoir ? »

J'ai dû répéter la question. Elle avait glissé dans ses pensées, comme si elle pouvait se retirer ailleurs, satisfaite, maintenant qu'elle avait réussi à m'éloigner du vrai danger.

« Parlez-moi d'eux. Dites-moi comment ils étaient. Si vous les aimiez ou. Si vous les détestiez. Quelle sorte de gens c'étaient.

— Je ne me souviens pas d'avoir éprouvé grand-chose pour eux. Un vague mépris pour mon père, de la pitié et… je ne sais pas, de l'amour peut-être pour ma mère. Papa était bigot. Le seul Irlandais protestant de Boston, et ça le rendait méchant. Il était grand, il travaillait dans un parking sur Massachusetts Avenue et il avait l'air plus petit qu'il n'était. Ça n'a pas changé. Autant que je sache il vit toujours. Ma mère était petite, belle, très brune. Elle a abandonné sa religion pour embrasser celle de mon père, est devenue une épouse modèle en tout, sauf question sentiments. Mon père était raciste. Un raciste pépère mais un raciste quand même. Ma mère faisait de son mieux. Elle mettait de la poudre pour s'éclaircir le teint, se teignait les cheveux châtain clair, baissait la tête et se tordait les mains en bonne recrue de la Congrégation anglicane. Il n'y avait pas de guitares ni de ponchos à la maison. Mon frère écoutait ses disques des Standells et, plus tard, Hendrix et Led Zeppelin. En bas, une fois les rideaux tirés, on entendait d'affreux cantiques orangistes et les symphonies délirantes de la renaissance celtique. Cachés dans leur chambre, des portraits du roi Guillaume et d'Elizabeth II dans des cadres en argent. »

Elle fixait un point devant elle, regard bleu qui ne cillait pas, chef branlant à cause de la maladie. Pas la moindre indication qu'elle écoutait, mais les souvenirs déboulaient en vrac.

« J'avais une photo de Lupe Velez photocopiée dans *Hollywood Babylon*. Installée sur un lit de plage, la furie mexicaine soulevait un chihuahua pour pouvoir embrasser une espèce d'andouille au torse velu. Il portait un caleçon de bain, elle un haut en peluche angora, un short blanc et sur la tête un béret latino débile. Je l'avais accrochée dans ma chambre, entre des photos de Lou Reed et d'Iggy Pop. Ma mère l'a enlevée. Devant moi. Elle l'a tristement pliée et l'a rangée au fond de mon tiroir à chaussettes. Ils m'avaient appelé Richard. »

Richard, ouais. À l'école primaire j'y insistais, le prénom entier, digne. Pas de Ricky, Dicky, Rick ou Dick. Un prénom solide, robuste, mais ma mémoire confuse et coupable a gardé trace des moments où, quand j'étais petit, ma mère chuchotait « Ricardo ». Je ne lui répondais pas quand ça lui prenait, quand soudain sa voix revenait au chuchotement espagnol. Je faisais toujours comme si je n'avais pas entendu, effrayé, j'imagine, par l'étrange résonance du prénom et l'émotion lisible sur son visage.

« Pourquoi est-ce que je vous raconte tout ça ? » dis-je à voix haute, question que je me posais plus à moi-même qu'à elle, dont je n'attendais pas de réponse.

« Peut-être parce que vous ne pensez pas. Que j'écoute. Votre mère. Est-elle toujours en vie ?

— Elle est morte il y a quelques années. Épuisée d'avoir trop fait semblant. Semblant d'être anglo-irlandaise, protestante. Semblant d'être une bonne ménagère bostonienne. Semblant d'être blanche. Comme beaucoup de Mexicaines, elle avait un peu de moustache. Pour moi c'est l'effort à fournir pour la couper et la teindre qui l'a tuée. »

C'en était trop. L'amertume de l'orphelin. L'enfant privé de sa mère. Pur et sans tache je suis né de moi-même. J'avalai un coup de cognac et allongeai mes jambes subitement devenues immenses sous mon œil aviné. Fermez la porte, Richard.

Je fouillai dans ma poche et m'absorbai dans la manipulation du magnéto. Maîtrise.

« Qu'est-ce qui vous amène. Ici ?

— Mon travail.

— J'ai le sentiment. Qu'il y a autre chose. »

Exact. Bien autre chose. Tu vois ? J'avais mes secrets, moi aussi. Il y a longtemps, bien longtemps, je devais me marier à une fille qui s'appelait Mary, elle était prof de lettres à la fac de Boston. On était ensemble depuis une éternité. Une Irlandaise. Cheveux noirs. Yeux bleus. Tout était arrangé. Je traînais des pieds mais il fallait le faire. La seule solution décente, apparemment. Là-dessus j'ai perdu mon job. Et là-dessus une petite Anglaise qui se présentait sous le nom de Dorothy Burton a débarqué en ville.

« Je suis désolé de m'être étendu si longuement sur moi. Si nous parlions de lui ? Vous voulez bien ?

— Peut-être devrions-nous manger un morceau ? »

Nous mangeâmes un morceau. Dans le coin repas, sur une table ronde en Formica. Des toasts secs avec, tant bien que mal étalées, des sardines à la sauce tomate. Dans de la porcelaine fragile maculée d'anciennes taches et criblée d'ébréchures. Tout était recouvert d'une couche de poussière, comme une épaisseur de peau supplémentaire, une sorte de protection.

« J'adore le poisson. Les sardines, bon. Mais je me mets à développer une espèce de passion pour les sprats frais. »

Que répondre à cela ? Britannique, j'aurais riposté par un « Ah, bien » ou un « Oh, vraiment ? » Vu ma situation d'Amerloque monté à la capitale avec son vocabulaire dépouillé de toute nuance diplomatique, mon rôle se limitait à tenter à force de cajoleries de l'amener à parler de son époux.

« J'ai regardé les livres de votre mari. Ils sont excellents. Sur quoi travaillait-il à la fin de sa vie ? »

Pour réfléchir à ma question, elle suspendit le geste qui amenait à sa bouche un toast rouge nettement coupé en triangle et dégouttant de poisson. Une erreur. Sa main tremblait tellement que la nourriture tomba de la fourchette et éclaboussa de sauce tomate le devant de sa robe. Elle me répondit tout en entreprenant de récupérer la bouchée proprement étalée à côté de son assiette.

« Il croyait. En la pourriture du monde. La corruption des hommes. Et en sa propre supériorité. Comme moi.

— Vous y croyez toujours ?

— Toujours. Encore que si vous rencontriez sa bonne d'enfants ou deux ou trois de ses amis et cousins vous auriez peut-être droit à une tout autre histoire. Je me disais que lorsque nous aurons fini. Notre dînette. Vous pourriez peut-être me rendre. Un grand service ? Ma fille risque d'arriver bientôt. Elle occupe l'appartement du dernier étage. Qui est, je le crains. Affreusement encombré par les affaires d'Albanie. Est-ce que cela vous ennuierait beaucoup. D'en déménager quelques-unes. En bas ? J'aimerais mieux ne pas vous le demander mais je ne suis pas. Si robuste. »

Je l'assurai que je me ferais un plaisir de déménager quelques-unes des affaires d'Albanie, ce dont elle me remercia d'un doux sourire. Elle finit d'avaler le morceau. J'avais réussi à en manger à peu près la moitié. Le cognac, prétendis-je, avait calmé ma faim.

« Et où vous êtes-vous rencontrés ?

— Je vais remettre la vaisselle à plus tard. Je me permets parfois ce genre de choses.

— Ce fut un bon mari ?

— Vous êtes sûr d'être rassasié ? Il y a du gâteau.

— C'était un bon père ?

— Voulez-vous un peu de thé ? Ou ne prendrez-vous que du café ?

— Du thé, ce serait parfait. Comment est-il mort ? Quand ?

— D'habitude je bois du lapsang-souchong. J'ai aussi du earl grey. Les Américains aiment bien. Retrouver les saveurs. Du vieux pays. Ma mère était américaine. Vous le saviez ? Elle était de New York. Ou alors du darjeeling. Lequel préférez-vous ?

— Tout ce que vous me proposez m'ira. Vous ne répondez pas à mes questions.

— Je bois le lapsang sans lait. Et vous ?

— Au plus simple.

— Je crains de ne pas bien savoir. Ce que cela veut dire.

— Je le prends nature.

— Sans lait ? Ni sucre ?

— C'est bien cela. »

Elle se dérida. C'est le mot, dérider. Ce qu'elle m'adressa n'était pas exactement un sourire, et en aucun cas narquois. Peut-être parce que j'avais dit « c'est bien cela », expression ridicule qui dans ma bouche faisait merdique et prétentieux, ou peut-être parce qu'elle avait décidé de me montrer à quel point le jeu qu'elle jouait l'amusait. Comme si elle avait pitié de moi. M'indiquait qu'elle n'était ni sénile ni cinglée mais tout simplement féminine, une femme qui avait été presque belle et qui flirtait et me taquinait du fond de son corps en miettes.

Je pris le plateau contenant ce qu'il fallait pour le thé et nous regagnâmes le salon. Elle alluma la télé et tripota le bouton du son.

« Il faut me pardonner. Je sais que c'est terriblement grossier. Mais c'est l'heure de. Mon feuilleton australien. J'en suis absolument l'esclave. Je coupe le son pour ne pas gêner. Notre conversation. Je peux suivre l'histoire rien qu'avec les images. À vrai dire, c'est ainsi. Que cela me plaît le mieux. »

Nous nous assîmes côte à côte sur le canapé, tenant en équilibre sur nos genoux de délicates tasses à thé fêlées dans leurs délicates soucoupes fêlées.

Elle disposa ce qu'il fallait pour le thé sur la table basse puis haussa cruellement le son et s'adossa contre le canapé. Elle appuya la tête sur mon épaule et sa tremblote qui avait empiré au fil de l'après-midi cessa d'un coup. Je cédai à une folle panique de vierge, m'imaginant que ma pudeur allait être mise à mal par une antique vieille dame atteinte d'un parkinson. Un autre, plus faible, eût hurlé. Un moment nous restâmes dans cette position d'amants de parodie, puis elle se mit à ronfler doucement. J'essayai avec mille précautions de lui soulever la tête pour l'appuyer contre un coussin. Ses jambes s'affaissèrent d'un même mouvement et ce fut un jeu d'enfant de l'allonger sans bruit de tout son long sur le canapé. Je la bordai dans ma veste, ce qu'elle eut l'air d'apprécier. Dans son sommeil elle souriait, d'un sourire entier, pas de traviole.

À la télé, deux mômes blond filasse se flanquaient les jetons en partant à la découverte d'une vieille baraque de bord de mer. Reconnais cependant que je suis assez débrouillard et que je n'avais sans doute pas besoin de ce prétexte pour trouver tout seul à m'occuper intelligemment. Mémé Ivory dormant sur ses deux oreilles, je décidai d'aller voir ailleurs de quoi il retournait. Les morts ont la manie de laisser des indices dans les demeures des vivants. Et si jamais la vieille dame ouvrait l'œil, je pourrais toujours prendre un air d'enfant de chœur perdu et m'excuser d'avoir pénétré dans une pièce où je n'étais pas censé mettre les pieds, tout ça parce que je descendais les affaires d'Albanie pour vider l'appartement de sa fille.

Je peux voir la maison, une de ces maisons étroites derrière Holloway Road, sens dessus dessous et sale, minable, laissée à l'abandon sauf en son centre – le saint des saints de la médecine.

Dans la cave : une petite cuisine où il y a plus de poussière que de denrées comestibles, des appareils qui dans le temps ont été blancs, des surfaces en Formica écaillé où s'entassent d'énormes piles de vaisselle sale et de casseroles, et les restes desséchés d'un œuf brouillé et de minuscules queues de poisson. Un jardin monte à l'assaut de la fenêtre, hautes herbes et tournesols fous qui se poussent douloureusement du col. Sur la porte d'un placard (plein de pots de miel, de bouteilles de jus de citron et de flacons de cordial), un calendrier religieux avec l'image peinte à l'aérographe d'une volée de gosses en haut d'une colline qui lèvent leurs visages vers le ciel, en dessous le pieux slogan DIEU NOTRE PÈRE, et les rendez-vous de Helen Ivory inscrits au stylo rouge pétard. À côté, des toilettes aux murs couverts d'un carrelage à fleurs défraîchi, dont le sol et la cuvette ont besoin d'être récurés. Une resserre avec deux vélos d'enfants rouillés et dégonflés, des caisses pour l'Albanie, des cartons de supermarché contenant le barda scolaire d'antan des enfants, cartons marqués *D* ou *M* : des rédactions, des bulletins, des étiquettes à leurs noms à coudre dans les vêtements.

En haut : je dépasse la forme endormie sur le canapé du petit salon, traverse le coin repas de la salle à manger qui n'a

101

pas servi depuis des lustres. Une longue table ovale en acajou avec à chaque bout un chandelier en argent terni. Un grand salon avec chaises assorties autour d'un piano à queue. Une partition d'un morceau de Debussy ouverte sur le pupitre. J'appuie sur une touche, tressaille en entendant le son désaccordé, espère que ça ne va pas tirer mémé Ivory du sommeil. Un autre escalier : des chambres pleines de trucs déments, des trucs de vieux. Des piles de numéros hors d'âge de *Psychic News* et du *Radio Times*. Des théières, des milliers de théières, des théières en porcelaine, des théières en inox, des théières en forme de maisonnettes, en forme de châteaux, une théière en forme de gnome en train de fumer un narguilé perché en haut d'un champignon, des théières avec un décor de scènes champêtres, des théières pour garden tea-party néoclassique, des théières avec les têtes couronnées d'Europe, des théières ornées de scènes de bataille où les mousquets crachent comme à la guerre de Sécession. Et dans les chambres, pas une penderie où elle n'ait eu des robes, des saloperies de robes par centaines, des robes en soie, en damas, en coton, en mousseline, en organdi, des robes si souvent encensées ou condamnées par le goût qu'une revue de mode aurait pu parader pendant au moins deux cents ans en drapant ses mannequins dedans. Et des boîtes à chapeau amoncelées à la diable dans tous les coins et recoins de la chambre, pareilles aux colonnes chancelantes d'un temple en cartes à jouer.

Dans la chambre principale, les murs étaient couverts de montages photos sous verre. Instantanés Kodak de moustachus, de voyous aristos, des hommes en caleçon de bain avec des ballons de plage à côté de châteaux de sable, des hommes en frac, une femme étincelante à leur bras, des hommes en panama sur le marchepied d'une automobile, des hommes en train de jouer au tennis, des hommes en train de jouer au cricket, des vieux croulants en perruque et robe de magistrat ; et aussi des femmes, des femmes découpées dans des journaux et des magazines, des femmes en majorité sorties d'une époque aux airs d'années cinquante sauf que les fifties british c'est pas nos fifties à nous, ça rigolait pas mon chou, et surtout une femme qui fut d'abord une jeune fille, Helen Ivory, avec cette bizarre tignasse de cheveux blonds crêpelés. Un visage frais, le fameux teint anglais, j'imagine, une sorte d'innocence et de pureté donnant à penser qu'elle a des complexes avec les hommes mais de bons rapports avec les chevaux, des taches de rousseur autour du nez, quelque chose qui étonne un peu dans le regard bleu, quelque chose qui va de travers derrière le sourire avide de plaire, une étrangeté pas tout à fait accordée à l'étalage de vêtements élégants.

Plus loin : après une petite pièce déjà pleine de caisses pour l'Albanie je passe dans la chambre de Madame. Meubles en bois tous teints dans la même moche nuance vert-jaune. Un lit à baldaquin vert-jaune bâti pour y mourir, pas pour y baiser, avec des rideaux qui pendent jusqu'en bas sur les côtés et sont ouverts au pied, un gros matelas, des milliers d'oreillers qui te donnent envie de grimper dedans et de tirer les rideaux pour te sentir bien à l'abri dans ta cabane funéraire. La coiffeuse est vert-jaune, le fatras n'épargne aucune surface. Tout de suite après les théières, ce sont les boîtes à musique qu'elle préfère. Les boîtes à musique encombrent la commode, il y en a deux au sommet d'une montagne de babioles : une ballerine cassée dressée sur ses pointes une main en l'air, le rose de son tutu tombé en quenouille sur la céramique jaune pisseux, et un oisillon gazouillant qui ne gazouille plus vu qu'un ressort lui dégouline du bec.

J'ouvre les boîtes, un carnage de breloques antiques qui pour la plupart cèdent en craquant et soufflant, sauf certaines qui moulinent de vieilles mélodies aux airs d'enfance affreusement familiers : « Lillibullero », « God Save the Queen », « Get Me to the Church on Time », « The Surrey with the Fringe on Top », « Danny Boy », une plainte de Chopin, un murmure de Liszt. Et le grand coffret en bas de la pile, déco japonaise laquée noir, un oiseau doré délicat fondant en piqué sur des joncs dorés, une clef en or dans sa toute petite serrure dorée. Je tourne la clef, ouvre le coffret. Il est plein. Une grosse liasse bien nette d'enveloppes crème desséchées par le temps, un ruban rose noué autour.

J'ai tâté le ruban, tâté le coin des enveloppes. J'ai soulevé la liasse, l'ai laissée retomber sans que le nuage de poussière gerbe comme prévu. Contrairement à tout ce qui traînait dans cette maison, ce paquet avait bénéficié de soins réguliers. Vision de la dame décrépite tremblotant près de ce coffret, serrant sur son sein vide les lettres frémissantes, les levant vers ses yeux à la vision incertaine, et lisant… quoi ? Des mots d'amour, forcément.

Le redoutable détective se rua sur la porte, la referma sans bruit, la verrouilla, revint au coffret de lettres. Le ruban n'était pas trop serré, simple comme bonjour de tirer sur la première lettre et de l'en sortir. Je glisse la lettre hors de l'enveloppe, lis l'envoi d'un trait, *Mon Helen chérie*, et en bas l'initiale, *W*. Mon homme. Grand chelem et retour à la base. William Ivory, sa correspondance, une cachette.

Environné par la cacophonie mourante des carillons des boîtes à musique, je lis la lettre. En 1974, cinq ans après son deuxième mariage, il convoque l'épouse n° 1 dans le Norfolk pour débattre de l'éducation des enfants. Je plongeai la main dans le coffret pour m'emparer de la lettre suivante et m'arrêtai net, figé sur place, en entendant un pas sur le palier. Je fourrai à la hâte la lettre sous le ruban, rabattis le couvercle, me précipitai à la porte, écoutai un moment — rien, pas un bruit, puis, lentement, je tournai la clef et tirai sur la porte pour l'ouvrir. Dehors, personne. Dans mon dos les sons des ressorts discordants qui moulinaient leurs dernières notes, dans la rue une voiture de police qui passait et en dessous, en bas dans la maison, la vieille dame qui dormait tranquillement, en tremblant.

Il était temps me dis-je de déménager quelques-unes des caisses contenant les affaires d'Albanie. Sans tenir compte de l'ultime chambre inexplorée, je grimpai l'ultime volée de marches direction les mansardes. Derrière la porte de l'appartement, une table ronde sur laquelle avait été dressée une pyramide d'oranges et de pommes dans un compotier blanc tout simple. Plus loin, une salle de bains nettoyée de frais attendait qu'on l'occupe, et sur le lit étroit une main optimiste avait calé un lapin blanc et jaune auquel il manquait une oreille. La haute fenêtre donnait sur une rue anonyme. Le plancher disparaissait sous les caisses d'Albanie. Je me mis au boulot.

Treize marches à descendre jusqu'au premier étage. Treize autres pour atteindre l'entrée. Je les ai comptées quarante fois, deux pour chaque caisse. Dans le boudoir, une ballerine cassée continuait à tourner sur les rythmes brisés du *Lac des cygnes*. Compter détournait mes pensées du coffret laqué où se trouvaient les lettres. Je n'avais plus eu de problème éthique à régler depuis que j'avais quitté la fac.

Lorsque j'eus fini, me sentant déjà dans la peau d'un voleur, je descendis au rez-de-chaussée d'un pas rapide et léger. Elle était là, allongée sur le canapé, le visage adouci par le sommeil qui atténuait ses rides. En dormant elle s'était débarrassée de ma veste. Je la ramassai par terre. La télé marchait toujours, une pub popu assez assourdissante pour réveiller un mort. Impossible de prendre le risque de l'éteindre. Hors-la-loi avant la lettre, je regagnai subrepticement l'étage. M'arrêtai sur le seuil de la chambre de la femme endormie. J'avançai d'un pas, reculai d'autant. M'arrêtai dans le couloir, rougissant de tant d'hésitation. Il restait encore la chambre inexplorée à côté, raison légitime pour temporiser.

Une chambre surréaliste. Directement transplantée du Beth Israel Hospital (tu n'y es jamais allée pendant ton séjour à Boston ? Jamais eu besoin de te faire soigner pour une cheville foulée ou une fracture ? Jamais subi de choc violent ? Jamais fait d'overdose ? C'est là que je suis né… mon père avait décidé qu'il n'y avait rien de pire que la clinique papiste Sancta Maria, pas même un hosto juif). Une vraie petite infirmerie tout chrome et blanc étincelante d'antiseptique, parfaite, stérile. Il fallait qu'elle nettoie la pièce au moins deux fois par jour pour lui conserver cette hygiène. Au centre un chariot d'hôpital. Un matelas étroit recouvert avec une rigueur militaire d'un drap blanc et d'une couverture rouge. Un bureau chromé dans le coin, dessus une sacoche de médecin. Le moindre compartiment du bureau bourré de tout un attirail médical, un vrai rêve de junkie — des blocs d'ordonnances vierges, des seringues stériles sous cellophane, des brochures sur papier glacé de groupes pharmaceutiques t'invitant à tester leurs barbituriques, leur paracétamol de marque, leurs amphétamines et leurs opiats, leurs cataplasmes et leurs éclisses.

Ouverte, la sacoche de médecin révéla tout ce à quoi on pouvait s'attendre — la bonne femme devait être super-hypocondriaque ou fétichiste de matos médical pour avoir un stéthoscope, des abaisse-langue, tout le fourbi pour prendre la tension, des inhalateurs pour asthmatiques et des tablettes de cachets dûment étiquetés. Sur le mur, une armoire à pharmacie elle aussi remplie de tablettes de cachets rangés dans un ordre impeccable. Contre le mur, entre le bureau et la chaise réservée au malade, deux bonbonnes d'oxygène à roulettes avec leurs masques suspendus à une poignée. Immaculée, étincelante, la pièce était une promesse de révélations et de stérilité dévorante.

Soudain, un bruit venu d'en bas. Un pas qui sème la déroute dans les pensées et les considérations éthiques. Quitté l'infirmerie pour revenir fissa dans la chambre, ouvert le coffret, fait tomber deux boîtes à musique sur le tapis. Sur les notes fêlées de « If I Were a Rich Man » j'attrape au jugé la moitié des lettres du coffret, je ferme le couvercle ; et puis le mec qui ne fait que passer s'amène en bas sans se presser et entre tranquillement dans le salon où elle est toujours allongée, dormant, ronflant, aimable, sans soucis. L'idée de la réveiller me déplaisait. J'aurais eu l'impression de casser quelque chose. Mon butin en boule au fond de ma poche j'ai quitté la maison pour retrouver Londres entre chien et loup.

Une bande de jeunes Noirs à l'angle de Holloway Road, de mystérieux motifs rasés dans leurs cheveux, des corps de bagarreurs costauds drapés, Dieu sait pour quelle raison commerciale idiote, dans des fringues du genre de celles que je portais à six ans, les ghettos où explose la violence urbaine funk, drogues à vendre. Seigneur, éclaire-moi. Arrache-moi à ces lieux. Allé vers eux, avancé vers eux en traînant des pieds avec l'impression d'être gros, moche, blanc. Du fric pour un vieux flip. Dialogue live de comédie musicale. Me cherche pas, j' te chercherai pas. Je suis un instable, c'est ce que disait mon père. Autant de doigté que mon pays — le contact rude et gauche. Sans délicatesse. Une nation de boxeurs, pas de duellistes. Ivory avait de la délicatesse, lui. Ivory avait de l'aisance. Ivory usait de cruauté là où nous péchons par simple négligence. Vos héros sont décadents, les nôtres sont morts.

J'ai marché dans la ville en traînant des pieds. Une tire à moitié volée et sans une goutte d'essence m'attendait en vain rue des petites vertus. Loin, bien loin. Dans mes poches, les clefs du passé. Sous mes pieds, les pavés inégaux du trottoir. Empêche-moi de verser dans le pittoresque quand je parle de Londres. Londres est une ville fantôme. Au milieu, un fleuve sale et fichu. Sous la pluie, les perdants poussent des chariots de supermarché contenant ce qu'ils ont choisi de ne pas laisser au monde. Des pubs tendus de velours, bondés d'employés de bureau aux traits tirés que la bière rend méchants. Des Indiennes bruyantes et coquines dans leurs jeans qui se prennent de bec avec leurs jules ; les Indiens et les Pakistanais occupent leurs boutiques du coin, ventres qui s'arrondissent sous les chemises mollement boutonnées, tout s'achète, tout se vend ; et par-dessus tout, invisible, immense, funeste, par-dessus les bus rouges à touristes qui traversent en chancelant le centre de la ville, par-dessus les caricatures de punks tatoués qui fourguent n'importe quoi pour du blé dans les deux ou trois rues des quartiers ouest où les flics leur fichent la paix, par-dessus les portes closes des clubs masculins dallés de marbre, par-dessus les banlieues hérissées d'antennes de télé, les pièces pleines d'éclatants signaux lumineux mais pour le reste à peu près vides, par-dessus tout cela, grotesque et toxique, dressée haut dans le ciel et nous écrasant tous, la silhouette nébuleuse et musclée d'un Bugs Bunny déguisé en Captain Video*, des oreilles d'une raideur priapique et chargées de pierreries, un corps lourd des bienfaits d'une déesse fortune hystérique, des mains qui lâchent à la volée frisbees, flingues et marques déposées de poulets rôtis-frites. Une ville aux airs de complot blême. Jours interminables, la lumière pâle décline mais se refuse à disparaître tout à fait. Pas assez de blé sur moi pour prendre un taxi, pas envie de descendre dans les labyrinthes souterrains du métro — continué à marcher.

---

* Héros d'une série télévisée pour enfants très populaire dans les années cinquante, Captain Video voyageait dans les galaxies avec ses « Video Rangers » dans le but avoué de « sauver le monde ». *(N.d.l.T.)*

Nick Wheel m'attendait à mon hôtel. Comment il avait retrouvé ma trace, je n'en ai pas la moindre idée. Il m'attendait dans le salon en tambourinant des gammes de piano sur le bras de son fauteuil.

« T'appelles pas. T'écris pas. Buvons un coup, je meurs de soif.

— Tel que tu me vois je suis un peu fatigué. On pourrait peut-être trouver un meilleur moment.

— T'as besoin d'un remontant. Pour dalle en pente. Allez, viens. Ne sois pas snob. » Il contourna le bar et versa plusieurs mesures de whisky dans deux verres.

« Alors, comment tu t'en sors ? Ne fais pas ton timide, va. Viens, j'ai envie de t'emmener quelque part. »

Il vida le second verre et, m'attrapant par le bras, essaya de m'entraîner dans la rue comme un gosse qui tire plus grand que lui par la manche pour lui montrer une de ses découvertes de gosse. J'étais trop crevé et trop dans le brouillard pour résister.

« Où on va ?

— Pavillon des fous. La maison des douleurs. Où est ta bagnole ?

— J'ai oublié.

— T'en fais pas. Tu t'en fais trop. Y a autre chose que l'angoisse dans la vie, tu sais. Viens, je vais t'emmener, t'auras qu'à payer l'essence. »

La tire de Wheel était une MG Midget pourrie. On s'est ratatinés dedans et il a manœuvré en douceur pour la dégager. Il roulait effroyablement lentement. Comme dans un match rediffusé à la télé, il lui fallait des plombes pour exécuter la moindre manœuvre. Comme s'il devait envisager toutes les alternatives possibles, imaginer tous les moyens possibles de mourir avant de bouger le petit doigt. Je fermai les yeux, serrai fort les doigts autour de la liasse des lettres d'Ivory toujours dans ma poche. Wheel poursuivait son badinage mortel. Je m'endormis.

Me suis senti encore plus mal lorsque ses doigts qui farfouillaient autour des miens dans la poche de ma veste m'ont réveillé. Les ai chassés en tapant dessus.

« Hou, désolé. On y est.

— Où ?

— À destination. Très joli d'ailleurs. C'est trois livres cinquante que tu me dois. Et n'oublie pas le pourboire. »

M'extirpai dehors, ankylosé. Une rue d'un quartier résidentiel bordée d'arbres. Une enfilade de vilaines grandes bâtisses d'une corpulente respectabilité.

« C'est là. Numéro quarante-deux.

— Qu'est-ce qu'on fait là ?

— On est là parce qu'on est là parce qu'on est là. Là, l'âne m'a baisé. Je me suis dit que ça te dirait de voir ça.

— C'est là qu'Ivory avait son cabinet ?

— Dis donc t'es rapide. Comme l'éclair. » L'éloquente tête de clown qu'il me mettait sous le nez m'obligea à me retenir à un arbre pour garder l'équilibre. « Allons au pub. C'est ta tournée, je crois. À moins que tu préfères rentrer et jeter un œil ? On ne m'a pas à la bonne, ici. »

J'inspectai la porte, peinture craquelée, jaune, la même, dit Wheel, qu'à l'époque d'Ivory, je laissai courir mes doigts tremblants sur la zone plus sombre du milieu, là où se trouvait autrefois sa plaque. Wheel avança d'un pas, appuya sur la sonnette, tenta de lancer deux mots à une fille qui tenait un petit chat blotti dans son pull. Elle menaça d'appeler la police s'il ne partait pas.

Wheel me prit par le bras et m'emmena dans un bar irlandais, deux rues plus loin. Il commanda deux pintes de Guinness. Je les payai. Une fois installé en sécurité sur un siège, je lui demandai des nouvelles de son pote le pingouin.

« Bob ? Il est en prison. Direct en taule, recalé à l'essai, macache pour la caution. Il va bien rigoler là-bas à mener la vie de patachon.

— Tu es revenu dans le quartier depuis l'époque d'Ivory ?

— Je reviens tous les jours. C'est mon pèlerinage. Tu vois cette serveuse. La grosse poule au pot ? Tu crois qu'elle baiserait avec moi si je lui demandais ? J'adore les montagnes de chair des grosses bonnes femmes, c'est comme nager. Je pourrais me perdre dedans. »

J'avais un mal de chien à garder mon calme. Je remis de force le sujet sur le tapis. « Parle-moi de ta thérapie avec Ivory.

— Listes anales. Listes anales.

— Tu me l'as déjà faite.

— Je suis désolé. Je n'aime pas me répéter.

— Ivory.

— Attention danger. Danger dans une pièce. Une petite pièce, un divan, une lampe sur son bureau, quelques livres, sur le mur un tableau de grosse dame dans un cirque, sur son bureau la photo de deux petits enfants dans un cadre en argent. Moi sur le divan. Lui sur son fauteuil. Ensemble on va dans des endroits que je n'aurais jamais imaginés avant. Il avait toujours la même expression. Il me faisait pleurer. Comment Ivory est-il mort ? Dis-le-moi, je t'en prie. Je vais demander à la serveuse si elle me laisserait la niquer. Hou, là, encore un gage. »

L'impression que j'allais gerber. J'ai fermé les yeux, me suis cramponné pour me rassurer aux lettres d'Ivory dans une poche, au magnéto dans l'autre. La dernière chose que j'ai vue avant de sombrer dans le sommeil, c'est Wheel qui tentait le coup avec la serveuse, trois fois grosse comme lui et probablement deux fois plus vieille.

Étonnante bonté. Il veillait sur moi quand je m'éveillai. J'étais de retour dans ma chambre d'hôtel.

« Tiens. Un verre d'eau. Bois. Tu t'es écroulé. Tu n'es pas si résistant que ça, hein ? Tu as sans doute plongé trop tôt. Tu n'imagines pas le mal que j'ai eu à te faire rentrer dans la bagnole. La poule au pot m'a aidé. Je crois que je me la serais faite si t'avais pas été là. Faite et bien faite.

— Je suis désolé. Merci.

— Ça ne te ferait pas de mal de dormir encore un peu. Je vais me tirer. Tu veux que je reste ? Si tu veux que je reste je reste. T'inquiète pas, je n'en profiterai pas. »

Je l'ai regardé partir. Il ferma doucement la porte. Je sortis lentement du lit pour aller chercher ma veste. Le magnéto y était toujours. Les lettres avaient disparu. J'aurais juré si les mots qu'il faut pour ça ne m'étaient pas sortis de la tête. Puis je les ai vues sur le dessus de la commode — la correspondance d'Ivory, proprement rangée par ordre chronologique.

Elle était riche, elle était belle. Elle n'était pas à court de soupirants.

3 mars 1955

Ma chère Miss Newell,
Je dois vous demander d'excuser ma brusquerie. Dans d'autres circonstances mon éclat eût été impardonnable, mais sans doute me comprendrez-vous plus volontiers que vous ne me pardonnerez. Si j'ai pris ombrage de l'ennuyeux babillage dont vous accablait Anthony B., cet épouvantable juriste, c'est parce qu'il m'a semblé que vous en preniez vous aussi ombrage. Je n'avais nulle intention de vous fâcher et nulle intention de susciter une scène. En d'autres temps de plus grande simplicité, la chose eût été traitée en affaire d'honneur. Cette idée vous consterne ? Je sais que vous êtes une femme moderne. L'ennuyeux juriste et moi-même aurions décampé dans quelque endroit discret où l'un de nous aurait passé l'autre au fil de l'épée ou l'aurait abattu d'un coup de pistolet à bout portant. C'est là un principe darwinien à mon avis fâcheusement passé de mode. Quand les mâles de notre espèce se chamaillent pour une jolie femme, il est inévitable que l'histoire tourne au vinaigre. Tout serait plus rapide, plus naturel, plus décent si ladite histoire se concluait par un simple combat viril. Sans vouloir verser dans le langage des gens de chicane, j'aimerais assez que l'ennuyeux chicanier fût empêché d'engendrer une race d'ennuyeux petits chicaniers légitimes.

Je suis navré. Cette lettre se voulait un mot d'excuse poli. Elle prend, dirait-on, la forme archaïque de la rodomontade et du cliquetis des armes. N'y voyez pas un manque d'égards, je reste
votre serviteur dévoué,

William Ivory

Ça prend sur les femmes, ce genre de truc ? Tout de même, je les aurais crues un peu plus sophistiquées que ça. J'ignore si l'ennuyeux juriste rivalisa par courrier. Si oui, sa lettre ne fit pas assez impression sur Helen Newell pour qu'elle noue un ruban autour et la dissimule à l'intérieur d'un coffret laqué noir.

16 juin 1955

Ma chère Miss Newell,
Je suis sûr que votre soirée se sera passée de moi. Je suis sûr que ma présence n'était pas nécessaire à son succès. J'aurais cependant beaucoup aimé en être et vous remercie de votre charmante invitation.
J'ai par trop voyagé ces derniers mois, et manqué en conséquence et votre invitation, et votre soirée. Il s'agissait d'ailleurs de voyages sans grand intérêt — en Orient et en Afrique du Nord — mais si cela vous amusait ce serait pour moi un immense bonheur de vous raconter une ou deux des aventures qui me sont arrivées.
Les mois à venir sont tout sauf prévisibles. Je risque de repartir d'un moment à l'autre. Comme vous le savez, le courrier d'un voyageur le suit à petits pas, tel un crabe qui barbote à la traîne d'un paquebot. Si l'un de vos messages devait rester sans réponse pendant un certain temps, n'y voyez pas je vous prie le signe d'un manque d'égards de la part d'un homme qui aimerait être
votre ami,

William Ivory

114

29 juin 1955

Chère Miss Newell,

Vous écrivez avec tant d'esprit, votre intelligence et votre charme confondent le lecteur. J'ai ri tout haut à votre description du bal et me suis attiré les regards désapprobateurs de plusieurs messieurs au teint vermeil qui jusque-là sommeillaient dans mon club. Tout de même je suis bien sûr (en lisant entre les lignes) que les attentions de si nombreux capitaines de la Garde ne sauraient être aussi assommantes. Si vraiment elles le sont, j'en suis ravi. Si elles ne le sont pas, alors je vais m'empresser d'obtenir illico mon brevet militaire.

J'ignore qui vous rebat les oreilles de vagues commérages. Je ne me connaissais pas d'ennemis — sauf peut-être certain juriste de notre connaissance et un Jamaïcain à qui j'ai depuis longtemps réglé son compte. Très simplement : ces racontars ne sont pas vrais. Je ne ferai pas aux mauvaises langues l'honneur de leur opposer une réfutation point par point, mais à vous je dirai deux choses. Je n'ai jamais demandé la George Cross, pas plus que je n'ai « payé mon écot » pour échapper à l'active pendant la guerre. Pour raisons de santé, j'ai effectivement été réformé par le Conseil de révision, ce pourquoi j'ai fait toute la guerre dans le corps des auxiliaires des pompiers. Il se trouve que la George *Medal* m'a été décernée en récompense du travail accompli pendant le Blitz, ce dont je ne me vante d'ordinaire pas. J'espère que vous ne me rapportez l'histoire que pour me taquiner et me faire marcher. Je serais blessé si vous lui prêtiez quelque crédit que ce soit.

Quant à l'autre affaire, je n'ai rien à en dire. Elle est trop absurde et trop moche. Je vous saurais gré de faire circuler le nom de « l'individu sans scrupules » qui vous l'a racontée.

Non, je ne pense pas assister aux régates. Certaines raisons m'empêchent de m'y montrer. J'espère que vous-même vous y amuserez et aurez peut-être une pensée pour un absent qui demeure

votre ami,

William Ivory

5 juillet 1955

Chère Miss Newell,
William Ivory vous prie de lui consacrer un moment demain, 6 juillet, à cinq heures du soir chez vous. Il espère que cela ne vous dérangera pas.

7 juillet 1955

Ma chère Miss Newell,
Deux ou trois choses dont on ne parle d'ordinaire pas. Est-ce que je vous choque ? Vous ai-je choquée ? Le mythe de l'Anglais impassible est un mythe, rien d'autre. N'étaient les convenances déshumanisantes et le refoulement puéril, rien n'empêcherait le plus courtois et le plus sot des soupirants de se conduire comme je l'ai fait. Si vous choisissez de rompre là notre amitié, je comprendrai mais ne pardonnerai pas. Chère Miss Newell, s'il vous plaît ne vous méprenez pas : je ne cherche pas à excuser, justifier, atténuer ou même expliquer la façon dont j'ai agi. Elle fut tout ce qu'il y a de naturel. Le plus imprévisible des païens ne se serait pas comporté autrement.
Vous êtes riche et belle. Vous n'êtes pas à court de soupirants. Vous dites que jamais un homme ne s'est comporté envers vous comme je l'ai fait. Vous avez trente-cinq ans et n'êtes toujours pas mariée. Ceci explique peut-être cela.
Avec tout le respect et l'amitié de
votre admirateur,

William Ivory

7 septembre 1955

Chère Helen,
J'étais à l'étranger. Au Japon, afin d'établir pour notre gouvernement un rapport sur les reconstructions de l'après-guerre. J'ai souvent pensé à vous. Avez-vous reçu la carte que je vous ai envoyée d'Osaka ? J'ai visité cette ville avec la veuve d'un pilote kamikaze qui me sert d'interprète, et en sa compagnie je suis allé à Nagasaki, à Tokyo, à Kyoto.

J'aimerais vous emmener au Japon. Un pays froid, idéal. Une activité qui atteint des sommets — elle laisse loin derrière nos idées décadentes — et se pare d'une correction artistique. Un centre blême, rude. Fragile et fort. M'y trouver m'emplit de tristesse pour notre culture anémique. Takao, mon guide et mon interprète, est je crois typique du Japon d'après la défaite. Déférente envers les malotrus américains, polie avec le gaijin, diligente dans ses fonctions de guide interprète, au point même... Non, je n'essaierai pas de vous choquer. Elle ne conçoit pas l'idée du bonheur. Devoir, travail, combat, succès, joie éphémère, mélancolie, voilà tout ce qu'elle attend.

Londres me paraît irréel. On me demande si je suis heureux, question qui sonne de façon absurde à mes oreilles japonisées. Il manque à cette ville quelque chose dont je suis sûr qu'il s'y trouvait autrefois. Je ne saurais le décrire, pas même le nommer ; mais autant que je m'en souvienne, la dernière fois que je l'ai rencontré c'était par une de ces nuits embrasées du Blitz.

Je suis désolé si cette lettre vous paraît étrange. Peut-être l'est-elle. Je mène une vie bien solitaire depuis mon retour, et quand j'éprouve le besoin de partager mes pensées avec quelqu'un, vous êtes la seule personne dont il me semble qu'elle les comprendra.

Pourquoi ne pas déjeuner ensemble la semaine prochaine ? Mardi je serai au salon de thé de F & M vers une heure. Cela vous dirait de m'y retrouver ?

Avec ma plus tendre amitié,

William Ivory

13 septembre 1955

Chère Helen,

Ainsi donc je passe pour un « dangereux personnage » ? Qu'en dire ? Je suis flatté. Des « origines douteuses » ? Qu'est-ce que cela signifie ? Je pourrais si je le voulais vous raconter deux ou trois menus faits sur les racines faubouriennes des Brougham-Calder. Je les ai fréquentés autrefois. Je connaissais un peu mieux Julian ; un jeune rebelle, si rebelle qu'il n'a jamais gagné sa vie et a effacé le trait d'union de leur nom de famille ; autant que je puisse en juger, ils se ressemblent toutefois beaucoup de par leur médiocrité d'esprit et

117

d'âme. Vous voyagez en compagnie d'une petite troupe sans intérêt.

Je dois sous peu repartir au Japon. J'aurais aimé vous inviter à venir mais je réalise que la chose est impossible. Une coïncidence nous fera peut-être nous rencontrer lorsque je serai rentré. D'ici là je demeure

votre tendre et dévoué,

William Ivory

11 novembre 1955

Ma chère Helen,

C'est un moment bien tendre que nous avons partagé, cet après-midi. Tendre pour moi comme pour vous, aussi je vous en prie n'ayez pas honte de vos larmes. Vous craignez que je vous tienne en piètre estime, mais c'est le contraire qui est vrai. Il me semble que le contact de la mort, le fait de nous retrouver en sa présence, nous rend en quelque sorte plus forts et plus doux. Je ne connaissais pas votre frère et, cependant, je suis sûr qu'il m'aurait plu. Vous étiez extraordinairement belle, cet après-midi. Jamais je ne vous ai plus aimée.

En ce qui me concerne, je ne changerai rien. J'écris cette lettre en camarade, afin de vous montrer que je comprends votre douleur, que je peux, dans une certaine mesure au moins, la partager afin de vous aider. Je n'ai nulle intention de me lancer dans des déclarations ou des protestations propres à vous troubler en cette période vulnérable. Mais seuls les lâches ont le front d'effacer la vérité une fois qu'elle est couchée noir sur blanc. J'ai bien des défauts, mais je ne suis pas un lâche.

Je suis désolé que tout cela arrive au mauvais moment. Impossible pourtant de revenir dessus. Jeudi à huit heures je dîne au Café Royal. Je serais ravi que vous vous joigniez à moi.

Avec mes vœux les plus amicaux,

William Ivory

14 novembre 1955

Ma chère Helen,

J'ai connu, c'est vrai, des moments où Londres me faisait horreur. Des moments où, tendu comme un ressort, il me fallait me précipiter à l'étranger pour enfin respirer à fond, que je file sur quelque lointain océan ou que je me promène dans quelque étrange avenue d'une étrange autre ville. Londres m'apparaissait comme un chef-lieu minable, quelconque. Pourri par la décadence. Un cirque blême, plein de médiocres habillés comme il faut, qui sautent à travers des cerceaux usés pour des motifs que tous ont oubliés.

Vous vous dites troublée et vous l'êtes en effet, je le sais. Troublée par des sentiments contradictoires, par la douleur, le plaisir, l'anticipation et la peur qui se mélangent et luttent pêle-mêle. Vous vivez un de ces rares moments à chérir, où chaque perception gagne en intensité : la moindre émotion vous ébranle tout le corps ; vous brûlez, n'est-ce pas ? de ces deux passions jumelles que sont le désir et la honte.

Et s'il était permis que désormais les choses suivent un cours parfait, j'établirai mon siège. Je ferai donner une fusillade de fleurs, éclater des bombes de serments ; m'appuyant sur l'artillerie de mes compliments et sur un engin de propagande conçu pour l'amour, je serai général, et vous, ma cité convoitée.

Mais nous ne sommes pas les artisans solitaires de notre destinée. Le monde a sur nous ses exigences et voilà qu'en cet instant parfait, alors que tout attend, en suspens, on m'oblige à partir au loin, pour une fois contre mon gré. Il est minuit, et si j'avais le temps de relire ces lignes avec le sérieux du matin, leur langage fleuri me ferait sans doute grimacer ; je froisserais ce pauvre bout de papier en boulette bonne à jeter, y mettrais le feu et le regarderais s'enflammer et mourir. Mais il fait nuit, et la nuit nous devenons de tout autres créatures. Quand lirez-vous ceci ? Le soleil tombera-t-il sur la feuille ? Soyez je vous en prie assez charitable pour le relire à la nuit, quand la maison dort.

Le temps que ce mot vous parvienne, j'aurai quitté l'Angleterre. Le voyageur malgré lui approchera d'un curieux rivage lointain où sa guide interprète attend avec une patience orientale de l'aider à établir un rapport rébarbatif. Je ne peux avan-

cer de date de retour. Je ne peux qu'espérer que vous serez là pour accueillir au pays
   un aspirant,

William Ivory

Et, en réponse, la première lettre que j'ai d'elle. La première, j'imagine, qu'il a jugée suffisamment importante pour la garder.

18 novembre 1955

   Cher Will,
   L'Angleterre est-elle donc si lugubre ? Je ne peux m'empêcher de penser que vous en faites une peinture trop féroce. Je vous ai entendu me parler longuement et tendrement du Norfolk, de sa beauté, de son caractère.
   Oui, j'ai lu votre lettre de jour. Je l'ai relue la nuit et j'y suis revenue le lendemain matin. Je suis flattée, touchée, saisie par sa force. Vous savez voir loin et profond chez autrui. Être l'objet d'un tel regard est tout à la fois un soulagement et un souci. Soulagement de savoir qu'il y a quelqu'un avec qui il serait tout à fait déplacé de jouer aux stupides petits rébus sentimentaux, souci parce que cela ne va pas sans pouvoir. Comment prédire l'usage éventuel qui sera fait du pouvoir ? Cher Will, la dernière chose au monde que j'ai jamais souhaitée, c'est de trouver quelqu'un qui règne en despote sur mon cœur. Je ne vous accuse pas de vouloir en être un, mais la possibilité que n'importe qui puisse l'être suffit à m'engager sur une autre voie.
   Des années durant j'ai évité le mariage. Je me suis tracé une voie sûre entre les sots conventionnels et les mercantis passionnés aux manières parfaites qui hantent les bals et les bars des hôtels à la recherche de la première jeune fille riche qui ait l'air de s'ennuyer. Vous êtes différent de tous les hommes que j'ai connus. D'abord, vous êtes plus intelligent ; ensuite je ne vous comprends pas du tout, ce qui est une joie pour moi, et pourtant…
   Que faites-vous à l'étranger ? Pour les yeux de qui établissez-vous des rapports rébarbatifs ? Vous êtes si mystérieux !

120

Si vous l'étiez moins, je serais tentée de croire que vous inventez de toutes pièces ce mystère, que vous vous en servez comme d'une superbe cape pour cacher je ne sais quel secret coupable ou banal. Parfois vous me rappelez mon père. Vous vous seriez mutuellement appréciés, je pense. Anthony Brougham-Calder m'a de nouveau demandé de l'épouser. C'est un homme constant. Il a devant lui une carrière distinguée. Il m'aime et je suis sûre de lui. Il m'arrive de me sentir très seule. Trop de gens sont morts autour de moi. Eux auraient pu me conseiller. J'aurais aimé que vous ayez l'occasion de rencontrer mon frère. En dépit de ce que le monde pensait de lui c'était un esprit fort sage.

Il y a tant de choses difficiles, tant de raisons de douter. Vous vous moquez de l'Église et à mon sens c'est une façon de vous moquer de ma foi. Vous êtes un vagabond, et je ne veux rien d'autre au monde qu'un endroit fixe entouré de gens que je puisse appeler miens. Vous traitez tant de choses avec tant de mépris, et je doute de ma capacité à apaiser votre douleur. Je n'ai qu'une certitude : Londres est beaucoup plus terne et beaucoup plus froid lorsque vous n'y êtes pas. Combien de temps serez-vous parti en Orient ? Résidez-vous quelque part ou voyagez-vous un peu partout ? Avez-vous la même guide interprète que la dernière fois ?

Je vous en prie, écrivez-moi si vous le pouvez. J'espère que votre adresse londonienne vous fera suivre cette lettre sans trop tarder.

Tous mes vœux les plus amicaux,

Helen

Il la tient. Les lettres suivantes raffermiront le lien.

19 janvier 1956

Ma très chère Helen,

Votre lettre ne me quitte pas. Elle me console lorsque je suis seul, elle me rend courage lorsque je me sens déprimé. En bref, elle me soutient. Le caractère sacré des sentiments que j'éprouve pour vous n'avait, pensais-je, pas sa place dans une lettre. Avez-vous une si piètre opinion de vous-même pour imaginer que je puisse vous oublier ? L'amour que je vous porte me soutient de la même manière que votre prétendu amour pour moi. Mon rapport n'est toujours pas fini ; et toutefois je suis prêt à le laisser tomber sur-le-champ pour me précipiter auprès de vous si tel est bien le réconfort dont vous avez besoin. Je suis

votre

Will

29 février 1956

Cher Will,

Que de consolation et de reproches sous votre plume. « Prétendu amour » ? Il est bien plus profond que ça. Je ne rêvais pas de précipiter votre retour avant que votre rapport soit achevé. Vous m'avez un jour accusée en riant d'être une « femme moderne ». Je continue de croire que le devoir d'un homme est de travailler et que les femmes doivent respecter cela. Non : restez dans votre fragile maison de Kyoto ; poursuivez votre tâche. Je ne dévaluerai plus vos sentiments.

Sans vous Londres est lugubre. J'attends votre retour.

Votre

Helen

P.S. Un certain juriste de votre connaissance s'obstine à « mettre son nez partout ». Il se répand en déclarations extravagantes. Il ne reçoit aucun encouragement de ma part.

31 août 1956

Cher Will,

Êtes-vous toujours en vie ? Êtes-vous malade ? Jamais je n'ai connu une aussi longue période de temps sans une lettre de vous. Le Japon vous a-t-il englouti ? Votre curiosité vous a-t-elle entraîné dans quelque sombre ruelle misérable et de là sur la pointe du couteau d'un de ces gangsters tatoués ? (Vous voyez, j'ai moi aussi effectué mes recherches nipponnes.) C'est ridicule, je ris rien que de voir ces mots couchés noir sur blanc. Vous ne pouvez pas être mort. Ce serait trop injuste. Trop de gens qui m'étaient proches sont morts. Est-ce de ma faute ? Aurais-je dû me montrer plus ferme avec vous ? Fallait-il vous obliger à me revenir ? Vous supplier, vous commander ? Ou aurais-je trop fait pression sur vous ? Trop de responsabilités vous inquiète, n'est-ce pas, chère Volonté souveraine ? Vous êtes-vous caché de moi pendant tout ce temps ? Tenu à distance de l'Angleterre à cause d'une vieille fille exigeante et de ses misérables intrigues romantiques ?

Vous sentez-vous coupable de je ne sais quoi ? Est-ce Takao, votre exotique créature ? Je sais de quoi les hommes sont capables, par insouciance et dans le noir. Je ne suis pas si naïve. Avez-vous fait quelque chose dont vous pensez que cela pourrait me blesser ? Quelque chose dont vous avez honte ? Je vous pardonne. Je vous pardonne tout ce que vous avez fait et tout ce que vous pourriez faire.

Revenez, je vous en prie. Écrivez-moi, s'il vous plaît. Elle vous attend, et chaque instant sans signe de vous est plus dur à supporter.

Helen

Bravo, mon salaud, c'est du beau boulot, Ivory, le démon roi de l'amour pur et dur par correspondance. Tu l'as appâtée, tu l'as ferrée, tu l'as attrapée, et bien.

Nous avons la photographie de mariage — le 19 septembre 1956. Ivory est en smoking, un haut-de-forme à la main, les cheveux lissés en arrière, moustachu, souriant ou presque ; Helen, la première Mrs. Ivory (sait-elle qu'il y en aura une autre ?), nuptiale dans une robe crème bien choisie, une vierge qui ne fait pas semblant de l'être.

Je range les lettres. Le papier jaunissant dominé par l'écriture d'Ivory, ferme et hardie. Noue autour un bout effiloché de ruban rose pâle fané par le temps et les attouchements. Les pose sur la table. Plie à côté les coupures de presse ainsi que les journaux d'Ivory. Laisse tout en place pour l'instant, avec les cassettes des entretiens accordés par les associés, les proches et les ennemis d'Ivory, et mes notes, des gribouillages qui courent sur plusieurs piles de blocs grand format. Laisse tout sur la table ronde blanche, devant la fenêtre qui donne sur la rue en contrebas. Biffe les mots inscrits au rouge à lèvres rouge sur les murs du séjour. Je pourrais les effacer d'un coup de peinture. Préfère ne pas. Ne me demande pas pourquoi. Retour en arrière, à l'hôtel de Pimlico où je logeais à l'époque. Avant que tu rentres. Après que j'y fus revenu les poches pleines de lettres volées.

J'étais allongé sur mon lit, ragaillardi, triomphant, entouré par les lettres, progressant avec précaution dans une mémorable histoire de séduction. Le gérant australien a frappé à la porte. Il avait un message pour moi. Une certaine Dorothy Burton avait appelé. Elle avait laissé un numéro où la joindre à New York. Je suis descendu. J'ai fait le numéro.

« Oui ? » Ta voix. Distante, réservée et froide, prête à trouver un prétexte pour se cacher. Protégée par les kilomètres, et tes doigts qui ne demandaient qu'à couper la communication.

« Ça fait un bout de temps, Dorothy Burton.

— Qui est à l'appareil ?

124

— Votre serviteur dévoué. Un admirateur. Un ami. » Vieux jeu ? Ça avait marché pour Ivory, raison suffisante d'imaginer que de ma part ça sonnerait faux.

« Tierney ?

— Eh oui, Tierney.

— Tu as eu mon message ? J'ai essayé de te joindre. » Le ton se fit sérieux, la diction claire — soulagement de m'avoir enfin au bout du fil, irritation de ne pas m'avoir trouvé plus tôt. Hypocrisie ? Bien sûr, c'est ce que je voulais dire. Absolument.

« Ça fait un bout de temps.

— Comment ça marche ? Le travail.

— Ça avance. Il n'y a qu'un problème à signaler, l'argent.

— Tierney, je suis désolée. Si tu savais par quelles complications nous sommes passés, ici.

— Comment le saurais-je ? Tu es restée injoignable si longtemps.

— La situation n'est plus la même. Nous avons traversé une période troublée mais rien n'a changé.

— Ce qui veut dire ?

— Les choses n'ont pas arrêté de bouger. Maintenant j'ai déménagé.

— J'ai laissé des messages. Beaucoup de messages. On n'a jamais entendu parler de toi dans ta boîte.

— Je vois pourquoi on t'a dit ça. J'ai également changé de boulot. L'ambiance était un peu tendue quand je suis partie.

— Je suis sans un. À sec. Tu devrais voir où je vis. Bouiboui grand luxe, rue de la Cloche. Tu connais le coin ? C'est la banlieue de la zone.

— Mais tu continues tes recherches sur Ivory ? La commande tient toujours… une question de paperasserie, c'est tout. Qu'as-tu découvert ? Il reste encore des points à éclaircir ? Je vais sans doute bientôt rentrer en Angleterre. Dis-moi comment il est mort.

— Non, impossible.

— Pourquoi ? Tu toucheras l'argent.

— Ça ne te plairait pas de voir comment je vis. Je suis sûr que tu en serais bouleversée.

125

— Tu travailles toujours sur Ivory ? Tu n'as pas laissé tomber ? Est-ce que tu as vu sa femme ?

— Helen ? Une vieille chose estropiée. Ne t'en fais pas. J'ai bossé vingt-quatre heures sur vingt-quatre. Juré. »

Possible que tu aies soupiré, là. À coup sûr tu as arrêté de réfléchir. Quand tu t'es remise à parler, tu avais l'air moins inquiète.

« Écoute. Donne-moi ton adresse et je vais t'envoyer directement le prochain acompte. Je suis désolée pour tout ce qui s'est passé. Je suis contente que tu continues, je savais que tu t'en tirerais. J'arrive à Londres bientôt mais je t'enverrai l'argent avant. Ton adresse ? »

Je te l'ai donnée. Tu l'as écrite et tu l'as répétée. Tu as ajouté un truc qui m'a flatté et je t'ai retourné le compliment que tu as accepté, gauchement. Puis tu m'as indiqué un nom, Martha Brennan, et une adresse, Hobart Hall, près de Norwich. Martha Brennan était une vieille dame qui pourrait me donner des détails sur les débuts dans la vie d'Ivory. J'ai promis d'aller la voir. Pour nous préparer à raccrocher nous avons lancé quelques remarques facétieuses sur le temps. Un temps typiquement William Ivory, avons-nous déclaré. Tu m'as redemandé comment il était mort et j'ai répété que je ne te le dirais pas. Je ne voulais pas admettre que je ne le savais toujours pas. Et j'étais content de te refuser quelque chose, ça je l'admets franchement. Manière d'égaliser un peu le score. Qui me donnait un sentiment de puissance.

Une fois que j'eus passé, comme d'habitude en pure perte, quelques coups de fil à Harkin, J., ma voiture de location aux impayés en souffrance m'emmena jusque dans le Norfolk propulsée par l'essence achetée avec mes fonds de poche. Je roulai le long d'une morne et longue autoroute qui se transforma en chaussée à une voie aux abords de Norwich. Scotché derrière un tracteur, je me laissai accabler par la vue. Un paysage désespérément plat écrasé par une énormité de ciel laid.

Sur la place du marché, je filai cinquante pence et une poignée de clopes à une bande de jeunes tatoués en blue-jeans qui tuaient le temps à coups de bière et qui en échange m'indiquèrent la route de Hobart Hall. Ils finirent par piger, après s'être bien fendu la poire à cause de ma façon de prononcer Norwich.

L'impression de rouler sur le dos d'une guêpe géante aplatie au rouleau compresseur. La route de Norwich au château filait tout droit, ligne noire à travers des champs de colza jaune vif. Tu aimais mieux l'Amérique, pas vrai ? Le mythe américain, ses héros vagabonds et beatniks. Une fois tu as dit mon nom tout doucement et tu m'as demandé si j'avais déjà sauté dans un train de marchandises. Je suis capable d'avoir dit oui. Mais ce n'est plus comme ça que ça se passe et je ne sais même pas si ça s'est jamais fait. Aux États-Unis, il y a des haltes pour les poids lourds avec des cahutes où on se branle devant les vidéos porno, des villages-rues (où le dernier cheval est mort depuis longtemps, la carcasse a été vendue à une entreprise d'aliments pour chiens), des cafés où on te sert de la bouffe en plastique et des boissons sans alcool, avec un billard au plateau qui penche et aux bandes truquées, des boutiques où on te vend des antennes satellites et des armes. Là, il n'y avait qu'un panneau signalant, par-ci par-là, les *Fraises à cueillir*, ou les *Pommes de terre : 15 pence la livre*, ou encore les routes pour les champs d'aviation de la Royal Air Force. Ma berline rouge, tache de sang sur la bande noire de la guêpe, traversa les plaines du Norfolk agricole, le pays d'Ivory, et s'arrêta pile, complètement vide, sur le parking de Hobart Hall, propriété du National Trust.

C'était le décor idéal pour un mythe. Une allée tracée entre des haies de buis grosses comme des dinosaures menait à une bâtisse canon style Jacques Ier qui s'étalait du pont de pierre aux tourelles hérissées contre le ciel. J'emboîtai le pas à une armée d'Allemands qui traversaient la grande cour en frissonnant dans des tenues de touristes jaune canari, et me fondis dans la mêlée pendant que leur guide achetait les billets d'entrée à une vieille dame en tweed aux allures de travelo. J'échangeai des sourires perplexes et bon enfant avec mes voisins et me dandinai de conserve alors qu'ils pénétraient dans le vestibule. Tu aimes la grandeur ? J'aime la grandeur. Et l'endroit en avait. Un plafond cintré qui s'élevait en volutes vers des hauteurs à mi-chemin de Dieu. Sur les lambris sombres des murs, des tableaux d'impitoyables personnages gaiement costumés. Un immense escalier en bois, assez large pour caser dix beautés piriformes côte à côte sur une seule marche. Des entrées hollywoodiennes. Et au départ de l'escalier, de part et d'autre, un visage et un corps de femme sculptés dans le bois comme les figures de proue des bateaux de pirates.

Sous une fenêtre près de l'escalier, derrière une table couverte de guides touristiques, un autre redoutable travelo frottait inconsolablement un rang de perles contre son cou rougeâtre. Je tripotai un peu l'édition en anglais et lui demandai poliment, fébrilement, où je pourrais trouver Martha Brennan.

Agitant la mâchoire, elle aboya quelque chose du genre :
« Ti sale embrun.

— Pardon ?

— Ti sale embrun.

— Le petit salon brun ?

— Stacoté la premirantichamb'. La porté dans lôlle.

— C'est à côté de la première antichambre. La porte est dans le hall ?

— Tsecoté.

— De ce côté. »

Je la remerciai. Elle agita brutalement les mandibules.

Je n'ai jamais été très doué pour lire une carte. Je croyais être arrivé au petit salon brun, mais au lieu de ça c'est dans la bibliothèque que j'étais, des étagères remplies de livres reliés en cuir et imprimés en latin, des miroirs sur toutes les tables pour qu'on puisse admirer les frises du plafond et s'inspirer des allégories du Vice et de la Vertu qui se pavanaient avec tout leur fourbi vicieux et vertueux. Je vide les lieux et je tombe dans le salon de musique, un cercle d'instruments pour musique de chambre posés contre les pupitres, comme si les musiciens venaient de sortir pisser un coup et allaient réapparaître pourvu qu'on attende le temps qu'il fallait, une partition sur le piano à queue, un truc de Bach ouvert au milieu sur un passage particulièrement gratiné. (Le tabouret avait autrefois reçu l'empreinte du cul de prodige d'Ivory et je m'apprêtais à l'essayer à mon tour quand je saisis le regard que me lançait l'autre Brésilienne assise dans son coin.)

Puis je me retrouvais dans la chambre japonaise et m'y attardais un moment ; c'était spécial, là-dedans, paisible, des vases fêlés sur des socles, un lit à baldaquin construit exprès pour le petit et le plus beau papier peint que j'aie jamais vu, sur toute la surface une histoire qui ne demandait qu'à être racontée : le vieux Japon, ses villages, ses volcans, et des paquebots dans les ports et des filles allongées tirées de leur sommeil par des hommes de métal portant des épingles dans leurs cheveux et des épées ou des poèmes dans les mains, des places de marché et des chambres à coucher discrètes derrière leurs cloisons de papier, des petits bonshommes gardant les jardins des temples, des grands bonshommes en train de s'ouvrir le ventre ; c'est tout un monde qu'il y avait là, collé autour de la chambre, et j'avais bien du mal à m'en arracher, mais finalement je me décidai, et finalement je trouvai le chemin du petit salon brun qui en fait était jaune.

Certains de mes amis allemands tout de jaune caparaçonnés y étaient rassemblés, ainsi que quelques Japonais. À part la vieille gardienne et moi, toutes les personnes présentes avaient un appareil photo et toutes s'en servaient à tout va. Elles photographiaient jusqu'à la vieille gardienne, son doux visage aussi doux que le premier ange en pierre de cheminée venu, avec ses joues rouge pomme et ses doux cheveux blancs coiffés la raie sur le côté, un badge du National Trust épinglé à la veste de son costume en tweed vert, la vieille gardienne qui souriait à tous les passants du haut du perchoir de sa chaise à dossier droit, toute petite sous le haut plafond, et qui, de sa voix douce à l'accent irlandais, dévidait aimablement à l'intention d'un beatnik en fauteuil roulant le thème de la perfection de la vie de famille à Hobart Hall au milieu du XXe siècle.

J'attendis sur le côté que le beatnik s'éloigne dans un ronronnement de moteur, puis j'avançai d'un pas pour m'enquérir si la vieille gardienne douce n'était pas Martha Brennan, par hasard.

M'adressant un sourire rayonnant elle confirma l'hypothèse. Je lui demandai s'il lui serait possible de me consacrer un peu de son temps, à quoi elle répondit qu'elle en serait enchantée. Je voulus alors savoir si elle pourrait éventuellement s'autoriser une petite pause, et, sans se départir de son sourire rayonnant, elle réussit à froncer les sourcils pour déclarer que non : il y avait des trésors dans cette pièce et son travail consistait autant à les surveiller qu'à fournir des explications aux visiteurs intéressés. Elle n'osait délaisser son poste, tant pour des raisons de sécurité que d'éducation. Je lui demandai si elle aurait la possibilité de me consacrer quelques instants à la fin de la journée ; un nouveau froncement de sourcils vint rembrunir le sourire rayonnant et la vieille gardienne me dit d'un ton des plus fermes qu'il n'était pas dans ses habitudes de fraterniser avec les visiteurs.

« Voyez-vous, lui dis-je, je fais des recherches… en fait, j'écris un livre sur la vie de William Ivory. »

Le sourire rayonnant s'effaça tout à fait. Elle se tut, mais sa ressemblance avec les anges de la cheminée s'accentua de façon inquiétante et ses traits si vieux, infiniment vieux, plus vieux que ceux de Brougham Calder, plus même que ceux de Helen Ivory, plus peut-être que ceux de tous les vieillards que j'avais vus avant elle, se figèrent, pétrifiés.

« Vous vous souvenez de William Ivory ? »

La pierre acquiesça d'un signe.

« J'écris un livre sur lui. Je parle aux gens qui l'ont connu. »

Elle eut un bruit de gorge. C'était peut-être un bruit de toux, c'était peut-être un grognement, c'était peut-être juste une petite poche d'air hoquetant dans les très anciens passages de sa gorge. Je commençais à peine à répéter les mots que je venais de prononcer quand elle me coupa. Son visage redevint humain.

« Mais dites-moi… pourquoi est-ce que quelqu'un irait choisir d'écrire un livre sur un méchant petit garçon ? »

Elle se débattit, bien sûr, compromettre ainsi la sécurité et l'éducation la tracassait, mais je parvins à convaincre Martha Brennan de quitter son poste.

« Nous allons prendre par le jardin sauvage, dit-elle, et aller au temple. »

Elle me conduisit à l'écart de la demeure dans un sous-bois fleuri. Elle parlait avec entrain tandis que nous cheminions avec entrain le long d'un chemin bordé d'arbres en direction de la construction solitaire qui se dressait au bout du parc. À première vue le rendez-vous galant idéal, une scène de rêve pour scandales secrets sous une coupole à la grecque.

« Nous avons eu une terrible tempête en 1987. Un ouragan. Beaucoup d'arbres sont morts. C'est vraiment triste, les arbres qui meurent. Et comment vous appelez-vous ? »

Je le lui dis.

« On dirait un nom irlandais. Nous en avons planté beaucoup pour remplacer ceux qui étaient morts. Par là c'est le jardin secret. On ne le voit pas à travers les arbres. Il était horrible après la tempête, tout pelé. Plus secret du tout. Vous n'avez pas l'accent irlandais. D'où venez-vous ? »

Je le lui dis.

« J'ai de la famille, paraît-il, dans cette ville. Je n'y ai jamais été. Ce n'est pas maintenant que je vais m'y mettre. Voilà, c'est le temple. Vous ne voulez pas vous asseoir ? »

Son sac sur les genoux, elle s'assit près de moi.

« Pourquoi êtes-vous venu ici ?

— Pour vous voir. Pour parler de William Ivory. Voir l'endroit où il est né.

— Si vous avez des questions à me poser, allez-y s'il vous plaît, posez-les. Je n'aime pas tergiverser, c'est un luxe qui ne me plaît pas. J'ai des responsabilités au château et je ne suis pas très chaude pour laisser comme ça la bride sur le cou au public. Surtout à nos visiteurs étrangers, avec votre pardon. Ils traitent ça comme si c'était une scène de théâtre. Ils s'imaginent qu'Agatha Christie l'a habité et aussi ce moustachu qu'on voyait partout pendant la guerre. Ils prennent des photos comme s'ils étaient sur la promenade de Norwich. Ce fut un jour bien long et bien triste, celui où la maison est sortie de la famille. C'est trop grand et trop lourd pour deux vieilles dames qui vivent seules là-dedans. Mais les visiteurs ne comprennent pas. Dans le temps, c'était une demeure de famille. Ils ne respectent pas ces lieux comme ils le méritent.

— C'est un très bel endroit. »

Et sans doute l'était-il, élégant, manucuré, à moitié mort. Envie de rentrer à Londres et de sortir faire un bon dîner dès que ton fric arriverait, envie de revenir à la correspondance d'Ivory. (Je n'avais que deux de ses lettres sur moi, pour me porter bonheur.) Mais en biographe diligent que j'étais je devais tirer un certain nombre de choses au clair. Je voulais savoir comment c'était quand Ivory traînait dans les parages. À quoi il réservait le temple, le jardin sauvage, le jardin secret. Poursuivait-il les femmes de chambre derrière la cuisine, le long des étroits couloirs pleins d'échos ?

« Combien de temps les Ivory ont-ils habité ici ?

— Je vous demande pardon ?

— Des siècles, j'imagine. Les Ivory. Depuis combien de temps avaient-ils la maison, avant ? » Cette bonne femme était d'une lenteur assommante. « On m'a parlé de vous comme d'une spécialiste. Quand êtes-vous arrivée au château ? »

Elle s'arracha un soupir : « 1926. Entre 1933 et 1951, tous les étés j'ai accompagné la famille en excursion à Holkham Bay. Je suis allée à Londres en 1945 et en 1953. La première fois pour le Jour de la Victoire, un événement dont vous n'avez jamais dû entendre parler et qui ne vous dirait d'ailleurs rien. La deuxième pour le couronnement de la reine. Depuis 1969, deux fois par an, je suis suivie en consultation à l'hôpital de Norwich. En dehors de ces occasions je n'ai jamais quitté la maison. Pas une seule fois. Et vous vous trompez lourdement. Le château n'a jamais été aux Ivory. Il est dans la famille Glaven depuis 1793. Avant il appartenait aux Hobart, seigneurs du comté de Buckingham qui l'avaient acheté en 1616. L'honorable Miss Sophie Glaven en a fait don au National Trust en 1976. Vous êtes venu ici pour voir la maison où vivait William Ivory quand il était petit ? À mon avis vous n'avez pas fait ce que vous aviez l'intention de faire si vous n'êtes pas allé dans une vilaine petite rue de Norwich, près de la cathédrale catholique.

— Pourtant vous m'avez dit que vous aviez connu William Ivory. Il a vécu dans cette maison. C'était le fils de l'ambassadeur.

— Ce n'était très certainement pas le fils de l'ambassadeur. C'était le fils de Thomas Ivory, un gros chapelier qui jusqu'en 1950 et des poussières avait une boutique juste après la place du marché tout à côté de chez Jarrolds. J'ai oublié en quelle année exactement il a fermé. C'était peut-être celle du Jubilé. Il me semble qu'il y avait… il était question que toute la maisonnée fasse le voyage à Londres pour assister aux festivités. Au bout du compte je crois qu'il n'y a que Sir Philip et Lady Sophia qui y sont allés. »

Je balbutiai une question : « Sir Philip. Vous voulez dire l'ambassadeur ?

— Bien entendu. Je crois que le Jubilé a eu lieu en 1952. Non, en 1951. Le roi George était toujours sur le trône avec sa barbe. Sir Philip était l'ambassadeur de Grande-Bretagne aux États-Unis d'Amérique. Il était raffiné, distingué, bel homme. Nous l'avons chaudement pleuré à sa mort. Toute la famille était au désespoir.

— Je ne vous saisis pas. Quel est le rapport avec les Ivory ?

— Mrs. Ivory, une brave femme, peinturlurée mais brave, très tranquille, très simple, elle parlait si bien et d'une voix si douce qu'il fallait tendre l'oreille pour entendre ce qu'elle disait, c'était la sœur de Lady Sophia. Elle s'est mariée au-dessous de sa condition, comme bien des femmes, à un homme qui se vantait d'avoir été capitaine de la Garde pendant la Première Guerre, mais je n'y ai jamais cru une seconde. Votre cher William Ivory était donc le neveu de l'ambassadeur et de sa femme, le cousin de Mattie, de Sophie et de Jack. On ne pouvait pas trouver mieux comme enfants que les petits Glaven. Même maintenant Miss Sophie ne m'oublie pas. Elle vient toujours nous voir avec un gâteau le jour de son anniversaire. C'est une triste charge pour moi de me retrouver la dernière à rester dans la maison. Aux gens qui viennent visiter, je parle de ma famille. Naturellement je réponds quand on me pose des questions sur les draperies damassées, sur Thomas Gainsborough, sur la belle Anne

Boleyn morte en martyre et sur la Grande Catherine l'impératrice de Russie, comment elle se laissa charmer par la façon de danser de John Hobart, le deuxième comte de Buckingham, et les histoires magnifiques que Sir Philip nous racontait à l'époque, pendant les longues soirées d'hiver, dans le petit salon brun, mais j'essaie de garder un souvenir vivant de mes Glaven, je parle d'eux à tous nos visiteurs, même aux étrangers. Vous voulez que je vous montre une photo ? »

Il commençait à faire froid, dehors. Le soleil se couchait sur le jardin sauvage. Le long du chemin, le vent printanier poussait vers nous l'herbe fraîchement tondue. La vieille dame ne paraissait pas sentir le froid. Elle souleva le fermoir de son sac et en sortit une photographie en noir et blanc. Elle la tenait soigneusement du bout de ses doigts blancs ridés. Quand je tendis la main pour la prendre elle l'éloigna, puis à nouveau la rapprocha, tournée vers moi, et la maintint ainsi dans une immobilité vacillante. Une photo de famille dans les règles, posée. Les adultes au milieu, assis sur des chaises : la mère, pâle et fragile ; le père, raide, chauve, fuyant, fier ; la vieille nounou (elle avait déjà l'air vieux, à l'époque) aux côtés de Lady Sophia, son manteau toujours sur le dos, un sourire figé sur de fausses dents, un sac à main, le même sac, à mon avis, bien planté sur les genoux. Près du père, debout, un garçon beau comme les Anglais peuvent l'être et portant le costume empesé de rigueur, des cheveux blonds aplatis par la gomina et un petit air patraque, un petit air méfiant. Devant, jambes croisées sur la pelouse, un gentil petit garçon au sourire espiègle et une gracieuse petite fille singeant sa mère, vieille avant l'âge.

« Où est Mattie ? »

Elle n'eut pas besoin de regarder la photo pour me répondre. Même si elle l'avait regardée je ne crois pas qu'elle y aurait vu plus clair. « Là. Debout. À côté de Sir Philip. S'ils avaient eu le même âge on les aurait pris pour des jumeaux. Il serait devenu grand et droit, comme son père. Et devant c'est Jack et Sophie.

— Et Mattie et William Ivory s'entendaient bien ? »

Je crois l'avoir entendue grogner. « William Ivory était un méchant petit garçon. Un intrigant, un corrupteur. Un démon sous ses airs d'enfant de chœur même si on lui aurait donné le bon Dieu sans confession dans son petit costume marin. Vous savez qu'il n'avait plus le droit de mettre les pieds au château ? Une bonne chose, tiens. J'ai insisté tant que j'ai pu pour que ça reste comme ça mais Lady Sophia était un ange, elle s'est laissée fléchir. Quelquefois les gens bons croient faire une bonne action, mais au bout du compte ils commettent une mauvaise action parce qu'ils jugent les autres d'après eux-mêmes. Lady Sophia était trop bonne pour ce monde. Mattie était pareil. Et le brave Jack aussi. Ce sont toujours les meilleurs qui partent les premiers. On n'aurait jamais dû lever l'interdiction. Jamais. Il n'est pas revenu bien longtemps. Juste le temps qu'il fallait pour faire le mal. On ne peut pas toujours tenir un scélérat éloigné des lieux de son crime. Il est revenu, je l'ai vu ici, en 1977. Il rôdait du côté de la chambre japonaise. Impossible de s'y tromper. J'ai fait comme si je ne l'avais jamais vu. C'était une excuse qui pouvait passer. Je n'avais déjà plus de bons yeux.

— Qu'est-ce qu'il avait pour être si méchant ?

— Il était malfaisant jusqu'à l'os, l'âme noire et pas de cœur du tout. Il a dressé Mattie contre sa famille. Déjà avant on en voyait les signes. Ma famille s'est montrée si bonne pour le fils du chapelier. On acceptait même qu'il parte en vacances avec nous, qu'il vienne pour les fêtes de Noël, exactement comme s'il était vraiment de la famille, comme s'il était des nôtres. Et déjà à l'époque il fallait qu'il fasse des siennes, toujours une méchanceté, un mauvais tour. Il inventait de vilains jeux qui faisaient se chamailler les enfants, et ils se disputaient, ils se battaient les uns avec les autres. Toujours en train de persécuter Jack, de maltraiter la chère petite Sophie qui ne veut toujours pas raconter à sa nounou ses inventions cruelles et biscornues. Sa cruauté n'était pas de son âge. Toujours en train de se cacher avec Mattie. Dehors, dans les buis devant la maison, c'est là qu'ils étaient, tout le temps à se cacher comme des serpents. Je prenais mon balai pour les en sortir. Mattie ne se serait jamais sauvé de la maison sans son cousin.

Qui sait s'il ne serait pas encore en vie aujourd'hui ? Et ici les choses auraient continué comme elles auraient dû continuer, je pourrais servir de nounou à une autre génération de Glaven et prendre soin d'eux. »

On aurait pu penser qu'elle allait fondre en larmes. Elle ne fondit pas. Son expression se fit dure, vindicative, haineuse. Pleine de mépris pour le cousin bourgeois qui avait emprunté son snobisme à ceux qu'elle servait. Je pouvais imaginer sa vie, à cette femme. Arrachée à un village de la campagne irlandaise pour élever les enfants de parents qui ne savaient pas s'y prendre. Une esclave vierge, une dure à cuire qui faisait toujours partie de la maison et gardait vivant le souvenir de « sa » famille. Je n'étais pas si sûr que la chère Sophie soit jamais venue la voir pour ses anniversaires. Ou n'importe quel autre jour.

« Vous avez peut-être mal interprété ? glissai-je doucement. Je comprends votre loyauté. Elle est tout à votre honneur. Mais les choses ne se sont-elles pas passées autrement ? On m'a raconté…

— Qui ? Raconté quoi ? » Le débit dur et haché. Elle s'empressa de remettre la photo dans son sac comme si l'attention que je lui portais risquait de l'abîmer. Puis elle me fixa, de ses yeux laiteux à moitié aveugles, vivants et meurtriers dans son visage mort.

« Des histoires sur Mattie à l'époque où il était à Londres. Des choses que Mattie faisait. Ce qu'il était. »

Elle se leva. Serra son sac sur sa poitrine comme s'il donnait des forces à son cœur. Continua à me fixer — sans doute du même regard que celui qu'elle réservait à William Ivory, ce qui n'était pas pour me déplaire.

« Que Dieu vous damne. Imbécile ! Comment osez-vous suggérer une chose pareille ici ? Cette famille n'a-t-elle pas assez souffert sans que les gens comme vous s'en mêlent, faux Irlandais au sang impur, noir… Je vous ordonne de sortir d'ici. Fichez-moi le camp d'ici ! »

Elle fit même le signe de croix. J'ai attendu que la vieille sorcière vacille et tombe. Qu'elle paie enfin pour les insultes dont elle avait dû couvrir le petit William Ivory au seul motif que le fils du chapelier de Norwich n'était pas assez bien pour jouer avec ses enfants d'emprunt. Je voulais venger le garçon en costume marin. Voir la rage de la vieille lui étouffer le cœur. Je me levai.

« Le fait que Mattie était pédé n'a rien à voir avec Ivory. Si vous me demandez...

— Dehors. Dehors. Dehors dehors dehors. DEHORS. DEHORS ! »

Elle suffoquait, à bout de souffle. Alarmés, les quelques Allemands encore dans les parages tournèrent brusquement la tête vers nous et nous mitraillèrent au flash dans la lumière qui déclinait. Illuminée par les éclairs blancs, Martha Brennan la nounou leva en l'air un bras biblique pointé sur la maison, terrifiant commandement d'une statue bientôt à terre. Je me dis qu'il était temps de vider les lieux.

Aurais-je dû partir à la recherche de la maison de son enfance ? Arpenter la rue banlieusarde où avait vécu la famille du chapelier, à l'ombre de la cathédrale catholique ? Ouvrir grands mes yeux et mes oreilles et me faire une idée du décor ? Qu'est-ce que j'en aurais retiré ? Il avait fui cet endroit. Refusé de vivre cette vie. Je voulais découvrir l'homme qu'il avait été, pas celui qu'il avait choisi de ne pas être.

Je sais que j'aurais dû essayer de trouver la maison où il avait habité. Oublier mon portefeuille vide et le ciel du Norfolk qui s'obscurcissait, mais puisqu'il y avait du blé qui m'attendait à Londres, c'est à Londres qu'il fallait aller, aussi je suis sorti sur le parking, j'ai flanqué un coup de pied à l'inutile berline de location que j'abandonnais en lieu sûr, et, remontant mon col, je me suis glissé dans un groupe de gamins japonais qui attendaient en rang d'oignons de grimper dans le bus qui les ramenait à Londres. J'ai trouvé un siège dans le fond, j'ai tassé dessus mon grand corps d'Occidental et appuyé contre la vitre mon visage d'homme blanc.

Dès que le bus eut quitté l'enceinte de Hobart Hall et commencé à prendre de la vitesse, des lumières tremblotantes s'allumèrent à l'intérieur. Personne ne se dérangea pour compter les têtes. Personne ne vint vérifier qu'aucun intrus bien charpenté n'était monté à bord. Me détendant un peu, je sortis de ma poche deux lettres de William Ivory, celles que j'avais prélevées au hasard dans la liasse volée.

4 mars 1973

Chère Helen,
Il n'entrait pas dans mes intentions de vous faire souffrir. Une coïncidence poétique a voulu que notre petit pique-nique interfère avec le vôtre. Merci pour votre lettre charmante. DB devient vraiment jolie. Incontestablement, elle tient un peu plus de vous chaque jour. Je me suis conduit de manière infecte. J'espère que vous trouverez dans votre cœur la grâce de pardonner au dévoyé qui fut et sera

votre mari.

Fut et sera ? Qu'est-ce que cela signifiait ? S'agissait-il simplement d'une formule déjà éprouvée, une manière de lui mettre le grappin dessus ? Ou était-ce sincère ? L'expression d'un amour véritable, contrarié mais prêt à repartir à zéro ? DB, la fille de Helen. Celle d'Ivory aussi, forcément. On sait que Helen Ivory croyait en l'indestructibilité du mariage. Elle m'avait dit que sa fille s'appelait Deborah. À quoi renvoyait le B ? Et les pique-niques, toujours des histoires à n'en plus finir pour un malheureux déjeuner sur l'herbe. Qu'est-ce que vous avez contre les pique-niques, vous les Anglais ? Si vous les détestez tant, si ça fait toujours des problèmes, alors pourquoi ne pas manger dedans, bordel ?

17 avril 1972

Chère Helen,
Kawabata s'est tué hier. Jim Harkin m'a appelé de Tokyo pour m'en informer. Le lauréat du Nobel a été découvert chez lui hier soir, mort, asphyxié. Je le connaissais à peine, l'admirais bien davantage, mais cela m'a toujours contrarié que le Nobel lui soit décerné à lui plutôt qu'à Mishima. Il y a à cela des raisons claires : la vénération due au grand âge, et, à n'en pas douter, le sentiment que Yukio avait le temps pour lui et se verrait récompensé, vingt-cinq ans plus tard, disons, quand ce serait à nouveau le tour du Japon. Pourquoi Kawabata s'est-il suicidé ? Il était vieux. Son corps malade s'acheminait vers

la mort *via* la décrépitude. C'est en soi une raison suffisante. D'après Jim, il a commencé à décliner à partir de la mort de Mishima : il savait aussi bien que vous, moi ou Yukio que son Nobel aurait dû être attribué à un autre. Alors il a suivi le morbide chemin tracé par plus grand que lui. Pourquoi les écrivains se suicident-ils ?

Il m'est souvent arrivé de mentionner l'histoire qui suit. Je veux maintenant vous la raconter.

Cela se passe à l'hiver 1966. J'assiste à l'une de ces soirées du mercredi que Mishima organisait chez lui, à Tokyo. La maison est bâtie dans le style occidental mais avec des pièces plus petites et des plafonds plus bas que nous en avons l'habitude, ce pour que Yukio puisse paraître plus grand qu'il n'est en réalité. Nous sommes dans le salon du premier, d'une vulgarité aussi provocante qu'une chemise hawaiienne, et commençons tous à être sérieusement imbibés de whisky américain. Mishima a donné le *la* : il nous entraîne dans une sélection d'airs de comédies de Broadway. (Les intellectuels japonais affectent une passion inexplicable pour ce genre bâtard.)

La chemise de l'écrivain est dégrafée au col. Sa cravate, à moitié dénouée. Il miaule un des derniers refrains de *Oh, What a Beautiful Morning*. La copie japonaise d'une horloge de parquet victorienne sonne les douze coups de minuit. Mishima s'arrête. Il acquiesce de la tête à quelque pensée intérieure et lâche les dernières notes sur une ligne tenue qui plonge en piqué. Il s'incline pendant que nous applaudissons à tout rompre puis descend discrètement l'escalier d'ivoire blanc pour gagner la salle à manger. Maintenant qu'il n'est plus là pour capter l'attention, l'enthousiasme pour la musique décroît, les groupes se reforment et nous nous remettons à discuter. Appuyé contre la rambarde en fer, je parle d'un côté à Yoko, la femme de Mishima, et de l'autre à son interprète américain. L'écrivain est en dessous, dans la salle à manger. À présent il porte un kimono attaché par une écharpe de dandy, une large ceinture écarlate. Il s'accroupit près de la table pour y prendre plusieurs longs paquets enveloppés de tissu et visiblement lourds. Il se redresse, remarque que je l'observe d'en haut, me fixe droit dans les yeux. Il aimait ces joutes visuelles et nous restons ainsi un moment, jusqu'à ce qu'il se détourne avec un demi-sourire. Je le regarde monter lentement les marches et reprendre sa place au centre de la pièce où il dépose ses paquets par terre.

Les discussions faiblissent, s'interrompent. Un correspondant du *Times* et un militaire japonais sont les derniers à s'en apercevoir, mais il suffit que Mishima fasse mine de les dévisager pour qu'ils cessent net leurs chuchotements perfides. Un demi-cercle s'est formé autour du prestidigitateur samouraï. À genoux, avec des gestes solennels et aimants, il défait l'un après l'autre les paquets pour chaque fois exposer une nouvelle lame parfaite, brillante. Les épaules ramassées, il les contemple tour à tour. Tous nous gardons le silence. Nous participons nous aussi à cette cérémonie.

Il s'agit là des trésors de sa collection. Les sabres sont disposés côte à côte selon leur forme et leur ancienneté, pas un qui ne soit mortellement affûté : cimeterres naginta à un seul tranchant, qui vont s'élargissant et s'incurvent fortement à la pointe ; hira zukuri à lame droite et plate ; un assortiment de katakiri ha dont l'un très ancien, probablement du XIVe. Puis Mishima arrête enfin son choix. Une dague, yoroi doshi, à même de transpercer une armure, avec une lame hira zukuri à double tranchant. Il l'élève et nous intime en silence l'ordre d'admirer les jeux de la lumière sur le fer, la garde damasquinée de noir et blanc, le hamon étincelant. D'une main légère, il appuie la dague sur le bout de son annulaire gauche et exhibe la blessure à nos yeux attentifs.

Il tient la pose : les lumières l'enserrent dans une demi-pénombre subtile ; le sang coule en lent filet noir le long de son poignet. Il reste ainsi sans bouger, à genoux, un bras haut levé. Puis il prononce mon nom.

La foule s'écarte pour me laisser passer. Je ne bouge pas ; je n'ai aucune envie de servir de faire-valoir à Mishima. À nouveau il m'appelle. Il se lève. Son regard croise le mien et cette fois ne le lâche plus. Je n'ai pas le choix. J'avance vers lui ; je vais le rejoindre au centre du cercle. Il se dresse de toute sa taille, à présent ; puis il s'incline devant moi, et moi devant lui ; il lève la main droite, la pose sur mon épaule gauche, exerce une douce pression. Il joue la courtisane et par ce geste de séductrice m'enjoint de tomber à genoux. Un murmure admiratif s'échappe des lèvres des connaisseurs. Ne sachant trop à quoi m'en tenir — je n'ai encore jamais vu ce numéro —, je m'agenouille.

Tout autour de moi, des chaussures noires qui brillent, des jambes gainées dans les pantalons. Devant, les pieds nus de l'homme à la dague, ses minces mollets de fille, l'épaisse soie bleue de sa robe, et là-haut : la ceinture écarlate, la poitrine dont il est si fier, velue pour un Japonais et que des muscles de rêve ornent à la perfection. Une veine bat sur le cou scrupuleusement mis en valeur. La bouche est hermétiquement close. Les yeux noirs n'ont pas lâché les miens, pas une seconde. Soudain : l'estafilade de la dague qui s'abat, vive comme un poisson dans l'onde : la pointe frémissante se pose sur le devant de ma chemise et d'un coup la fend : j'ai le ventre nu, ma chemise pend, ouverte, déchirée. Un sursaut dans le public, nos spectateurs respirent tous sur le même rythme saccadé. Je garde les yeux fixés sur ceux de Mishima. Si j'y manquais, ce cérémonial perdrait pour lui sa beauté.

Il amène le tranchant étincelant de la dague au milieu de mon ventre, le hamon dessine un zigzag de lumière ; il maintient le fer contre mon nombril. « As-tu peur, Anglais ? » Je ne laisse rien paraître, ce serait une marque de faiblesse. Il enfonce la pointe de la lame dans le repli du ventre avec assez de délicatesse et de force pour ne rompre que la peau et obtenir qu'elle laisse lentement suinter un mince filet de sang. Il retire l'arme et la brandit au-dessus de sa tête. Fermant les yeux, il fait tournoyer la lame en un cercle parfait ; la pointe étincelante découpe un halo dans la fumée du tabac. Il ouvre les yeux, murmure encore : « Tosui » (extase), et part d'un rire brusque. Moi, je ne ris pas. Je me relève sans hâte, m'incline. Il me rend mon salut. Je reste là, immobile et très droit. Et pendant que j'attends au milieu de la pièce il enveloppe soigneusement ses lames. Et sort pour aller me chercher une chemise de rechange. Elle eût été trop large pour ses épaules et son torse modelés par l'haltérophilie, et la soie en est plus belle que celle de la mienne. Je suis à peu près persuadé qu'il l'avait mise tout exprès de côté. Je me change dans la salle à manger en dessous. La soirée languit mais notre hôte a disparu ; il est monté dans son bureau où il va passer la nuit à écrire.

Essayait-il de m'expliquer quelque chose ? D'annoncer ce que serait sa mort ? Avait-il l'intention de rejouer cette comédie avec Kawabata et, plus tard, avec Morita ? (Car c'est de la même lame qu'il se servit pour son seppuku, à quatre ans d'intervalle.) Voulait-il m'éprouver ? Exécuter une fantaisie narcissique pour le plaisir de ses hôtes et, plus important, pour le sien propre ? Ou comptait-il simplement atteindre l'état émotif dont il avait besoin pour l'œuvre littéraire qu'il devait créer cette nuit-là ? Je crois que toutes ces explications sont

justes. Plus il vieillissait et plus ses choix le portaient à se retirer dans un rude et sombre espace, une contrée cruelle peuplée
d'esclaves marrons qui maniaient avec empressement la langue du fétichisme, du wagnérisme, de l'histoire, de la mort. Il
lui fallait des disciples qui l'assurent que son chemin était celui
de la vérité, afin de le convaincre, lui-même n'y ayant jamais
vraiment cru, que la Sodome de son âme était bien autre chose
qu'une névrose plongeant ses racines dans une enfance étouffée sous le féminin.

Mais n'est-ce pas, chère Helen, que c'est intéressant cette
manie des écrivains de poursuivre les grands morts de leurs
assiduités ? Les poètes fragiles qui s'entichent de Byron ou de
Shelley. Et j'ai moi-même mon prince Boothby, sur qui je sais
bien peu de chose et ne me soucie guère d'en apprendre davantage, me contentant de ce fait saillant : s'habiller et se déshabi-
biller tous les jours l'ennuyait si mortellement qu'il attenta à
ses jours. Curieuse voie. Je pourrais en descendre la pente avec
vous.

Mon livre a été publié. Après des débuts lents, le voilà
maintenant assez bien parti. (J'avoue avoir un peu manipulé
la presse.) Nous risquons même de nous retrouver avec un
best-seller sur les bras.

Bien à vous, du milieu de la vie,

W.

Il faisait noir en dehors du bus. La nuit du Norfolk, çà et là
interrompue par le brasillement des fenêtres d'un ixième village devant la télé. À l'intérieur les lumières avaient baissé
sans que je m'en aperçoive. J'ai replié les feuilles des lettres
bien à plat, passé les doigts sur les lignes brisées des griffon-
nages dominateurs d'Ivory, et regardé par la fenêtre, comme
un aveugle rassuré par un cours d'histoire en braille.

Le lendemain matin je fus réveillé par l'Australien qui frappait à ma porte. Mignon comme tout. « Désolé pour la tenue. Quel cirque, hein ? » Sa tignasse de surfeur était ramassée en chignon. Il portait un costard étroitement ajusté, usé de père en fils sur trois générations : Carnaby Street, l'avant-garde londonienne. La fine cravate de laine était hissée haut, exprès pour lui meurtrir la pomme d'Adam. « J'en ai ras la caisse de cette boîte. Je vais travailler dans un restau.

— Formidable. C'est pour me dire ça que vous me réveillez ?

— Pardon, mais j'ai le trac. Vous me trouvez bien, là-dedans ? J'aime pas ces vestes à rabats. Ça me fait un cul bizarre. Le facteur vous attend en bas. Un recommandé. »

Il me laissa. Je m'habillai, en vitesse et au hasard, descendis, signai le formulaire des postes, reçus en échange une mince enveloppe marron avec un timbre de New York, remontai dans ma chambre. L'Australien était toujours dans le couloir où il présentait son profil au miroir en pied accroché près du téléphone à pièces, en se tordant le cou par-dessus l'épaule pour mieux apprécier l'effet des rabats de la veste. Je fermai ma porte à clef.

J'allumai la lampe de chevet et ouvris l'enveloppe. Un chèque de six cent soixante-sept livres sterling. Pas une fortune, pas la somme convenue, mais provisoirement cela suffirait. Allant à la fenêtre, j'ouvris les rideaux. Dehors, un gris matin londonien, la ville à moitié vivante qui titubait. Et dedans, moi, un grand Américain caché dans une petite pièce, rassuré par la promesse de l'argent qu'il tenait à la main, rassuré par toi qui, pour une fois, ne me payais pas que de mots.

Basta. Je pourrais finir par en tirer quelque chose, après tout. Il faut que je me conduise en spécialiste, maintenant. En biographe sérieux. Responsable, désintéressé, condescendant, scandaleux. Le genre qui gagne des prix. Fermer les yeux sur les mots inscrits au rouge à lèvres rouge. Fermer les yeux sur les fruits qui pourrissent dans le compotier... ou succomber peut-être une dernière fois à la tentation nauséeuse de fourrer un doigt dans la chair décomposée d'une orange autrefois ronde. Ne pas lancer de regards pleins de regrets aux pots entassés sur les étagères de la salle de bains. Ne prêter assurément aucune attention à ton silence, là-bas dans le coin. Au lieu de ça, m'asseoir à la table en expert, m'installer avec mes blocs-notes grand format, mes cassettes, les lettres, les livres, et sèchement bâtir une vie méticuleusement annotée par des commentaires en bas de page.

Il vit le jour en 1925 à Norwich. William Ivory, le fils du chapelier.

Un peu plat, non ? Est-ce bien ainsi qu'il faut démarrer et continuer ? Jour après jour, pièce à pièce, un baiser après l'autre, en rassemblant les éléments de plus-value de la vie de ce mort ? Commence comment ? Avec fracas ? La plus fracassante des entrées... un choc parfait, sans appel ? Ou en douceur, sur un moment tranquille et vrai ? Une capsule de vérité que le reste finira par englober et expliquer. Commence avec l'atmosphère et finis dans le sang, comme toute bonne histoire qui se respecte. C'est ce que disait Brougham Calder.

Norfolk. Holkham Bay. Février 1980. Une pluie fine tombe sur les trois silhouettes esseulées sur le rivage battu par le ressac. Derrière elles, une ligne d'arbres, une langue de forêt, un paysage vert et plat que le ciel énorme écrase de sa masse. Mais là où elles se trouvent, sur le sable, au milieu des dunes, le ciel du Norfolk pèse moins lourd. Si ces trois personnes intimement proches, un homme et deux femmes, lui entre elles, levaient les yeux vers l'horizon, elles verraient des bateaux de pêche, des remorqueurs dispersés, une ou deux vedettes à l'ancre et quelques voiliers téméraires ballottés par les vagues frangées de blanc de la grise mer du Nord ; mais

146

elles ne regardent pas l'horizon. Bientôt la bruine légère va de nouveau céder la place à un brillant rayon de soleil ; et bientôt la femme blonde va se déshabiller complètement, fermer les yeux, s'allonger à nouveau sur le doux sable fin plus blanc que jaune, et au contact du soleil sur sa peau elle sentira revenir un peu de sa tristesse ; bientôt l'homme à moustache, le meneur du groupe, va manigancer un nouveau jeu auquel le groupe devra jouer ; bientôt son épouse japonaise vérifiera le chargeur du pistolet : car c'est lui, ce pistolet, l'arme réglementaire des gardes montés pendant la Deuxième Guerre mondiale, c'est lui, chargé, pointé, qu'ils regardent tous trois puisque William Ivory le porte lentement à sa bouche ouverte.

Trop sinistre ? Trop théâtral et grandiloquent ? Trop d'effets de style pour rendre la manière dont ça s'est passé ? Commence avec la famille, avant sa naissance, c'est comme ça que tu y arriveras. Caresse les eugénistes dans le sens du poil. Deuxième.

Par un beau soir d'hiver, le capitaine Thomas Ivory coiffa son feutre (un article à la mode, proposé en rayon) et franchit le seuil de sa boutique. Ce mercredi du mois de janvier 1925, l'ex-capitaine aurait volontiers joint l'utile à l'agréable en consacrant sa soirée à entraîner les cadets de l'École militaire à défiler en tenue. Au lieu de quoi, à son grand dam, il était obligé de rentrer pour l'apéritif et le dîner parce que sa femme jouait les hôtesses et recevait du beau monde.
Il n'enviait pas le sort du beau-frère de sa femme. Il n'avait pas le sentiment de lui être inférieur en quoi que ce soit. D'abord, Glaven était catholique, et puis Thomas avait fait la guerre en tant qu'officier alors que Sir Philip, lui, la passait tranquillement à Whitehall à finasser aux Affaires étrangères. Mais pour Joan, sa femme, épouse du capitaine Ivory, il en allait tout autrement. Elle avait été riche autrefois, dans son enfance, et plus elle vieillissait, plus elle aspirait à ces démonstrations m'as-tu-vu, et à un autre rang social par-

dessus le marché ; quant à sa sœur, sa jeune sœur, elle avait bien mené sa barque et était devenue Lady Sophia, épouse de Sir Glaven, l'ambassadeur de Grande-Bretagne aux États-Unis. Des heures ennuyeuses attendaient donc le capitaine, mais cette corvée aurait peut-être du bon, plus tard, une fois les invités rentrés chez eux, une fois les apéritifs bus et les verres de vin vidés... dans la froideur de la chambre particulière de sa femme, le rite conjugal serait peut-être observé ; la chose se faisait par trop rare depuis que le petit Thomas était venu au monde mort-né en 1922...

Non non non non. C'est vraiment la pire entrée en matière pour le pire roman historique. C'est de la connerie d'essayer de se mettre dans la tête du capitaine Thomas Ivory en 1925, de la connerie d'essayer de réinventer la nuit où le spermatozoïde est rentré dans l'ovule et où le petit William Ivory fut conçu. Il n'y a qu'une façon de s'en sortir : coucher noir sur blanc les faits indiscutables, décrire la surface ; le reste suivra.

Commence froidement par le commencement, avec sa date de naissance. Développe à partir de là. C'est la seule façon d'être sûr de ne rien oublier.

Dans une de ses rares boutades autobiographiques, William Ivory date le début de son déclin d'« un jour de la fin de l'automne 1925[1] ». William Ivory est né le 30 octobre 1925 — bientôt il porterait un petit costume marin et verrait pour la première fois la mer, bientôt il nouerait des amitiés dangereuses à Hobart Hall, lui, le timide qui jouait si bien du piano ; un aventurier, oui, mais aussi un écrivain, un héros rescapé de la guerre, un joueur à la veine de pendu, un Anglais, un monstre. William Stuart Ivory, le philosophe de la décadence, entama son déclin sous l'identité de William Sidney Ivory, fils du chapelier de Norwich.

----

1. La remarque figure dans l'avant-dernier paragraphe de l'article « Jouer le jeu avec les schizophrènes », *Psychiatry Now*, décembre 1974.

(*J'aurais dû me procurer ce bouquin :* Norwich, portrait d'une ville.) Son ciel lourd et menaçant et sa longue côte sur la mer du Nord distinguent le comté du Norfolk. Il a pour capitale Norwich, une ville à deux cathédrales qui ne compte plus ses pubs et ses églises, fière de sa pondération et de son marché en plein centre. Tout de suite après la place du marché, à côté des grands magasins Jarrolds, se trouvait autrefois une boutique de chapelier, solide bâtisse victorienne à l'enseigne d'Ivory & Fils (maison fondée en 1854).

Thomas Ivory, son propriétaire, portait la moustache avec ostentation ; capitaine de la Garde [1] lors de la Première Guerre mondiale, il démissionna par la suite pour rentrer chez lui et prendre les rênes de l'affaire familiale. Il fit un bon mariage, l'ex-capitaine, en s'alliant en 1921 à Joan Sidney, de noble ascendance. Ils eurent trois enfants, mais William, le deuxième, fut le seul à survivre à la naissance.

Issus d'un milieu bourgeois provincial, les Ivory vivaient dans une solide aisance, presque la richesse, grâce à un fonds de commerce de vieille réputation. Ils habitaient au 7 Heigham Grove, une maison de deux étages en lisière de la ville avec à l'arrière un petit jardin bien fait pour que l'enfant y joue si cela avait été de son goût. Du point de vue du robuste capitaine Ivory, ce domicile était l'occasion de promenades matinales rondement menées pour se rendre au travail ; du point de vue de sa femme, c'était un cadre déplaisant, certes, mais confortable.

Aristocrate désenchantée, Joan Ivory trouva une sorte de refuge dans une débauche de maquillage, de toilettes et de teintures capillaires à partir du moment où sa beauté fragile se mit à se faner. Continuant à se prétendre ce qu'elle avait

---

1. Le fait est néanmoins sujet à caution puisqu'on ne trouve pas mention du capitaine de la Garde Thomas Ivory dans les registres militaires. Dans la mesure toutefois où il semble qu'il ait effectivement servi pendant la Grande Guerre (quoique, s'agissant de cette période, les seuls Thomas Ivory que j'ai pu dénicher sont un deuxième lieutenant de la Garde et un capitaine des forces armées), nous nous en tiendrons, non sans scepticisme, à la version officielle.

été, femme du monde, elle s'adonnait aux grandes causes et aux bonnes œuvres et tenait en respect son mari sans jamais lui laisser oublier qu'il était né son inférieur. Ivory n'a pas écrit ce qu'il pensait de sa mère dans son journal (il parle rarement de ses parents et, lorsqu'il s'y risque, glisse généralement une pique en passant ou une remarque pleine de mépris à l'encontre de son gaillard de père), mais une certaine solidarité existait entre ces deux êtres : le jeune artiste et sa mère un peu ridicule, en proie au vif sentiment de s'être fourvoyée avec un homme inconvenant dans un milieu inconvenant. Joan Ivory descendait d'une richissime famille d'industriels du Yorkshire — anoblis à la fin du XIXe siècle, ruinés au début du XXe —, et sa jeune sœur et voisine était pour elle un rappel constant de sa propre déchéance sociale.

Lady Sophia Glaven, née Sidney, avait épousé Sir Philip Glaven, un temps ambassadeur aux États-Unis et propriétaire de Hobart Hall dans les environs de Norwich. Les membres de la famille Glaven étaient les personnalités les plus en vue de cette partie du Norfolk, aussi la tâche accomplie par Mrs. Ivory dans l'association Séjours aux champs pour les enfants — une œuvre de bienfaisance destinée à permettre aux petits citadins de goûter brièvement aux plaisirs de la campagne — pouvait-elle difficilement rivaliser avec le rôle qui incombait à sa sœur en tant que première dame de l'ambassade.

William fut un enfant maladif, très tôt asthmatique, difficile, mais étonnamment doué pour le piano. Nous avons vu le portrait officiel que Gerald de Norwich fit du jeune prodige : le jeune garçon pâle et grave aux cheveux gluants de gomina est assis, le visage vide d'expression, sur un tabouret de piano. Et le petit virtuose a semble-t-il hérité ou appris son snobisme de sa mère. Au fur et à mesure que se développait son imagination, ses premières aspirations se cristallisèrent autour de ses cousins plus riches et titrés qui résidaient à la campagne. Plan sur Hobart Hall.

La demeure, un édifice impressionnant et sans vie qui a appartenu à Anne Boleyn, survit grâce au tourisme et elle est toujours gouvernée par Martha Brennan, la nourrice des enfants Glaven. Une longue allée de buis menant à l'entrée de la cour de devant, un jardin d'agrément, un vaste espace d'herbes folles baptisé le jardin sauvage, à l'intérieur des hectares de grandes pièces froides, tel est Hobart Hall, lieu de résidence de Sir Philip désormais rendu à Whitehall ; de sa sainte épouse, Lady Sophia ; et de leurs trois enfants, Sophie, le petit Jack et Mattie, l'enfant marqué par le destin. C'était le lieu de prédilection de William Ivory.

Peu avant son douzième anniversaire, William contracta un rhumatisme articulaire aigu qui faillit l'emporter. Ce fut sa première maladie grave, et, toute sa vie, il allait souffrir de ses répercussions. Elle lui laissa un cœur fragile.

Sa vitalité et sa santé étaient au plus bas lorsqu'il entama son journal (26 octobre 1937) [1]: [« Si je dois mourir tout de suite ou dans les prochains jours, ces pages deviendront un récit extraordinaire sur l'intelligence d'un garçon extraordinaire frappé par une mort solennelle et qui mourut incompris de ses parents et de sa ville. »]

Le récit que nous livre le journal de jeunesse d'Ivory est d'une grande précocité. Il y imagine des sites exotiques propices à l'épanouissement de sa fortune, dresse la liste de ses ambitions, invective son père [« Il a essayé de me faire pleurer mais je n'ai pas pleuré. À la place, je l'ai imaginé mort sur le terrain de manœuvres, son uniforme transpercé par des baïonnettes »] et tient soigneusement la chronique des symptômes de sa maladie. [« Je suis triste de mourir dans cette petite maison minable. J'aimerais bien être dans une ville plus élégante, comme Londres ou Paris ou comme Saint-Pétersbourg, ou alors dans un endroit où je me sentirais chez moi, ou dans la chambre japonaise du château où je pourrais me reposer en paix. »]

Mais Ivory avait été chassé de la chambre japonaise, comme il avait été chassé du château. Pour son douzième anniversaire, le 30 octobre 1937, son cousin Mattie fut néanmoins autorisé à lui rendre visite. L'inflexible William ne baissa pas la garde pour manifester qu'il était content de cette visite ou

---

1. Ce qu'il reste de ce journal (non publié à ce jour) est entre les mains de l'auteur.

du carnet de croquis que lui apportait son meilleur ami, mais lorsque Mattie eut quitté la chambre du malade, Mrs. Ivory vint arranger les quelques cartes de vœux reçues par son fils et, sur les instructions de ce dernier, plaça celle que son cousin lui avait dessinée à l'endroit le mieux exposé, sur le rebord de la fenêtre.

Une fois les signes de la maladie devenus plus discrets, l'auteur du journal intime découvrit qu'ils lui manquaient. [« Quand la fièvre et la douleur ont disparu il n'y a rien eu à la place. Quelle déception ! Après m'être préparé à la mort j'étais curieux de voir à quoi elle ressemblait et si je pourrais revenir comme un esprit pour hanter Mattie comme il m'avait demandé de le faire et comme je le lui avais promis. (…) Quand je serai plus vieux, je veux devenir un grand écrivain comique, comme Aldous Huxley ou Evelyn Waugh. »]

En l'absence de Sir Philip, retenu à Paris par des discussions sur la Tchécoslovaquie, le régime s'assouplit quelque peu. Si bien que William n'avait pas beaucoup vieilli lorsqu'il fut autorisé à remettre les pieds à Hobart Hall. [« Aujourd'hui je suis retourné au château avec Mère, qui m'y a emmené. Nous sommes discrètement restés dans la grande galerie, Mattie et moi, jusqu'à ce que Mère et tante Sophia nous laissent livrés à nous-mêmes. Alors nous sommes montés dans la chambre japonaise et là, couchés par terre, nous nous sommes bridé les yeux avec les doigts et à tour de rôle nous avons imaginé des contes japonais cruels en regardant le papier peint. Puis nous nous sommes rués dehors dans notre cachette du jardin, sous les buis, devant la maison. »]

Les deux amis ne restèrent pas dans leur cachette aussi long-temps qu'ils l'auraient voulu. Martha Brennan [« Nounou l'idiote »] partit à leur recherche et les ramena prestement à l'intérieur pour le thé servi dans le petit salon brun. Leurs mères, l'épouse de l'ambassadeur et celle du chapelier, s'y trouvaient déjà, ainsi que la sœur et le frère de Mattie, Sophie, l'aînée, et Jack, le benjamin. William note qu'il s'est délecté de la façon dont ces deux enfants évitaient de croiser son regard [« parce qu'ils avaient une peur bleue. Tante Sophia a demandé à Sophie de donner du thé au convalescent, ce qu'elle fit sans lever les yeux, et le ton sur lequel tante Sophia a prononcé le mot convalescent l'enlaidissait et lui ôtait toute dignité ; je ne l'utiliserai plus jamais à mon propos »].

Certains voudraient que le jeune William ait eu une influence néfaste sur ses cousins de Hobart Hall. Tel que le décrit Martha Brennan, l'enfant qui s'est familiarisé avec la musique de Chopin et de Debussy sur le piano à queue du salon de musique fut « un intrigant et un corrupteur[1] ». Remarquons pourtant que le snobisme est le moteur des émotions qui agitent toutes les grandes familles, en Grande-Bretagne surtout, et qu'il n'y a pas pires snobs que ceux qui ne sont pas bien nés et qui doivent lutter bec et ongles pour protéger leur statut douteux. Il est indéniable que le jeune William a été interdit de séjour au château. Mais on peut se demander si son éviction fut motivée par l'influence corruptrice qu'il exerçait sur son cousin Mattie, son ami intime, ainsi que sur Sophie et Jack, ou si elle ne fut pas la simple conséquence de jeux d'enfants poussés trop loin pour lesquels le cousin de la ville aurait servi de bouc émissaire commode.

Certes les enfants peuvent inventer des jeux pervers. William reconnaît avoir pris plaisir à constater que Sophie et Jack avaient apparemment peur de croiser son regard dans le petit salon brun, le jour où il fut autorisé à revenir au château. La réaction des cousins avait-elle à voir avec la terreur qui saisit les persécutés à la vue de leur oppresseur ? Et la sienne avec la simple délectation d'un tyran qui perçoit la crainte dans les yeux de ses victimes ? Ou tout cela était-il en fait beaucoup plus innocent ? Pour les petits Glaven, n'était-ce pas tout bonnement de la culpabilité à cause de leur participation au calvaire social de leur cousin et, pour ce dernier, un sentiment de petite revanche bien compréhensible chez quelqu'un d'injustement traité ? Enfant, William fut plus souvent victime que coupable. Victime de l'incompréhension des adultes

---

1. Conversation avec l'auteur.

pour ces jeux que les enfants inventent afin de satisfaire leur curiosité sexuelle et leur besoin d'aventure[1].

Deux années passent. Deux ans au cours desquels William et Mattie défendent comme un camp retranché leur fragile amitié. Le pianiste prodige se distingue dans plusieurs auditions publiques. Il s'exerce toujours sur le piano à queue de Hobart Hall et, moins fréquemment, sur l'instrument plus quelconque du petit salon du 7 Heigham Grove.

Puis vint le 1er septembre 1939, jour où la Grande-Bretagne déclara la guerre à l'Allemagne. On a pu parler de « drôle de guerre » à propos de la première année de ce conflit où l'apocalypse était sans cesse annoncée comme imminente alors qu'en réalité il ne se passait pas grand-chose ; à Heigham Grove et à Hobart Hall, le seul changement notable fut l'arrivée, au début du printemps de 1940, d'un groupe d'enfants évacués des quartiers populaires londoniens et hébergés au dernier étage du château grâce à la diligence de Joan Ivory.

Pour citer un membre de la famille : « Ils étaient exotiques, ces petits Londoniens. Ils manifestaient leur différence en parlant et en s'habillant autrement. À les voir, on eût dit les derniers traînards d'une armée étrangère en déroute cantonnés au dernier étage de notre maison : une meute sauvage de réfugiés incultes, violents, téméraires dès qu'il s'agissait de jurer, mais timides et craintifs, sales comme des chiffonniers, et qui devinrent pour nous tous des objets de fascination[2]. »

------

1. On ne sait pas très bien quels étaient effectivement ces jeux. William ne les décrit pas dans son journal. Je n'ai trouvé qu'une référence (16 mars 1940) où il dit que Sophie devint «rouge de honte» quand le petit Jack lui rappela les « gages » auxquels ils avaient joué deux ans plus tôt à Noël.

2. Sophie Glaven, *Parcours* (Londres, 1954), par l'aînée des enfants de Hobart Hall. Son livre, récit excentrique, parfois décousu, anecdotique, sur son expérience de la guerre (d'abord pendant son adolescence au château ; puis en tant que postulante au noviciat d'un ordre de religieuses cloîtrées ; ensuite à Londres où elle essaya de retrouver son frère ; et enfin dans le corps des Auxiliaires féminines de l'Armée de l'air), est la première source d'informations sur la famille au cours de cette période. Pour des raisons de santé, il a malheureusement été impossible à Miss Glaven de rencontrer l'auteur.

Les petits Londoniens furent tout particulièrement des objets de fascination pour Mattie et William. En secret, passant outre aux ordres de leurs familles respectives, les deux cousins se glissaient jusqu'au dernier étage du château. Ils triomphèrent des résistances des réfugiés en leur offrant des pommes. Ils gagnèrent leur confiance en leur apportant les restes du dîner de la veille.

Ainsi que William le raconte dans son journal, à la date du 3 février 1940. [« Nous sommes remontés là-haut aujourd'hui. Sophie était dans la grande galerie où elle répétait ses pas de danse en tombant tout le temps par terre et tante Sophia était occupée ailleurs dans la maison. Du côté de Nounou, rien à craindre puisqu'elle était dehors, en train de vaguement désherber le massif de buis. Quant à Jack, pour qu'il monte la garde au milieu de l'escalier, nous l'avions soudoyé avec un sifflet qu'il tenait dans la bouche, prêt à sonner l'alarme. Les Londoniens, eux aussi, avaient posté leurs sentinelles : deux filles à l'air buté qui nous ont insultés et qui ont essayé de nous repousser, mais nous sommes passés en force. Quand nous sommes arrivés à la porte de l'ancienne salle des domestiques qui leur sert de salle de classe, Vic est sorti, avec Eve, George et Stanley. Mattie et moi nous nous tenions devant eux, l'air distant et aristocratique. Je ne sais pas lequel est leur chef. Vic se conduit comme si c'était lui, mais au moindre désaccord, il plie l'échine devant George. Vic a un visage rond et joufflu, il est brun, il a des épaules de malabar et une carrure de boxeur. Il se délecte à faire étalage de sa force. Il a la voix la plus bizarre que j'aie jamais entendue : forte et rauque, on dirait une énorme corneille. Mattie prétend qu'il parle comme un chauffeur de taxi. George est sec et nerveux, il a l'air sournois. Ses fins cheveux blonds lui tombent sur la figure, qui est très pâle (la pâleur des miséreux, d'après Mattie). Il est de la même taille que mon cousin et à vrai dire tous deux se ressemblent beaucoup.

« Vic nous a demandé ce que nous voulions. Mattie n'a pas ouvert la bouche. J'ai déclaré que ce n'était pas à lui de nous refuser le passage. Nous étions dans notre maison, ils étaient tous nos invités. Je m'exprimai sur un ton de flatterie mêlée de condescendance. Je voyais bien que Vic prenait ombrage de mon petit discours, mais qu'il n'arrivait pas à trouver un prétexte pour déclencher la bagarre. George lui a chuchoté quelque chose, que Vic a écouté en lui passant un bras sur l'épaule. Mattie affectait de s'ennuyer mais je décelai sous son expression les signes de cet atroce empressement qu'il m'a jusqu'ici exclusivement réservé. Vous pouvez entrer, déclara enfin Vic, mais vous devez accepter de jouer le jeu.

« Dans la pièce autrefois réservée aux domestiques, la bataille faisait rage. Les bureaux et les sièges avaient tous été poussés contre les murs et les enfants se pressaient autour des combattants, formant un cercle qui leur servait de ring impromptu. Deux garçons, pieds nus et déshabillés jusqu'à la taille, s'en prenaient l'un à l'autre. À coups de poing et de pied ; j'en ai même vu un qui se servait de ses dents pour mordre. Les coups bas pleuvaient.

« Bon, lança Vic une fois la rixe terminée, lequel de vous deux tente le coup ? Je m'apprêtais à enlever ma veste mais Mattie m'en empêcha. N'oublie pas que tu as de l'asthme, dit-il d'une voix assez forte pour que les autres entendent, ce qui me mit mal à l'aise. C'est moi, ajouta-t-il, et ses paroles retentirent comme celles d'un héros.

« Vic commença à tirer sur les boutons de sa chemise mais George s'interposa. Laisse-le-moi, Vic, dit-il, j'aimerais avoir cet honneur. Bon, alors j'arbitre, dit Vic. Je jetai un coup d'œil à Mattie. Il avait déjà retiré sa veste, il déboutonnait sa chemise et j'eus l'impression qu'il était très loin de moi. Non, dis-je à mon tour, je veux arbitrer, à la loyale. Mattie avait découvert son torse fluet à la toison éparse et il délaçait ses bottillons. *Les règles de Silvertown*, se mit à crier quelqu'un dans la foule, et plusieurs entonnèrent ce cri à sa suite. Bon, déclara Vic, tu peux faire l'arbitre mais on respecte les règles de Silvertown : les poings, pas les mains, pas le droit de griffer, pas le droit de mordre ou de taper avec la tête, pas de coups de pied dans la figure ou dans les couilles. Je commençai à discuter pour qu'on applique les règles de Queensbury, mais Mattie me coupa la parole sans même un regard pour moi. J'accepte ces règles, dit-il. Il attendait debout au milieu

156

du ring, l'air noble et fragile dans son pantalon de gabardine noire.

« George arracha sa chemise d'un coup, envoya valser ses bottes et fendit la foule pour gagner le ring sous les encouragements. Se ramassant sur lui-même, Mattie leva ses deux poings devant son visage et observa son adversaire avec circonspection. George trottinait à l'intérieur du cercle pendant que des mains innombrables se levaient pour lui taper sur l'épaule et que ses amis criaient "Allez George" sur l'air des lampions. Mattie était toujours sur ses gardes, dans la même posture ramassée, mais il occupait le centre du ring et n'arrêtait pas de tourner sur lui-même pour garder George dans son champ de vision. Il essaya par deux fois de viser le menton de George qui para les coups d'un revers de main. George envoya deux coups de poing que Mattie réussit à parer facilement, puis il lui donna un coup de pied dans les tibias ; Mattie a dégusté mais il a fait comme si de rien n'était. Il a frappé George à l'épaule, puis à la poitrine, un coup que George n'a pu dévier qu'à moitié. Ils étaient tout rouges tous les deux, les cheveux de Mattie lui tombaient sur les yeux, je voulais lui crier de faire attention mais en même temps j'avais envie de le voir souffrir. George a feinté une fois du gauche, Mattie a suivi, et c'est à ce moment-là que George l'a sérieusement cogné en lui envoyant un direct du droit sur le côté gauche de la figure. La tête de Mattie est partie en arrière, George lui a balancé trois coups de pied bien sentis dans les tibias, Mattie a reculé en vacillant et j'ai vu des larmes de douleur lui brûler les yeux mais il n'a pas lâché. Il s'est rué sur George, et l'autre a souri. George l'a frappé au ventre, un coup impeccable, aucune raison d'intervenir pour l'arbitre, et Mattie s'est cassé en deux, les bras croisés sur le ventre mais le visage levé vers George. Ce dernier a souri, une fois de plus, il attendait. Il dansait sur place en envoyant les genoux haut en l'air, comme un soldat, et Mattie a tressailli puis il a regardé George avec cet air qui m'a troublé, une expression implorante, ce coup qu'il voulait qu'on lui assène de toutes ses forces, alors George a fait un grand moulinet du bras gauche et il a frappé Mattie en l'envoyant au tapis.

« Je me suis mis à compter, aussi lentement que la dignité l'autorisait, sans quitter Mattie des yeux. Il était couché, le dos à plat sur le plancher. Un filet de sang qui suintait d'une entaille à la joue lui coulait sur les lèvres et je l'ai regardé le lécher ; visiblement le goût lui plaisait. J'ai compté jusqu'à dix avant de le déclarer K.-O. et de lever en l'air la main de George dont le contact me faisait horreur. Mattie s'est relevé lentement. Il s'est mis à genoux, a secoué plusieurs fois la tête pour s'éclaircir les idées. Puis il s'est redressé sur ses pieds et il a pris un air sévère. Félicitations, a-t-il dit en tendant la main à son vainqueur. Tu as gagné à la loyale. George a souri, d'un petit sourire tendre, cette fois, il a tendu la main à son tour, les deux adversaires se sont salués et c'est à ce moment-là que je suis parti. »]

L'aristocrate et le cockney s'engagèrent alors dans une inquiétante amitié qui allait les entraîner jusqu'à Londres, et de là à la mort, morts respectives et distinctes auxquelles Ivory devait assister sans pouvoir s'exprimer sur l'une au moins d'entre elles.

C'est à l'été 1940 que George fila à l'anglaise à Londres pour retrouver son Silvertown. Mattie monta dans le train avec lui, ainsi qu'Ivory, qui n'était plus le meilleur ami de son cousin mais simplement son protecteur jaloux.

Ils se glissèrent hors de Hobart Hall avant le lever du jour, le fils de l'ambassadeur et le jeune de Silvertown, chacun tenant à la main un sac en tapisserie comme des pensionnaires en route pour de mystérieuses grandes vacances. Mattie avait passé son costume de rechange à son « double secret et souffreteux ». Ivory les rejoignit sur le quai de la gare de Norwich peu de temps après qu'ils furent arrivés au terme de leur longue marche à travers la ville. Sur ce quai il n'y avait qu'eux trois, l'air frigorifié et perdu dans le petit matin. Les deux conspirateurs s'assirent en silence, tout près l'un de l'autre, sur l'unique banc de bois. William resta debout, un peu à l'écart. Bien qu'ils ne l'aient pas invité, les autres ne pouvaient l'écarter. On peut supposer un chantage, Ivory les menaçant de mettre sans plus tarder la femme de l'ambassadeur au courant s'il ne lui était pas permis de participer à leur grande aventure [1]. À moins que Mattie ait eu envie que William se joigne à eux.

Arrivés à la gare de Liverpool Street, ils sautèrent dans un bus pour Silvertown, une zone industrielle de chantiers navals ainsi baptisée à cause de l'usine de caoutchouc Silver qui à l'époque dominait tout le quartier. Ils y restèrent une semaine environ, dormant dans les docks et traînant dans les rues, vraisemblablement sans trop savoir ce qui les avait amenés là, mais bien persuadés que le Norfolk était désormais loin derrière. La ville se préparait depuis si longtemps à l'attaque de l'ennemi que tout le monde avait fini par croire qu'elle n'aurait jamais lieu. La guerre se déroulait quelque part, mais ailleurs, loin.

L'attaque eut lieu à la fin du mois d'août. Perdus au-dessus de Londres dans le ciel nocturne, deux bombardiers allemands qui transportaient dans leurs soutes des bombes destinées aux dépôts de munitions en bordure du fleuve, à l'extérieur de la ville, les lâchèrent tranquillement sur les docks des faubourgs Est. Churchill autorisa un raid de représailles sur Berlin. La Blitzkrieg venait de commencer. Le 7 septembre 1940, une première vague de bombardiers allemands pilonnait la capitale britannique. Les premières bombes lâchées sur Londres atteignirent Silvertown [2].

---

1. Pour les détails sur l'escapade en temps de guerre, je m'appuie à la fois sur ma lecture des journaux d'Ivory relatifs à cette période, sur les lettres ultérieures qui s'y réfèrent (et qui parfois contredisent les premiers), et sur les souvenirs que Matthew Ivory conserve des histoires que lui racontait son père quand il était petit.

2. Silvertown ne mérite pas qu'on s'apitoie dessus. C'était un quartier pourri. Toute une racaille de petits Blancs qui s'entassaient dans des immeubles noirs de suie le long d'un fleuve immonde. L'image du cockney gai comme un pinson évoquée par Brougham Calder est un énorme mensonge. Des gangsters en garnis, des bonshommes à casquette rêvant de s'offrir des lévriers, de grosses bonnes femmes vieillies par les maternités sans joie, des gosses qui virent sans doute dans la guerre la chance inespérée d'une mort rapide et facile, partout des soupes populaires, des magnats de bande dessinée, des alignements de petites maisons toutes pareilles, minables, avec les cabinets au fond du « jardin », une jungle grande comme un mouchoir de poche. Tout le quartier a été bombardé et personne n'a pleuré les briques parties en fumée.

George y était, à Silvertown, où en finaud prophète de la catastrophe il attendait depuis un bout de temps qu'elle ait lieu, et Mattie se trouvait avec lui. Les premiers bombardements leur firent oublier Ivory. Ils le perdirent dans les incendies. Lui passa les mois qui suivirent à leurs trousses, reniflant à la trace le couple de tapettes ridicules jusque dans les bars décadents au sous-sol des hôtels chics, sur les quais du métro, sur le chemin de halage du côté de Putney Bridge ou encore dans le parc de Hampstead, et au hasard des ruines il les aura sans aucun doute entraperçus, ces mômes aux amours de catastrophe.

Vers la fin du mois de décembre 1940, Ivory s'engagea dans le corps des pompiers auxiliaires de Westminster. Il n'avait pas l'âge requis mais les auxiliaires prenaient tout ce qui se présentait. [« George est une créature de la guerre. Je le vois jubiler de loin, quand les immeubles incandescents illuminent ses traits, et derrière lui je vois Mattie qui s'efforce d'éprouver la même délectation furieuse mais sans tout à fait y réussir. Je les ai vus sur le toit de l'usine Silver : il n'y avait qu'eux dans le quartier pour ne pas porter de masques à gaz, alors que la douce odeur funeste emplissait l'air embrasé. Au bout du compte il s'est avéré que ce n'était pas un gaz toxique, rien qu'un entrepôt rempli de poires pourries ravagé par les flammes, mais ils n'étaient pas censés le savoir. J'ai le sentiment que le chaos n'est pas seulement dû aux bombes ennemies. J'ai le sentiment que George et ses semblables prennent plus que leur part aux destructions. La convoitise et la lubricité leur coulent sur la figure comme du sang. Il faut que je trouve comment délivrer Mattie de son funeste ami » 11 janvier 1941.]

Et la nuit où il leur mit enfin la main dessus, la nuit du 8 mars 1941, au Café de Paris, il fit tout son possible pour Mattie, son cousin préféré. Dans le naufrage, dans les décombres fumants et les débris de plâtre éclaboussés de sang, sous les yeux attentifs et abusés de sa cousine Sophie, William Ivory couvrit le corps de George, l'ennemi pris au piège, du cadavre de Martin Poulsen, propriétaire de boîte de nuit et roi du champagne. Et par-dessus il édifia un abri étouffant en utilisant le bois de l'estrade démolie.

Noble et assassine, cette tentative pour récupérer Mattie échoua. George était mort, certes, mais Mattie s'éloigna davantage encore. Il s'enrôla dans les Équipes d'intervention d'urgence. Il devint un héros téméraire encensé par la presse entière, l'aristo anémique qui se jetait tête la première dans les ruines d'immeubles anéantis par les bombes pour resurgir longtemps après avec sur le dos un enfant brûlé qui justifiait sa prise de risques. Il partageait un appartement dans les ruines de Silvertown avec son chef d'équipe, un personnage que tout le monde appelait simplement la Truffe à cause de l'étrange talent qui lui permettait de reconnaître l'odeur des corps vivants sous les ruines, talent qu'Ivory avait mis à l'épreuve, et déjoué, dans les ruines du Café de Paris. La chance resta avec Mattie jusqu'à la fin ou presque : il trouva la mort à la périphérie de Silvertown, dans une fabrique de parfums soufflée par l'explosion d'un V2. Il n'avait plus adressé la parole à Ivory depuis la disparition de George [1].

Ivory avait été recueilli par Eileen, la comtesse F***, héritière décatie et à moitié folle d'une grande famille d'Europe centrale qui portait une choucroute de cheveux oxygénés mousseux, genre barbe à papa, et avait une formidable fringale de cachets de Benzédrine et de choux à la crème. Ils vivaient ensemble, l'aristocrate défoncée et l'arriviste fou de guerre, dans un appartement au premier étage, sur Percy Street. [« Cet endroit sent la dégradation. Il doit y avoir en moi quelque chose pour aimer cette faiblesse, cette laideur, cette saleté. Et puis il y a ce qui se passe dehors : les ruines, les incendies, l'énormité splendide de la destruction, l'étrange et terrible

---

1. Je perds mon sujet de vue. Je devrais avancer pas à pas au lieu de foncer à toute allure. Et tu sais pourquoi je fais ça, hein ? Ce n'est pas au Londres de la guerre que je pense — Dieu sait pourtant que j'ai joué de mon mieux les Sherlock zélés pour découvrir ce monde — c'est au Londres d'aujourd'hui, ou plutôt d'il y a quelques mois. Lorsque tu es rentrée. Revenir en arrière ? Allonger la sauce ? Boucher les trous ? Allez. Continue d'avancer. Ivory. L'histoire.

beauté des collisions accidentelles des fragments fracassés. Mattie vit avec la Truffe, à présent. Cela fait partie de ses plans pour s'oublier dans les jeux mortels auxquels George l'a initié. Il est certainement perdu. Je ne le plains plus, je ne m'inquiète plus pour lui. Il a rencontré son destin » 6 avril 1943.]

Un jeune homme bohème, Julian Brougham Calder, jouait les tiers dans ce ménage brouillon. Unique locataire d'Eileen jusqu'à l'arrivée d'Ivory, il avait alors été dépossédé de la chambre d'amis et déménagé sur le canapé du salon, sauf lorsque la comtesse s'y réfugiait pour cuver une de ses cuites aux Benzédrines. Les choses devaient toutefois retrouver leur cours normal avant la fin de la guerre. En décembre 1944, Ivory notait dans son journal. [« La médiocrité d'esprit de Brougham Calder, cet idiot anodin, couve une terrible et terrifiante ambition. Comme Eileen dormait et que Julian était sorti, j'ai fouillé dans ses papiers à la cuisine. Sans me sentir coupable le moins du monde : il n'agirait sans doute pas autrement si je lui en laissais l'occasion. Je suis tombé sur une liste pitoyable de "projets futurs" où rien ne manquait, le nom des éditeurs, le prix, le nombre de pages et les idées pour les illustrations de couverture, le tout rédigé d'une petite écriture nerveuse et scolaire [1].

« Mattie est mort. J'ai souhaité qu'il meure et je souhaitais aussi le voir mourir. La parfumerie s'est écroulée sur lui, j'ai entendu ses cris dans le souffle de la déflagration et si j'avais pu voir son visage je sais qu'il aurait eu l'air heureux.

---

1. Tu n'as jamais rien écrit, Brougham Calder, pas vrai ? Ces titres de livres que tu m'énumérais, ce sont les mêmes que ceux que tu programmais à l'époque de la guerre sur ta table de cuisine — ajuster les prix pour tenir compte de l'inflation est le seul travail que tu aies fait dessus. Et ton échec t'a rendu venimeux, hein ? Tu as découvert les dessous de la version officielle bien élevée sur les années de guerre d'Ivory et tu m'as servi une minable histoire anti-héroïque de meurtre et de vengeance ; mais sous cette autre histoire s'en cachait encore une troisième, plus obscène que la tienne et plus héroïque que la première.

« Le temps de quelques années fougueuses remplies d'occasions, la ville s'est abandonnée à une désinvolture magique. Désormais les choses se sont remises en place. Ce Londres éreinté a retrouvé son prosaïsme bien arrimé. »]

Entre-temps, dans le Norfolk, Hobart Hall avait été réquisitionné pour servir de cantonnement militaire ; quant à l'ambassadeur, il servait son pays en travaillant en cachette sur les codes secrets. À Norwich, l'ex-capitaine Ivory père était bien aise de pouvoir s'occuper d'un bataillon de gardes à cheval qui protégeait les côtes du Norfolk de l'invasion nazie. Ivory mère, elle, donna dans les bonnes œuvres aux réfugiés avant de s'engager comme chauffeur-infirmière dans les Volontaires féminines. Mais une fois le monde à nouveau protégé par la démocratie, le capitaine Ivory veilla à assurer l'avenir en se consacrant à la chapellerie familiale. Tout au long de la guerre, le moulin avait continué de tourner pour produire casques de soldats et képis d'officiers, réalisant ainsi un joli bénéfice. Une fois la guerre terminée, l'entreprise revint pour l'essentiel aux feutres, aux chapeaux mous et aux bolivars des civils, aux articles enrubannés coiffés par les douairières provinciales de sortie, mais elle conserva une partie des contrats qui la liaient à l'armée. Le comptable, Mr. Petersens (un Letton qui avait fui Riga en 1938), en était satisfait. L'affaire prospérait.

Le jeune Ivory, lui, avait disparu, on le croyait mort, on le pleura peut-être — encore un qui ne reviendrait pas de la guerre. Mais pour finir, le fils prodigue, le Fitzrovien repenti, réapparut en 1950 par un beau matin de printemps. Il avait vingt-quatre ans. Une photo de lui datant de cette époque le montre sémillant dans un costume coupé ample, bien trop pour que la carte de rationnement d'un honnête homme ait pu y suffire (manière de bras d'honneur à l'adresse de l'austérité d'après guerre), et coiffé d'un borsalino à large bord (gracieusement fourni, c'est sûr, par la maison Ivory & Fils, chapeliers à Norwich) incliné sur sa tête à la façon des gangsters. Son corps est mince, élancé, nourri des fortes sensations de la guerre, las des limites de la paix. Il arbore une moustache impeccable à la David Niven.

À supposer qu'il ait parlé de son retour dans un des carnets, ces lignes ont disparu [1]. Mais nous savons qu'il y eut très tôt matière à conflit. Ivory n'avait jamais cessé de jouer du piano ; dans les bouges où la nuit durait jusqu'au matin on faisait sans cesse appel à un pianiste pour réveiller l'instrument avec des airs ironiques. Et maintenant qu'il était revenu de la guerre et que l'entreprise familiale prospérait, il brûlait d'être renvoyé à Londres avec en poche assez d'argent pour s'inscrire à l'Académie royale de musique.

Sa mère l'appuya quelque peu, mais son père pas du tout. Le rôle de William consistait à travailler dans le magasin de chapeaux, à apprendre le métier comme Thomas l'avait fait avant lui pour justifier le « & Fils » de la raison sociale. On devine facilement à quel point l'idée l'ulcérait. À ce propos, il écrivit dans son journal. [« Mère ne sert à rien et Père insiste. Je ne vois guère d'issue à moins de disparaître à nouveau. Je préférerais une autre solution. Pour l'heure, pour toujours peut-être, j'en ai fini avec la vie de bohème londonienne et je n'ai pas d'argent pour partir à l'étranger. Ils m'ont traité de snob. Ils n'ont aucune idée de ce qui s'est passé pendant la guerre, des opportunités qu'elle offrait à ceux d'entre nous doués d'imagination et de volonté » 7 avril 1951.]

Le chapelier malgré lui s'établit donc dans une éphémère existence de commerçant. Six mois durant, il servit derrière le

---

1. L'auteur n'a malheureusement pas les journaux de la période 1945-1949 (merci Helen). Je sais que la rédaction de nouvelles a absorbé une partie de son temps. Son fils Matthew pense qu'il poursuivait des recherches sur le surnaturel. C'est assez crédible en ce sens qu'Ivory fut toujours homme à se rebiffer contre son temps et que la mode intellectuelle était alors au matérialisme (marxiste ou autre), au détriment du mysticisme. Je n'en ai toutefois aucune preuve. Après son mariage, en 1956, Ivory cessa de tenir son journal, supplanté par les lettres à Helen.

comptoir de la boutique. Il se rendit à l'usine, dans les faubourgs de la ville, pour surveiller la fabrication des feutres, des chapeaux mous et des coiffures pour dames. Le bohème fatigué n'approchait plus de Londres.

Je ne sais quelle était l'emprise qu'Ivory exerçait sur Petersens. Il lui avait peut-être promis de libérer la Lettonie ; plus vraisemblablement, il eut vent d'un petit secret minable concernant le vieux comptable, le monta en épingle puis s'engagea à ne pas l'utiliser pour lui nuire en échange d'une mainmise absolue sur les finances de l'entreprise. Quoi qu'il en soit, il avait toute latitude pour puiser dans la caisse.

À partir de là, il se mit à retourner à Londres. En ville, il cultivait une lassitude mondaine qui l'enveloppait d'un air de mystère. Ivory était snob, assurément, jamais il n'aurait admis être devenu boutiquier en province. Il avait besoin de retrouver les fortes sensations que les grandes aventures et les mystères de Londres lui avaient procurées pendant la guerre. William Ivory se mit donc à jouer.

Il ne vivait plus que pour ces week-ends londoniens, ces soirées passées à miser l'argent de son père sur les caprices du sort et de la chance. [« Connaître le plaisir de gagner ; saisir la chance à la gorge et la regarder se fendre d'un grand sourire de reconnaissance lascif. Ou l'autre alternative : l'échec. Se sentir lessivé par cet affreux dégoût pour soi d'avoir perdu, d'avoir laissé son aplomb s'effriter, sortir et marcher dans les rues qui résonnent de la répugnance qu'on s'inspire à soi-même à cause des occasions perdues, ces moments horribles où l'esprit se brouille et où l'on prend la mauvaise décision. Ou l'autre alternative : l'instant de triomphe vorace où il faut lutter pour empêcher ses mains de trembler parce que cela fait mauvais genre de manifester trop d'excitation, où tout marche, où l'on a tout pour soi, la chance surtout, où l'on devient tout-puissant. Cet instant où l'on est le maître » 3 août 1951.] Chaque fin de semaine il participait à une partie de chemin de fer organisée tour à tour dans des appartements privés de

Chelsea. Et vint une nuit où il rafla tous les gains. [« Le moment parfait entre tous » 21 août 1951.]

Ivory ne fut plus réinvité aux tables où se déroulait ce jeu de chemin de fer. À partir de l'automne 1951, en revanche, tous les vendredis soir il retrouvait plusieurs de ses vieux copains de Fitzrovia dans un casino clandestin de Kensington. Pendant quelques semaines il se contenta d'abord de regarder ce qui se passait, puis, suivi d'une fille mystérieuse et mal fagotée qui ne le lâchait pas d'une semelle, il se mit à jouer au chemin de fer et gagna de façon extravagante. [« Je suis tenté de croire en je ne sais quoi de plus fort encore que la chance. Margaret affirmait que ça marcherait et ça a marché, comme si c'était écrit. Elle m'avait dit de jouer une demi-heure, j'ai joué une demi-heure sans jamais perdre la main. Sachant qu'il y a des établissements où l'on truque les jeux, je me tenais sur mes gardes, mais apparemment tout était régulier. J'ai quitté la table au moment convenu, riche. Nous avons fêté la chose ensemble, nous avons passé la nuit ensemble et le lendemain matin j'ai consacré une partie de mes gains à lui acheter une nouvelle toilette pour la dédommager de tout ce qu'elle pourrait avoir l'impression de perdre. Là-dessus, retour à Liverpool Street. Retour à Norwich la grise, aux bons de commande, aux ganses et au feutre » 21 septembre 1951.]

Dans la quinzaine qui suivit, Ivory rejoua deux fois et gagna autant. Puis vint l'apogée. Le soir où la fille, empruntée dans sa robe neuve de couturier français, n'était plus avec lui. Le soir où il perdit tout ce qu'il avait amassé les semaines précédentes avec sa veine de pendu. Et bien plus encore. [« L'orgueil insensé de William Ivory. Je me suis fait rouler comme il faut. Jackie avait tout arrangé pour son ami le Jamaïcain, Margaret pour Jackie, et moi pour moi. J'admire Jackie d'avoir si bien compris mon fonctionnement psychologique. Il savait de quel type de fille je peux me toquer, et il a parfaitement su enclencher les choses. Les imbéciles qui nous regardaient croient maintenant au surnaturel, il n'y en a pas un pour réaliser que Jackie truquait le jeu. Quant à Margaret, en fait, elle suit les cours de théâtre du Conservatoire. Je lui souhaite une grande carrière. Je ne veux de mal à aucun d'entre eux et

166

me félicite d'avoir réussi à prendre les choses aussi bien. J'ai perdu avec dignité. Rien de tout cela ne serait arrivé si j'avais aussi dignement battu le Jamaïcain, mais, dans ce cas, je n'en aurais pas appris autant. C'est un assez beau gâchis, et qui aura peut-être ses inconvénients, mais le compte est réglé et je vais partir. Fini les chapeaux » 11 octobre 1951.]

Il usa de son influence sur Petersens pour retirer tout l'argent de l'entreprise afin d'honorer sa dette à l'égard de Jackie (une dette de jeu restait une affaire d'honneur, on ne faisait pas la part des circonstances). Pour, sans un mot, sournoisement, acculer ses parents à la ruine — ce qu'il justifiait peut-être en y voyant un châtiment mérité pour ne pas l'avoir laissé suivre des études de musique — et quitter Londres en cachette. Une fois sa dette épongée, il lui restait un peu d'argent. Il convertit cette somme en valeurs et en actions et s'éclipsa quelque part en Europe [1].

Où qu'il soit parti, il réapparut beaucoup plus vite qu'on aurait pu le penser. Il fit un retour calme et discret et vécut dans un anonymat tranquille. En se consacrant tout entier à ses recherches et à sa correspondance avec Jim Harkin, un ancien de Fitzrovia devenu japonisant [2], engagé par l'Unesco pour un voyage d'études au pays du Soleil levant et resté vivre là-bas. Londres changeait ; Ivory, lui, ne bougeait pas. Il étudia le japonais à Tooting Bec, avec un jeune homme patient qui venait de quitter l'armée.

Lui-même s'était installé en banlieue. Il se risquait rarement dans le centre, allait rarement dans les endroits à la mode. Il

---

1. Il est possible qu'il soit allé à Paris, j'en suis à peu près convaincu. Ivory a peut-être voyagé en Grèce continentale et dans les îles. Il est peut-être allé en Turquie et de là en Afrique du Nord. J'aime penser qu'il a joué du piano dans un bordel du Caire ou de Fez. Je le vois assez bien s'engageant sur un navire marchand. Comme cuistot ou comme officier subalterne aboyant ses ordres à des hommes rogues et bourrus qui le détestaient et dressaient des plans pour le tuer.

2. « On le voyait à Fitzrovia, toujours muet comme une carpe » (Julian Brougham Calder).

s'acheta un chien, un berger allemand femelle [1]. Et ne remit les pieds à Norwich, le temps d'une visite, qu'après avoir lu dans le *Times* de Londres un entrefilet annonçant le décès de son père, présenté comme veuf. Ivory ne savait pas que sa mère était morte mais il n'en fut pas autrement surpris. La ruine ouvre sur l'opprobre public. Et, pour les snobs, l'opprobre public ouvre sur la mort [2].

Le jour, Ivory allait en bibliothèque ; le soir, il rédigeait ses notes, à l'encre violette, sur du papier à lettres florentin. Il menait des recherches sur Gilles de Rais, le roi fou Ludwig de Bavière, Akhenaton, Caligula, Sir Richard Burton, Louis XIV et Louis XV. Il se documentait sur le Hellfire Club, sur George Selwyn, Francis Dashwood, John Wilkes, Lord Sandwich. Il se prit d'une immense admiration pour le dandy Boothby. Les êtres cruels, les suicidés, les rêveurs le fascinaient. Il lut tout ce qu'on pouvait lire sur les décadents français. Sa préférence allait à Robert de Montesquiou et les premiers livres de Huysmans ne quittaient pas sa table de chevet. Il se découvrit un goût pour les Gauloises et le bon vin rouge. Mais c'étaient les seules faiblesses qu'il s'autorisait sur ses minces revenus. Il projetait d'écrire un livre qui ne devait être publié que vingt ans plus tard, à cause des retards dus aux péripéties de sa vie et à ses maladies. Le livre s'appellerait *Plaisirs décadents*.

---

1. Choisi à son intention par J.R. Ackerley, le rédacteur en chef de la revue *The Listener*.

2. Ivory avait prévu qu'il y aurait des « inconvénients ». Petersens, le comptable de la maison Ivory & Fils, se tira une balle dans la tête le lendemain du jour où Ivory se tailla avec le fric de l'entreprise. Malheureusement, sans réussir à s'achever avec l'arme réglementaire du capitaine de la Garde Thomas Ivory, l'infortuné Letton perdit d'un coup l'usage de ses fonctions cérébrales à l'exception des plus vitales. Il devait vivre encore dix-huit longues années végétatives dans le pavillon des incurables Philip Glaven de l'hôpital de Norwich.

Qu'est-ce que c'est que ce bruit, tu entends ? On dirait une lente mélodie française. Mélancolique, genre fin-de-millénaire. On a l'impression que ça vient de l'infirmerie. Tu entends ? C'est le type de musique qu'Ivory adorait. Rien à secouer d'Ivory. J'espère que ça va, pour Helen. Ça ne me plaît pas de penser qu'elle doit se débrouiller toute seule dehors la nuit. Rien à secouer de Helen. Rien à secouer des bouquins d'Ivory, de ses chiens, de ses gosses. Si on parlait de moi, plutôt ? En haut j'ai de fausses incisives mais autrement toutes mes dents sont d'origine. Chaussé rien qu'avec des chaussettes je fais un mètre quatre-vingt-sept (toujours pensé que j'arriverais à dépasser mon père d'un petit centimètre mais on a la même taille) pour quatre-vingt-six kilos. Des filles de dix-sept États différents m'ont complimenté sur ma façon de danser. J'ai travaillé dans des journaux — musique rock et sports, des domaines où je touche ma bille. En 1989, j'ai repris à Red Kavanagh sa chronique hebdo sur le base-ball et je l'ai lâchée au bout de trois ans et demi quand le rédac' chef de la rubrique sports a remplacé mon papier sur le racisme des Red Sox par de vieux souvenirs datant de la guerre. Quinze jours plus tard je te rencontrai. Après ça je me suis éclaté, tu me chopais à un moment critique. J'ai publié des poèmes dans *Ploughshares*, *The Kenyon Review*, *Grand Street*. Je ne suis pas un si mauvais parti que ça. À la fac, j'ai travaillé comme DJ dans une station de radio. J'ai fait des bœufs avec Nils Lofgren. Jonathan Richman a écrit une chanson qui parle de moi. Les filles me tombaient dans les bras. Je n'en ai jamais épousé une.

Il m'a semblé voir Mary dans une rue près de la Tamise. *Ivory eut son deuxième chien en 1962, l'année où naquit son deuxième enfant.* Il m'a semblé voir ma fiancée délaissée s'avancer vers moi dans sa veste en jean, du côté de la Tate Gallery. *Un berger allemand, là aussi, mais un mâle cette fois. Il l'appela Gaspard (nom que ses enfants abrégèrent en Gassie).* Entre elle et moi il y avait une statue de danseuse. Je me suis caché derrière, tapi à l'abri du tutu de métal noir. *Peu après l'arrivée de ce chien, Ivory se mit à partager son temps entre la maison familiale de Tite Street et sa province natale.* Mary avait des amis à Londres, autrefois elle enseignait ici, certains sont venus habiter chez nous et l'un d'entre eux, n'importe lequel, a pu me croiser et lui téléphoner : « Il est là, ce minable, viens le chercher, on te l'a coincé. Ramène-le à Boston, épouse ce salaud et surtout ne le laisse jamais oublier qu'il a essayé de se tirer. » *Ivory s'acheta une maison dans le Norfolk, à l'intérieur des terres, isolée. Il l'acheta chez un notaire qui réglait la succession d'un riche adepte de l'occultisme. Le village le plus proche s'appelait Binham.* Je ne lui ai pas écrit, pas passé un coup de fil, on s'était bagarrés, ceci dit le mariage devait quand même avoir lieu et je me suis taillé en la laissant à Boston tirer des plans sur un avenir imaginaire — on n'avait toujours pas décidé quel groupe de musiciens on engagerait pour la fête. *Ivory et Gaspard faisaient de longues promenades sur la corniche de Holkham Bay. Le chien courait après les mouettes et les sternes dans les dunes de sable, mais le coup de sifflet cassant de son maître suffisait à le ramener.* Ce n'était pas Mary, c'était Mary, ce n'était pas Mary (ça ne te rend pas jalouse, hein ? tu ne triomphes même pas), je ne lui ai pas laissé le temps d'arriver pour la regarder de près, j'ai tout simplement détalé. *Ivory présentait son chien dans des expositions canines. Gaspard gagna plusieurs fois le premier prix et fut souvent bien placé. Comme par mystère Ivory était désormais riche (il vivait de ses rentes) et Helen, sa femme à demi abandonnée, était pauvre, comme par mystère.* J'ai couru le long des quais, sale lâche, va, sale coureur, c'était marée basse, les péniches-restaus se berçaient sur l'eau, des ouvriers réparaient la rue près du Parlement, Big Ben était prisonnière des échafaudages. *En 1967, la famille s'offrit une bonne japonaise. Ivory l'épousa en 1969 et Helen et ses enfants quittèrent alors Chelsea pour une maison victorienne alignée comme toutes ses semblables le long d'une rue à cinq minutes de Holloway Road.* Je l'ai laissée loin derrière, la vraie Mary ou la fausse Mary, l'une ou l'autre, la fille que je devais épouser quand je t'ai rencontrée. *Il avait des aventures avec des femmes plus jeunes (dont je sais qu'il racontait tout à Helen dans ses lettres — je suis déjà tombé sur des fragments de confession à demi-mot). Il écrivait son livre.* J'ai continué à courir, le ventre mâché par de vieilles douleurs réveillées par l'exercice, Trafalgar Square, Chinatown, Soho, et comme ça en courant toujours jusqu'à ce que j'arrive dans les ruelles détournées de l'ancien quartier de Fitzrovia. *Ivory avait-il pris son chien avec lui pour visiter Hobart Hall ? Je ne saurais le dire. Ce qui est sûr c'est qu'il adorait ce chien. Gibbs me l'a confirmé.* J'ai foncé dans un bistrot au nom français, près de Percy Street, j'ai commandé une bière, regardé le menu qui se donnait des airs d'avoir été écrit à la main et attendu que la sueur sèche sur mon visage. *Quand les enfants eurent grandi, Helen les envoyait dans le Norfolk pendant les vacances scolaires. Eux aussi ils adoraient Gaspard, surtout la fille, Deborah.*

J'ai mangé lentement. En respirant à fond pour me détendre. Le plat était trop riche, écœurant, noyé de sauce, et comme le serveur n'aimait pas soit mon accent, soit ma veste, soit ma sueur, je lui ai laissé un gros pourboire, histoire de lui donner mauvaise conscience. Une fois dehors, je me suis baladé dans Fitzrovia, parce que va savoir pourquoi je me sentais en sécurité dans ce quartier. J'ai pris une bière au Marquis de Granby. Et un whisky irlandais pour me rincer la bouche au Bricklayer Arms. En sortant j'ai rejoint Tottenham Court Road avant de me faufiler une fois de plus dans Percy Street. Éreinté par la culpabilité. Dans ma chambre, une pile de lettres attendaient toujours que je les lise et en réalité c'est à elles que cette journée devait être consacrée.

J'ai remonté Percy Street jusqu'à l'immeuble où il vivait à l'époque de la guerre avec la comtesse F***. Nulle trace de Brougham Calder derrière les fenêtres grisâtres. La quincaillerie avait changé en mieux : coudes en U et robinets aux têtes étincelantes dans la vitrine pour attirer les plombiers de passage. J'ai continué à marcher, puis j'ai pilé en me disant et merde, risque la colère du vieux bohème, va voir si sa situation s'est un peu arrangée, tu mettras peut-être la main sur des histoires juteuses. J'ai tourné les talons, j'ai attendu que les voitures me laissent traverser. Et c'est alors que je t'ai vue. Dans Percy Street.

Ça m'a fait un choc. Je l'admets volontiers. Je suis resté planté là, un pied balancé hors du trottoir au-dessus de la ligne jaune d'une place de parking. J'ai crié ton nom. La cohue des voitures nous séparait. Tu ne m'as pas entendu. Je t'ai regardée. Tu étais avec un homme. Une grande asperge blonde insipide qui savait comment s'habiller et se coiffer tout pareil. Toi. Tout à coup, là, en contemplation devant la vitrine du quincaillier. J'ignorais que tu t'intéressais à la plomberie. J'ignorais même que tu te trouvais dans ce pays. Dorothy Burton, aux dernières nouvelles toujours à New York : New York, États-Unis. Tu t'étais fait couper les cheveux, Dorothy Burton. Ils t'arrivaient juste aux épaules, maintenant. Tu t'es détournée de la vitrine. Tu avais l'air pâle, troublée. Presque belle. Tu portais un jean et un blouson de cuir d'homme, un truc simple trop grand pour toi. Il te tombait en dessous des fesses et tu avais remonté les manches pour faire un peu de place à tes mains. Tu fumais une cigarette. Je ne t'avais jamais vue fumer, avant. Tu avais l'air tendu, tu avais l'air de t'ennuyer. À côté de toi, Charlie l'Asperge blonde faisait l'empressé, vieux avant l'âge, le genre jésuite, il ressemblait à un prêtre décadent sorti d'un roman porno français. Charlie héla un taxi, eut des mots avec le chauffeur et — bien élevé, ça fait toujours plaisir de voir des gens bien élevés — te tint la portière pour que tu te glisses à l'intérieur. Il monta à ta suite. Et si ç'avait été du cinoche j'en aurais fait autant. Mais ça n'était pas du cinoche : je suis resté au milieu de la rue jusqu'à ce que les coups de klaxon m'obligent à dégager, je t'ai regardée baisser la vitre, j'ai regardé le taxi s'éloigner.

J'ai flâné le long de Charing Cross Road, tué un peu le temps dans deux salles de jeux vidéo, regagné l'hôtel et lu quelques lettres d'Ivory — les faciles conquêtes sexuelles qu'il confiait à Helen et, çà et là, des remarques peu flatteuses sur ses enfants. Le téléphone sonna à deux reprises dans l'entrée et, comme l'Australien n'était pas là pour répondre, chaque fois je suis descendu mais ce n'était jamais toi qui appelais. J'ai réessayé le numéro de Jim Harkin et cette fois quelqu'un a décroché. Un jeune effronté qui me déclara que le professeur était en voyage en Orient. Devait rentrer d'ici un mois, en principe. Ça m'a un peu consolé. Je suis remonté. J'ai ressorti les bouquins d'Ivory, c'était l'heure de lire.

Tu n'as pas lu *Morita*, le roman d'Ivory. Publié en 1976, il s'achève sur une conclusion macabre. C'est ce que dit le baratin de la couverture qui pour une fois ne ment pas.

Le roman porte sur les quatre dernières semaines de la vie de Mishima Yukio, vues par les yeux de Morita Masakatsu, lieutenant, admirateur et objet fétiche de l'écrivain. Morita, c'est le type normal. Toujours impassible, sans imagination et sans humour, il est pénétré du respect qu'il doit à son maître et plus qu'à moitié débile. Lorsqu'ils sont ensemble, ils s'habillent tous deux en uniforme et s'entraînent à des pratiques martiales, une notamment que Morita n'appelle jamais que « La perfection ». Mishima apprend aussi à son gentil sous-fifre à bien se tenir à table et il l'emmène dans les soirées de la bonne société de Tokyo, où les mauvaises langues vont bon train.

Il n'y a dans la version d'Ivory aucune allusion à une histoire d'amour ou de sexe entre les deux hommes, mais — et c'est magistralement rendu — tout le roman baigne là-dedans, en particulier lorsque la narration est interrompue par des apostrophes à la nature lancées à la troisième personne. Cette voix à la troisième personne resurgit à la fin, lors de l'incident. Toujours flanqué du respectueux Morita, Mishima en appelle publiquement au patriotisme, à l'amour de l'empereur, à l'indépendance militaire, et se fait conspuer par les soldats des forces de la légitime défense. Humilié, sous le choc, le martyr se replie du balcon au bureau où deux autres membres de son association de sauvegarde surveillent le commandant des forces de légitime défense, bâillonné et ligoté sur son fauteuil.

Mishima déboutonne sa tunique, s'agenouille selon les règles et se transperce le ventre avec son yoroi doshi. C'est pour de vrai « La perfection », un numéro qu'ils ont maintes fois répété :

> Je m'avance selon les règles et frappe avec mon épée pour trancher la tête de mon maître comme nous nous y sommes entraînés.

Le récit de Morita s'achève sur ces mots. La conclusion, qui court sur trois pages savoureuses et brutales, raconte comment il échoua à décapiter son maître. Il essaie une fois, puis une deuxième. Sans succès. C'est l'apothéose et il la bousille complètement.

> La tête massacrée de l'écrivain pendait vers l'avant, accrochée aux tendons à moitié coupés, à ces magnifiques muscles du cou ciselés en bandelettes. Sa carotide envoyait le sang trahi jaillir sur les murs du bureau, sur le balcon, sur les vêtements des trois hommes présents et sur le visage souillé de pleurs de son misérable exécuteur. Morita lança à voix haute le nom de Koga ; Furu-Koga s'avança et d'un coup détacha la tête de Mishima de son corps. Morita qui s'était avec tant de zèle entraîné en vue de cet instant parfait entre tous plongea sa courte dague dans le pli de son ventre et à peine le sang s'était-il mis à couler qu'il glapit sa détresse et sa souffrance et inclina la tête en se soumettant à l'épée miséricordieuse de Furu-Koga.

Le roman se termine ici. C'est romantique et macabre à souhait.

Le lendemain, d'un seul coup d'un seul je devenais le type le plus populaire de la ville. Les gens se mettaient à me courir après. Martha Brennan me passa un coup de fil, juste pour bavarder, vous savez, et puis Nick Wheel, qui voulait essayer de me brancher sur un contrat d'assurance, Julian Brougham Calder, désireux de comparer ses notes sur la littérature, et Roland Gibbs qui euh... (nasillement)... se rappelait une ou deux petites choses... ils y allaient tous de leur chansonnette en ménageant des pauses éloquentes, histoire de me laisser l'occasion de leur fournir spontanément des tuyaux, ils affirmaient tous qu'il fallait que je reste en contact et s'en tenaient là, non sans tristesse, comme si je les avais plus ou moins laissés tomber. Je campais dans l'entrée. Le téléphone continuait à sonner. Dernier appel.

« Tierney, c'est D.B. »

Ta voix. Je ne me souvenais pas que tu te sois jamais présentée sous tes initiales, avant.

« Où es-tu ?

— Toujours à New York mais je rentre bientôt. Je vais sans doute aller habiter chez ma mère.

— New York ?

— New York, oui. Mais je vais rentrer. Tu as reçu l'argent ? On va bientôt se voir et je t'en avancerai davantage. À ce moment-là on fera le point. Sur ce que tu as trouvé.

— Ça n'arrête pas de sonner, ici. Je suis le type le plus populaire de la ville. Et dire que tu appelles de New York ! La ligne est vraiment bonne.

176

— On n'arrête pas le progrès. Tu n'as pas à t'inquiéter des autres. Ce n'est pas important. Je t'ai trouvé une nouvelle piste. Tu vois, je bosse, moi aussi. Il y a une femme, bibliothécaire à la British Library au début des années soixante-dix. Elle a eu une liaison avec Ivory.

— Comment le sais-tu ? » Tout cela me chagrinait un peu. Tu marchais sur mes plates-bandes.

« J'ai vu quelqu'un, hier. Quelqu'un qui le connaissait. Les gens sont bavards, dit-elle.

— Quelqu'un à New York ?

— C'est quoi cette fixation sur New York ?

— Qui était cette femme ? Une histoire d'amour ?

— Plus ou moins. Je ne sais pas comment elle s'appelait. Une vieille fille. Elle se mettait des tartines d'ombre à paupières bleue. C'est tout ce que je sais. »

Là-dessus tes défenses et les miennes se relâchèrent. Nos voix se firent plus douces, nos mots moins pesés. Le monde rapetissa à portée de nos voix, touchant. Puis je t'ai demandé où vivait ta mère et tu n'as pas répondu à ma question.

Gibbs y avait fait allusion en passant. Tu me mis sur la piste. Mais c'est une lettre d'Ivory à son ex-femme qui m'a donné le début de l'histoire.

7 janvier 1973

Chère Helen,
J'espère que vous allez bien, vous et les enfants. Avez-vous reçu mon chèque ? Matthew est devenu un vrai petit crac. J'ai été très occupé par mes recherches japonaises au British Museum, où je viens de m'embarquer pour une aventure faubourienne.

Je l'ai remarquée au bureau d'informations où elle aidait un universitaire étranger — il aurait pu être roumain — à établir sa bibliographie. Il cherchait haut et fort à mettre la main sur un manifeste artistique publié sous le manteau à Moscou au début des années vingt. Des touffes de poils lui sortaient du nez et des oreilles. Je l'ai observée, aux prises avec cet universitaire hirsute. Elle gardait tout le temps les yeux fixés sur lui ; se penchait anguleusement vers lui en pressant son pelvis contre le bois vieilli du comptoir ; repoussait parfois ses cheveux en arrière, des cheveux rares, raides et gras. C'était une femme à l'air étrange, maigre et fuyante, qui pouvait avoir entre vingt-cinq et soixante ans. Elle s'était ingénument passé du fard bleu sur les paupières, un soupçon de couleur cosmétique animait ses joues plates. Avec cet universitaire, elle était chaleureuse et professionnelle, mais avec en plus un côté espiègle : comme une petite fille qui joue à séduire son cher

178

oncle à la réputation dangereuse ; et c'est à n'en pas douter la réputation qui la transportait et qui animait ses doigts solitaires pour les diriger, la nuit, sous la chemise. Elle avait un accent des faubourgs, celui peut-être de Finsbury Park ou de Cricklewood, une voix brouillée par la lecture, par la contemplation de mots qu'elle n'entendait jamais prononcer mais qu'elle roulait peut-être sous sa langue pour simplement les savourer, dans le bus qui la ramenait chez elle. La voix d'une femme à qui personne n'a jamais dit qu'elle était belle.

Je vous tiendrai au courant.

W.

Là, on est en 1973 ; il s'est remarié en 1969 et continue à lui écrire comme s'ils partageaient une forme de complicité. Qu'a-t-elle bien pu ressentir en apprenant l'intérêt prédateur qui le poussait vers une autre ? Et pourtant j'aime la lettre. Condescendante pour le personnage gauche de la bibliothécaire, c'est vrai. Et d'une clairvoyance douloureuse, mais avec aussi de la compassion. Une compassion qui n'est pas loin d'être sentimentale.

Un conservateur adjoint de la British Library se souvint d'elle à partir de la description d'Ivory. Miss P*** : elle avait brusquement démissionné au milieu des années soixante-dix pour, lui semblait-il, aller travailler dans une bibliothèque municipale quelque part dans le nord de Londres. En bus, à pied, muni d'un exemplaire des Pages jaunes et d'un index des rues, je suis parti en quête des bibliothèques des faubourgs de Londres. Des endroits tristes et décatis où officiaient des individus vaguement sexués qui puaient du bec et portaient des lunettes, les descendants anémiques, supposai-je, de ces missionnaires victoriens qui n'arrêtaient pas de faire des trucs bizarres en Afrique.

Je l'ai trouvée vers la fin de la journée, dans la bibliothèque municipale de Highbury et d'Islington. Une jolie bâtisse à un jet de pierre de la maison de Helen, de l'autre côté de Holloway Road, en bordure d'espaces verts où jouent des chiens et des enfants, pour dire les choses à la manière d'Ivory. Elle était là, au bureau des inscriptions. À tamponner des bouquins. À les faire passer d'une pile à l'autre. On la reconnaissait tout de suite à la description de la lettre. Elle portait la même vilaine ombre à paupières bleue et un trait de couleur cramoisi cernait approximativement ses lèvres minces. Elle avait les cheveux gris. Je m'approchai d'un présentoir pivotant consacré aux poches de science-fiction et l'observai tout en faisant mine de m'intéresser aux titres. À un moment donné, elle leva les yeux et nos regards se croisèrent avant que j'aie le temps de détourner le mien. Elle ne rougit pas et n'eut pas non plus l'air embarrassé. Moi si, les deux.

Je revins le lendemain, tout beau, rasé de près, habillé avec recherche, comme un amoureux à la fois plein d'espoir et empêtré dans une politesse maladroite. Je n'arrivais pas à simplement bafouiller ce à quoi je m'intéressais. Il fallait que j'amène le sujet et, même si cela te paraît sans doute fou, que je lui tende en plus la perche pour qu'elle parle de lui la première. Je lui racontai que je venais de déménager dans le quartier et que je voulais m'inscrire à la bibliothèque. Elle me donna les fiches à remplir avant toute chose pendant que je lui faisais le numéro du type qui cherche dans la poche de son manteau un bout de papier avec sa nouvelle adresse dessus. Elle m'assura que je n'avais pas à m'inquiéter, qu'il suffirait que je l'apporte à l'occasion. Elle fut très gentille à ce sujet.

« À propos, repris-je, je crois savoir que vous avez connu William Ivory. »

Je glissai cela aussi fortuitement que possible, en m'attendant à la voir soit sourire, soit pleurer.

« Je vais garder la fiche, me dit-elle. Amenez un papier qui puisse prouver votre adresse et nous enregistrerons votre inscription. N'importe lequel de mes collègues sera en mesure de vous aider.

— Je ne voulais pas vous faire peur.

— Excusez-moi, dit-elle. Je suis très occupée. »

J'y suis retourné le lendemain avec une carte d'identité que l'Australien avait falsifiée pour moi. Il y avait une autre femme au bureau des inscriptions. J'ai attendu près de deux heures — en feuilletant les journaux avec les dingues et les ivrognes, en consultant les étagères de romans étrangers à la recherche des traductions d'Ivory — mais elle ne s'est pas montrée. J'y suis retourné le surlendemain et le jour d'après et j'ai fini par demander ce qu'elle était devenue. Elle avait été transférée. Découvrir où nécessita plusieurs coups de fil interminables avec les ronds-de-cuir du service des bibliothèques.

La bibliothèque de Highbury et d'Islington était un joli bâtiment en bordure d'espaces verts. La bibliothèque de G*** se trouvait dans une grande rue bruyante, à côté d'une échoppe qui vendait du poisson frit. Une grande salle laide, pleine de casiers à bouquins en bois où des écoliers abîmaient effrontément les livres d'art en arrachant les reproductions de nus en couleurs. Elle était là, Miss P***, derrière le comptoir des inscriptions, en train de lire un truc de Henry James. Me voyant, elle écarta de ses yeux une poignée de cheveux gris et se couvrit la bouche de la main dans un curieux geste oriental. Tout en la regardant je m'imaginai sa première rencontre avec Ivory. Seuls les cheveux gris donnaient une vague indication de son âge. Quant à la qualifier d' « espiègle », il fallait pour cela des efforts que l'imagination se refusait à fournir.

« Je n'ai rien à vous dire. S'il vous plaît. Je vous serais reconnaissante de me laisser seule. »

Elle s'exprimait avec calme. Je ne me souviens pas exactement de ce que j'ai répondu. De plates excuses comme quoi je ne voulais pas la déranger. Suivies de nobles explications sur les exigences de la biographie.

« Allez-vous-en s'il vous plaît. Je ne veux pas vous parler. Ce n'est pas juste de faire ça à quelqu'un. »

Je l'ai suivie. De la bibliothèque à l'arrêt de bus. Jusqu'à l'appartement sur H*** Hill. J'ai regardé sa fenêtre s'éclairer, je l'ai imaginée en train de lire et de se souvenir. Je l'ai suivie au supermarché, je suis resté derrière elle alors qu'elle comptait lentement un tas de boîtes de nourriture pour chats. Je l'ai accompagnée à la clinique vétérinaire, à la pharmacie, à la maison où elle se rendait en visite tous les mardis et tous les jeudis soir. J'ai bien montré que je la suivais, je n'ai absolument pas essayé de le cacher. Alors que j'attendais ainsi de l'avoir à l'usure, l'excitation de la chasse a relégué au second plan le reste de mes recherches, d'où une certaine panique chez ceux qui n'arrêtaient pas de m'appeler au téléphone, et ça me plaisait assez. Pour finir, au bout d'une bonne semaine me semble-t-il, elle a réagi à cette traque. C'était un jeudi soir tard, elle rentrait chez elle. Elle s'est arrêtée sous un arbre non loin d'un clocher victorien, près de H*** Fields, et elle a attendu que j'arrive à sa hauteur. Elle avait l'air furieux et vulnérable. Dans sa main gauche elle tenait un sac à provisions plein de livres.

« J'ai du café, lâcha-t-elle tout à trac. Montez si vous voulez. »

Nous bûmes du café instantané dans des tasses fragiles qu'il fallait tenir en équilibre dans leurs soucoupes, sur nos genoux. Nous nous tenions face à face, de part et d'autre d'une table basse en bois plaqué où s'empilaient des livres. Les murs étaient décorés de vieilles cartes et de copies d'estampes japonaises. Un paravent victorien masquait l'entrée de sa chambre. Je le montrai du doigt : « Il est très joli.

— Vous trouvez ? Pour moi il est affreux. Monstrueux, presque. Il était à ma mère. »

De ce côté-ci de la porte, à côté d'une patte d'éléphant porte-parapluie, je remarquai une photographie dans un cadre en argent sur une série de tables gigognes. Je posai mon café et m'en approchai.

« Je ne l'avais encore jamais vue, celle-là. »

Un Ivory adolescent, vêtu en tout et pour tout d'un maillot de bain et de sandales de toile, est assis sur le pont d'un voilier où il trafique Dieu sait quoi avec un couteau. Il lève les yeux vers l'appareil avec une expression un peu embarrassée, comme si on venait de l'interrompre dans des agissements trop intimes.

« C'est une très bonne photo.

— Il était tout jeune. Il m'a dit que c'était la plus belle époque de sa vie. C'est Mattie qui l'a prise.

— Mattie ?

— Son cousin. Ils s'entendaient très bien. Ils faisaient de la voile ensemble. Sur la côte du Norfolk, avant la guerre je pense. Mais sans doute savez-vous tout cela.

— Pas tout », répondis-je en revenant m'asseoir et en posant la photo sur la table basse de telle façon que nous puissions la voir tous les deux. « Parlez-moi de Mattie. »

Elle secoua la tête et ses cheveux lui tombèrent sur la figure. Avant de les repousser, elle appuya sa main contre sa gorge pour masquer un moment les plaques rouges qui y avaient surgi depuis que nous étions entrés. J'essayai d'imaginer ce qui avait pu plaire à Ivory, chez elle. Une espèce de pureté, peut-être. Elle écarta ses cheveux de son visage et je lui trouvai l'air étonnamment jeune.

« Ce n'est pas de mon ressort. Vous trouverez sûrement quelqu'un d'autre pour cela. Vous êtes très doué pour trouver les gens.

— Cela prend du temps. J'ai l'impression d'avoir visité toutes les bibliothèques municipales de Londres.

— J'espère que vous n'aurez pas perdu votre temps.

— Je suis sûr que non. Je suis sûr que vous allez beaucoup m'aider.

— Ce n'est pas ce que je voulais dire. »

Il y eut un blanc. Jusqu'à ce que je lui demande : « Vous n'avez pas d'autres photos de lui ? Vous n'en avez pas où vous êtes tous les deux ?

— Non. Ça n'aurait pas été bien. » Elle se tut un instant, me regarda, l'air timide et gêné. « Vous avez un magnétophone ? » me demanda-t-elle.

Je plongeai la main dans la poche de ma veste. « Vous voulez le voir ?

— Non. Je savais que vous enregistriez, fit-elle en se carrant fièrement contre son dossier. Je l'aurais juré. »

J'avalai une gorgée de café. Nous campions dans nos fauteuils inconfortables. Elle ne bougeait pas d'un pouce et se tenait droite comme un i. Ses yeux fixaient un point de l'autre côté du couloir, là où les marches menaient à l'étage du dessus. Je ne savais pas par où commencer.

Puis tout à coup elle se leva et se faufila derrière le paravent sans le déplacer. Elle ne fit pas un bruit dans la chambre. Au bout de quelques minutes, elle revint dans le salon avec une grosse enveloppe marron.

« Je voulais écrire votre nom dessus mais je n'arrive pas à m'en souvenir. J'imagine que ça n'a pas d'importance. »

Je lui tendis ma carte.

« Merci. Vous voulez encore un peu de café ? Un petit gâteau ? Je ne peux pas vous parler. Tout est écrit. Là, prenez. Je ne voudrais pas vous paraître grossière mais je suis très fatiguée. »

Elle m'accompagna au pied de l'escalier et me regarda sortir dans la rue.

« Renvoyez-la-moi quand vous aurez fini. Tout est là. Tout ce que je pourrais vous dire. »

Je la remerciai. J'aurais voulu l'embrasser, boire du champagne avec elle, lui dire comme elle avait l'air belle.

« Et maintenant, s'il vous plaît ? Vous voulez bien me laisser maintenant ? »

Et déjà elle était rentrée et m'observait d'un œil hésitant à travers le panneau vitré de la porte.

Tu aurais dû venir, ce soir-là. J'avais un beau butin à montrer et à partager. On aurait pu prendre un personnage chacun et jouer son rôle, genre théâtre d'amateurs, une pièce historique. Ou j'aurais pu tout te lire à voix haute, en examinant la tête que tu faisais chaque fois que je tournais une page. Mais tu n'es pas venue, tu n'as pas appelé, alors je me suis installé seul devant un verre de whisky et j'ai ouvert l'enveloppe. Elle contenait des pages et des pages de papier crème, couvertes d'italiques bleues parfaites qui sans doute étaient déjà archaïques à l'époque où elle apprenait à écrire. Les pages étaient attachées avec un trombone en cuivre. Celle du dessus portait l'en-tête de la bibliothèque de G***.

Ce qui suit fut rédigé après que je vous ai vu pour la première fois à la bibliothèque. Je savais déjà qui vous étiez. Je savais déjà ce que vous vouliez. Je savais également que vous l'obtiendriez mais par égard pour moi il fallait que je m'y accroche, tout en sachant pertinemment que je n'étais pas assez forte pour tenir. J'ai aimé cette partie de chasse.

J'avais trente-neuf ans quand je l'ai rencontré. J'ai acheté mon premier tube de rouge à lèvres le jour des obsèques de ma mère. Voilà les deux faits qui me viennent à l'esprit.
J'aime l'odeur des pharmacies. Depuis toujours. Même lorsque ma mère était en vie, même lorsqu'elle ne souffrait que

de petites maladies bénignes, quand j'allais chercher son ordonnance, je m'attardais toujours du côté des présentoirs de rouge à joues, de mascara et de fond de teint. Ces noms suffisaient à me faire frissonner, mais ce qui me bouleversait c'étaient les odeurs, si écœurantes, délicates et riches. Et les vendeuses avec leur maquillage de carnaval et leurs corps roses sous les blouses chirurgicales, je mourais d'envie qu'elles m'appliquent leurs lotions sur le visage et je regardais les splendides filles aux cheveux longs se passer négligemment des petites touches de rouge à lèvres sur les mains pour comparer les nuances. Mes mains à moi, nues, crispées autour de l'ordonnance du médecin, se tordaient de honte au fond des poches de mon manteau et il ne fallut pas longtemps, pas même que mes absences commencent à rendre ma mère grincheuse, pour que, me dirigeant droit dans le coin des médicaments, je présente l'ordonnance et attende d'être servie sur une chaise en plastique à dossier droit en compagnie des arthritiques et des asthmatiques, mon sac à provisions sur les genoux, les mains croisées et, comme ma bouche, nues et sans fard. Ma mère n'était pas tyrannique. Je ne veux pas la présenter sous un faux jour. Ce n'est qu'à la fin qu'elle devint jalouse de mes absences, lorsque ses douleurs ne la lâchèrent quasiment plus et que son esprit se détacha du présent. Elle ne m'a pas forcée à rester célibataire ; à sa manière tranquille, elle en était horrifiée. Et pourtant.

J'étais très jeune à la mort de mon père. Je me souviens d'un gros monsieur à moustache noire qui me faisait sauter en l'air, et puis je me souviens d'un monsieur tout mince à moustache blanche qui dépérissait au fond d'un fauteuil. Je me souviens qu'il n'y avait à mes yeux aucune identité entre les deux hommes ; je me souviens que je me cachais loin du monsieur mince au fond de son fauteuil ; et je me souviens d'avoir demandé à ma mère quand devait rentrer mon vrai père. Je crois que je le lui ai demandé devant mon père qui se mourait et ce fut la seule et unique occasion où ma mère me frappa.

Nous avons quitté la petite maison pour l'appartement où je vis actuellement. C'était dans le même quartier, et je suis restée dans la même école. Le temps que j'aie une dizaine d'années nous étions devenues de grandes amies, ma mère et moi. J'avais des amies à l'école, et ma mère m'encourageait à passer du temps avec elles, mais leur compagnie était sans intérêt en regard de la sienne. Nous lisions des romans, assises l'une à côté de l'autre dans le salon, ensemble nous regardions des livres de voyage et projetions des périples imaginaires. Nous prenions tous nos repas en tête à tête. Chaque jour je me précipitais à la maison pour le déjeuner et le soir nous préparions à tour de rôle des dîners de plus en plus élaborés et ingénieux. La nuit, dans sa chambre, à l'étage, elle défaisait ses cheveux noués en chignon et je les lui brossais soigneusement, cent fois.

Tant et si bien que j'ai complètement laissé passer les garçons. Nous étions trop accaparées l'une par l'autre et les enfants de mon âge ont fini par m'intimider. L'école ne m'a pas donné la tentation de m'éloigner de maman, pas plus que l'Université. J'ai passé les examens pour devenir bibliothécaire et me suis débrouillée pour obtenir un poste d'assistante à la British Library. Maman était très fière.

Puis elle tomba malade. Comme l'homme qui avait été mon père, elle allait diminuant et rétrécissant. Elle se plaignait presque tout le temps, elle devint nostalgique et triste. Ses douleurs dictaient le rythme de notre vie à deux. C'est comme si j'avais eu un enfant ; la nuit elle n'arrivait pas à dormir et m'appelait pour que je m'occupe d'elle. Elle devint invalide. Je me suis offert ma première ombre à paupières (Bleu Minuit) après sa première attaque. Alors que je traînassais dans la grand-rue en attendant qu'elle rentre de l'hôpital, je me suis retrouvée devant le rayon de produits de beauté de chez Boots. J'ai acheté à toute vitesse puis, glissant la boîte en plastique dans la poche de mon manteau, je me suis précipitée dehors comme s'il y avait de quoi avoir honte. Plus tard dans la nuit, une fois maman endormie, je me suis enfermée dans la salle de bains pour me barbouiller les paupières de la couleur brillante. J'avais soudain l'impression d'être libre, puis j'ai fondu en larmes. À partir de ce moment-là je me suis maquillée avec Bleu Minuit, et si maman l'a remarqué elle

187

s'est abstenue de tout commentaire jusqu'au jour de cet affreux pique-nique.

Je l'ai rencontré à la bibliothèque. Bien sûr je le connaissais de réputation : *Plaisirs décadents* avait déjà provoqué un petit scandale. Dans une lettre très ferme, très furieuse, un éminent universitaire membre du Comité des lecteurs avait insisté pour que le livre soit catalogué dans l'Enfer et conservé sous clef dans l'aile nord. Assez curieusement, cela contribua plus à éveiller l'intérêt que le contraire, et il fallut commander des exemplaires supplémentaires pour répondre à la demande. Il y eut un article dessus, dans un quotidien, et la publicité que cela entraîna transforma tout simplement l'ouvrage en best-seller. Il ne ressemblait pas du tout à ce que je m'étais ima-giné. Alors que les ouvrages érudits osés ont généralement pour auteurs des Américains courtauds et trapus, lui était grand, bien bâti, avec des manières affables, une moustache grisonnante à la David Niven et un regard sagace et amusé.

Il me fit une cour bibliographique : « Excusez-moi, mais j'essaie de mettre la main sur ce recueil de nouvelles de l'Américain Robert Coover », tels furent les premiers mots que j'ai entendus de sa bouche. Il s'exprimait lentement, avec humour. Il a poussé un bout de papier vers moi, sur le comp-toir du bureau d'informations des lecteurs. Avec dessus ce titre : *Chansons lestes et Déchants*. Une lueur provocante et grivoise brillait dans ses yeux alors que son comportement restait grave et correct. Je l'ai accompagné au bon fichier et l'ai aidé à remplir une fiche de retrait. J'ai gardé le bout de papier. Je l'ai toujours.

Chaque jour il venait déposer une demande pour un nouveau livre. Après *Chansons lestes et Déchants*, ce furent *Les Notes de chevet* de Sei Shônagon — demandées avec un sourire, un sourcil en l'air —, puis *Cent Ans de solitude* de García Már-quez — et il y avait de la sollicitude dans la manière dont il me souhaita une bonne journée après qu'ensemble nous eûmes rempli la fiche ; tout en le regardant se diriger, l'air nonchalant mais raide comme un militaire, vers le bureau de retrait des livres, je me suis sentie vulnérable, seule, pleine d'appréhension. Puis vinrent *Parallèlement*, le recueil de poèmes pornographiques de Verlaine, *La Philosophie dans le boudoir* de Sade (deux livres de l'Enfer, soit dit en passant), et *L'Inassouvissement* de l'écrivain polonais Witkiewicz — qu'il me demanda sur un ton très humble, presque d'excuse, qui me fit frissonner.

Ensuite je ne le vis plus de toute une semaine. Maman remarqua que j'étais soucieuse, mais j'étais dans l'impuissance de lui dire quoi que ce soit. Il n'y avait aucun changement dans son état. Elle restait maintenant alitée toute la journée et racontait ses souvenirs sur mon père du temps où sa moustache était noire et où il était solide.

Il revint déposer en gentleman une requête qui me fit tourner la tête pour *Félicité* de Katherine Mansfield. Le lendemain, c'est en costume noir et cravate sombre qu'il demanda *La Fin d'une liaison* de Graham Greene dans la matinée et *Mort au milieu de l'été* de Mishima dans l'après-midi. Le lendemain il m'invitait à dîner avec lui. J'acceptai.

Je brûlais d'envie de le dire à maman. J'avais besoin de ses conseils ; j'avais envie de discuter avec elle chiffons et bonnes manières, de glousser pendant qu'elle se moquerait de moi avec les baisers en perspective. Nous avions beau être des amies très proches, l'amour était un sujet dont nous avions depuis longtemps cessé de parler. Plus exactement, nous n'abordions pas la question de l'amour dans ma vie. Au fur et à mesure qu'elle vieillissait et que ses cheveux blanchissaient, s'emmêlaient et poussaient, elle s'appesantissait de plus en plus sur les bals où elle avait dansé, les garçons qui l'avaient courtisée, les baisers volés et les gages d'amour reçus. Elle avait depuis des années renoncé à me taquiner au sujet des garçons du quartier devenus entre-temps propriétaires de boucherie ou revendeurs de voitures d'occasion.

Je la prévins que je rentrerais tard, cette nuit-là ; l'inventaire saisonnier allait me retenir bien au-delà des horaires de la bibliothèque. Elle se plaignit, avec humeur. Je lui apportai un dîner froid, recouvert de papier d'aluminium, que je posai sur la coiffeuse. Je suis désolée, lui dis-je, je me suis engagée à y aller. J'ai attendu qu'elle se soit assez plainte pour se rendormir, puis j'ai pris dans sa penderie sa robe de velours noir et je suis partie au travail comme une voleuse, en proie à un sentiment de libération mêlé de culpabilité, la robe soigneusement pliée dans un sac de supermarché.

Je sais que ma façon de me maquiller les yeux passe pour excentrique. J'entends les chuchotements et les gloussements des autres bibliothécaires. Je sais quels surnoms ils me donnent ; mais mon maquillage me protège, même si personne ne s'en aperçoit. Je me suis appliqué une nouvelle couche de fard, j'ai enfilé la robe de ma mère dans les toilettes du personnel et je l'ai attendu dehors, à l'abri des piliers, du côté de l'entrée du musée. Près de moi, deux gardiens fumaient des cigarettes en discutant de sport à voix basse et je regardais leur haleine dessiner de vivantes formes fantomatiques dans l'air froid. C'était une belle nuit, très solennelle, et dans la nuit le musée paraissait imposant. Quelques pigeons picoraient avec enthousiasme autour des corbeilles à papier, dans la rue des hommes et des femmes serrés dans leur manteau pressaient le pas en courbant le dos pour se protéger du froid. Moi je n'avais pas froid du tout pendant que j'attendais, nuptiale, presque, dans la robe en velours noir de ma mère.

Je me souviens dans les moindres détails de ce dîner que nous avons partagé. Chacune des paroles prononcées, chaque geste employé, mais il n'en sera pas question ici. Curieusement, je ne me souviens absolument pas de ce que nous avons mangé ni même du vin que nous avons bu. Je vous dirai que nous nous sommes embrassés très publiquement pour nous souhaiter une bonne nuit dans une petite rue du côté de Bloomsbury, et je vous dirai qu'aujourd'hui encore ma main se lève vers mon visage quand je sens sur ma peau la râpe de sa moustache. Il m'a trouvé un taxi, il a indiqué au chauffeur la route à prendre, et une fois rentrée à la maison je suis restée une éternité seule dans le salon plongé dans le noir. Je restai là, assise dans la robe de ma mère sur le fauteuil de ma mère, à moitié folle je crois, sans fermer l'œil, sans ciller, sans me soucier de l'avenir, fidèle à des sentiments qui indubitablement étaient miens.

Le lendemain j'ai attendu son arrivée. J'essayais de me préparer à son regard, à la distance froide que j'allais mettre entre nous, au moment de gratitude que je lui autoriserais avant de lui faire comprendre qu'il m'était impossible de lui accorder une soirée semblable à celle que nous avions partagée. Je l'ai attendu tout en me débrouillant des graves requêtes des lecteurs, des traits sournois des gardiens du musée, et des plaisanteries circonspectes de mes collègues. Je l'ai attendu. Il n'est pas venu.

Quand je suis rentrée à la maison, maman était réveillée mais calme. D'une petite voix timide elle m'a demandé de lui apporter un verre d'eau et de poser ma main sur les siennes. Nous avons écouté un concert à la radio puis sommes restées côte à côte pendant que la nuit tombait.

Je réussissais presque à chasser son image de mon esprit. J'avais presque réussi à me dire que l'épisode était clos, terminé : mon grand amour d'adulte, ma belle passion, l'idylle censée réaliser ce qui n'était pas censé l'être. J'avais presque accompli tout cela lorsqu'il revint. Il ne s'était écoulé qu'une semaine, la semaine la plus vide, la plus misérable, la plus solitaire de ma vie.

Il me demanda comment j'allais, et la façon dont il s'y prit m'ouvrit tout entière à lui. Il avait un truc — non, ce mot ne convient pas, il a une connotation roublarde et calculatrice — il avait le don d'exprimer la plus profonde sympathie, le plus profond respect à l'aide des formulations les plus banales. Il se tenait là, ce personnage à l'allure un brin anachronique, soigné et bien bâti dans son costume sur mesure, une cravate à carreaux autour du cou et à la main une mallette en cuir brun un peu cabossée. Deux de mes collègues se trouvaient avec moi au bureau d'informations et je crois que j'ai blêmi, terrifiée à l'idée qu'il risque un geste de familiarité.

« J'ai dû m'absenter », dit-il avant de s'interrompre pour s'autoriser un soupçon de sourire amusé devant mon agitation. « Et je dois préparer un article qui est déjà presque en retard. J'espère que vous avez ce livre ici. »

Suivant son regard, je posai les yeux sur la fiche de retrait qu'il tenait sur le comptoir. Il n'y avait rien d'écrit dessus.

« Je sais que cela va contre toutes les règles mais j'aurais aimé y jeter un œil tout de suite. Je n'ai qu'une note à vérifier. Page

209. Je suis terriblement pressé ; si vous pouviez m'accompagner au bon rayonnage, je pourrais la vérifier, la replacer et finir mon article. Je n'ai même pas besoin de sortir le livre. » Les lecteurs ne sont jamais autorisés à pénétrer dans les réserves et il le savait parfaitement. Je levai les yeux vers le responsable du service, vers son inévitable expression d'amère réprobation. L'audace de cet homme me terrifiait. Mais le responsable se contenta de lui sourire et de m'adresser un petit signe de tête. Je me suis tant bien que mal débrouillée pour adopter un comportement professionnel, je me suis tant bien que mal débrouillée pour trouver la direction des réserves.

Nous marchions du même pas. J'avais pris assez d'élan pour avancer, partagée entre le désir pénible et terrifiant de ce qui allait suivre — une conversation difficile, triste — et un sentiment d'anticipation sans objet qui me donnait l'impression de transpirer comme si j'avais attrapé la grippe. Sa main qui m'étreignait l'épaule dans une poigne cruelle m'arrêta. Il me fit pivoter vers lui dans une étroite allée de livres.

Nous restâmes à nous regarder, nos corps séparés par quelques petits centimètres, et pour la première fois j'eus peur de lui, physiquement peur. C'était un homme fort, et son air d'infini amusement et de doute infini recouvrait autre chose qui maintenant seulement me devenait perceptible. Je me détournai la première ; je ne supportais pas qu'il m'examine de cette façon, mais il approcha la main de mon visage et me leva lentement le menton pour que nos yeux se croisent à nouveau. Nous restâmes ainsi une éternité, parfaitement immobiles, les yeux dans les yeux. Jamais je n'ai connu pareille intimité.

À tout moment quelqu'un risquait de nous surprendre. C'était de la folie — oh, je sais que la littérature sentimentale joue là-dessus et qu'à ce titre on en rira, mais c'était de la folie pure. Nous avons lentement longé les rayonnages, en nous arrêtant une fois pour laisser passer Gerald, le gros magasinier de Stoke Newington, puis il m'a raccompagnée jusqu'au bureau d'informations. Il m'a courtoisement remerciée de l'avoir aidé, a hoché la tête à l'adresse du responsable, et il est sorti de la bibliothèque à pas nonchalants avec sa mallette marron qui ballottait légèrement. J'ai pris place sur mon siège, j'ai tiré ma jupe contre mes jambes, je me suis évertuée à rester calme, terrifiée à l'idée que cela puisse se reproduire un jour.

Dans une lettre à Helen, Ivory décrit cruellement le même événement :

6 février 1973

Chère Helen,
Dans les réserves ils pénétrèrent, le séducteur et la vierge. Elle toute tremblante d'un plaisir délicieux fait de l'attente de la capitulation, du viol ultime et cruel : voluptueusement, à sa manière, brûlant qu'on dispose d'elle comme d'une chose vide, une fois transpercée la précieuse barrière de l'hymen qui la défendait contre le monde. Tout autour de nous, des livres, le calme, le silence, de temps en temps l'écho des pas d'un magasinier résonnant dans la salle. Elle tremble comme si elle avait la grippe. Elle ouvre légèrement la bouche, sa langue est humide, l'animal est tapi en elle. Je la guide : nous nous arrêtons. L'heure a peut-être sonné de l'outrage final. Nous nous tenons face à face, elle défaille d'agitation, de peur, d'un désir qu'elle ne reconnaît pas. Dans les réserves, des étagères métalliques du sol au plafond. Elle pose la main sur un livre comme s'il lui fallait rassembler ses forces en touchant un objet familier. Du regard, je la fixe. Du regard elle y consent. Je n'attendais pas de ce moment qu'il s'ouvre pour découvrir l'événement ultime, clitoridien. Je n'eusse pas osé être aussi impatient. Nous nous tenons face à face, nous nous regardons, des muscles étonnants se convulsent. Nous sommes intimes. Il ne tient qu'à elle, à présent. Immobile, j'attends qu'elle vienne à moi, tirée par tous les sombres éléments physiques qui se lèvent, bouillonnants, dans sa voix contrainte. Je ne me laisserai pas surprendre par des imprécations. Par une soudaine nudité anguleuse. Elle a encore la force de détourner le regard. Peut-être pleure-t-elle. J'attrape son visage en exerçant la pression cruelle qui s'impose. Elle lève à nouveau les yeux vers moi. Pour elle, c'est là de la passion, du sexe en esprit. Le moment dure. Elle a besoin de moi et… résiste.

Cette campagne connaîtra d'autres batailles, j'en suis heureux. Des pensées affectueuses pour vous et Mattie. Une fessée pour Deborah.

W.

J'ai tant bien que mal tenu jusqu'à la fin de la journée. J'en garde un souvenir d'engourdissement et de froid glacial mais je suis arrivée au bout sans incident. J'ai préparé le dîner de maman et, lorsqu'elle a eu fini, j'ai éclaté en sanglots en posant ma tête sur son sein vide. Elle m'a tapoté les cheveux à petits coups taquins, presque méchants, et curieusement j'ai trouvé cela consolant.

Je pensais ne plus jamais le revoir après cette première fois dans les réserves de la bibliothèque. J'imaginais que son sens de la culpabilité, ou des convenances, le tiendrait à distance ; mais il est revenu, une semaine plus tard, et sans mot dire il m'a arrêtée sur les marches du musée pour m'emmener dans un pub de Bloomsbury. Là il me parla et m'ensorcela si bien qu'à ma grande surprise je l'invitai à la maison où il me divertit en me racontant des histoires de son passé pendant que maman battait la mesure avec sa clochette d'invalide.

Il avait insisté pour faire sa connaissance et désormais je savais que j'étais incapable de lui refuser quoi que ce soit, quand bien même j'en avais envie. Aussi l'ai-je emmené là-haut, ce soir-là. Il a courtoisement tenu la porte de la chambre pendant que j'amenais à maman le plateau de son dîner, avec ma robe qui me collait à la peau par plaques humides de transpiration.

« Je t'amène un monsieur qui avait envie de te rencontrer », lui annonçai-je avant de les présenter formellement l'un à l'autre. Il lui serra précautionneusement la main comme s'il craignait de la briser et elle entreprit d'arranger sa coiffure avec une coquetterie de débutante dans un bal de campagne. Ils discutèrent du temps sur un ton très comme il faut, jusqu'à ce qu'elle fonde en larmes et se mette à sangloter, les mains jointes dans l'attitude de la prière. À cette époque de déchéance où elle pleurait souvent de la sorte, un verre de tonique chaud parvenait parfois à la réconforter. Je descendis lui en chercher ; lorsque je revins, il lui tapotait gentiment le visage avec une tendresse que je n'avais jamais ni trouvée ni pensé chercher en lui, elle, elle s'accrochait à son autre main, les yeux sereinement clos. Je dois avouer que ce que j'éprouvai alors avec le plus de force fut non pas de la gratitude mais de la jalousie.

Le lendemain matin, quand je lui apportai le plateau de son petit déjeuner, maman remarqua que j'avais changé. Elle s'en plaignit. Elle m'accusa de la négliger. Elle dit que je ne l'aimais pas. Qu'elle était une charge pour moi. Que je n'avais qu'une envie c'est qu'elle meure. J'ai d'abord essayé de discuter, j'ai essayé de l'intéresser à sa confiture et à son toast mais elle a continué, implacablement. La rage qui la soulevait de sa banquette d'oreillers lui animait le teint. Elle m'accusa d'être jalouse de son pouvoir de séduction sur les hommes. Ses cheveux flottaient en mèches folles, elle me jetait des insultes et des malédictions à la tête. Elle me fit pleurer, et elle accueillit mes larmes avec satisfaction. Alors seulement elle se laissa fléchir. Elle dévora son petit déjeuner avec appétit, se tamponna le coin des lèvres avec sa serviette, repoussa un peu le plateau sur le lit et se rendormit aussitôt.

J'avais espéré partager des confidences avec elle. J'avais espéré qu'elle m'offrirait son amitié et que le plaisir serait partagé. Au lieu de cela elle me donnait l'impression de l'avoir trahie, d'être une moins que rien. Je ne sais pas si elle comprenait ce qu'elle me disait, ces mots cruels et dépourvus d'amour ; ils lui paraissaient sans doute moins réels que le souvenir d'une danse où l'avait entraînée Ronnie, le petit ami qu'elle avait eu avant de rencontrer mon père.

Je me suis préparée à le revoir. Dans le bus 19 je m'exerçai à lancer de longs regards pleins de froideur polie. Une collégienne qui était assise à côté de moi changea de place, effrayée, je crois.

Peu après il nous emmena pique-niquer, maman et moi. Par un jour d'hiver il nous conduisit en Jaguar dans le parc de Hampstead, avec des plaids sur les jambes et des bonnets de laine sur la tête. Nous avons laissé la voiture du côté sud, près des pelouses, et sommes lentement montés à pied à travers le parc pour gagner l'étang aux nénuphars. Maman était au septième ciel. Papotant sans arrêt jusqu'à l'étang, elle parla des petits tours qu'elle faisait le dimanche avec mon père ou des promenades avec moi, pendant tout le trajet elle le tint par la main et de temps en temps elle me jetait un regard de triomphe avec des airs de fille préférée qui pavoise devant sa sœur au physique ingrat.

Nous avons étendu une nappe sur l'herbe en lestant les coins avec des cailloux. Il nous a déplié des chaises longues, nous nous sommes assises face à l'étang et maman a dit je ne sais quoi à propos de Monet. Il faisait froid et humide, j'étais inquiète pour maman. Sous le petit crachin soufflé par le vent, ses joues devenaient toutes rouges pendant qu'elle s'empiffrait d'une nourriture bien trop riche pour elle : tartines de pain de mie grillé au saumon, vin blanc du Rhin, tranches de bœuf et jambon italien épicé, fromages français à pâte molle, pudding au chocolat à la consistance épaisse et sombre, café sucré. Grâce au magnétophone portable qu'il avait apporté, nous prîmes ce repas sur des airs de danse des années trente et quarante, et maman évoqua la vie sous le Blitz et les soirées dansantes chez Al Bowlly ou au Hot Club de France. Le temps et l'attention dont elle était l'objet la rendaient cramoisie mais je cessai bientôt de m'inquiéter, aussi bien pour elle que pour moi, car il était plus fort que nous deux. Il veillait attentivement sur maman, mais pas à la façon d'un soupirant ni même d'un médecin ; il ressemblait tout à fait aux pionniers de la science tels que je les imagine : curieux et détachés, mais tranquillement et terriblement excités lorsqu'ils manipulent les sujets de leurs expériences pour les amener à adopter un comportement nouveau et dangereux.

Je pense que j'ai dû fermer les yeux. J'écoutais le son de sa voix quand il l'interrogeait, avec un calme insistant : « Comment étiez-vous habillée ? Quel âge avait Ronnie ? Vos parents étaient d'accord ? Alors comme ça vous dansiez ? », le son de la voix de maman, le bruit du vent et de la bruine à la surface de l'eau, près de nous, et dans les branches dénudées des arbres, plus haut ; et tout d'un coup je me suis retrouvée changée en quelqu'un d'autre, de beaucoup plus puissant. J'ai levé mon visage dans le vent, et je me suis tout d'un coup sentie légère, libre, jeune ; les yeux clos je dansais sous la pluie. Quand soudain j'ai entendu la voix cruelle de maman qui disait : « Regardez un peu la peinturlurée, ça y va ! » Quand j'ai ouvert les yeux, la pluie tombait plus fort, il avait pris maman dans ses bras et ils dansaient. Elle avait les cheveux tout ébouriffés, tout emmêlés, ses chaussures blanches étaient maculées de boue, ses bas aussi, sa gorge blanche exposée s'étirait avec les os qui saillaient de chaque côté en dessinant un relief fragile, et j'ai fantasmé qu'il était un vampire et elle sa dernière victime exsangue.

Et ils dansaient, dansaient, de plus en plus vite, même une fois que la musique eut cessé. Et il la faisait tourbillonner, elle, sa victime consentante et hébétée qui respirait bruyamment, bouche ouverte, avec de fines lignes de salive incolore qui lui coulaient au coin des lèvres et se mélangeaient aux miettes de pain grillé collées à son menton. Enfin, se laissant fléchir, il la réinstalla précautionneusement sur sa chaise où elle se mit à applaudir furieusement des deux mains qu'elle laissa ensuite retomber sur sa poitrine. Il lui versa un autre verre de vin du Rhin et elle, se tournant vers moi, triomphante, malade, folle, dit : « La tête me tourne un peu. J'adore danser. »

C'est peu de temps après que maman mourut. Au retour du pique-nique, je l'ai mise au lit, et quand je suis redescendue, il était parti. Le lendemain était un dimanche ; je suis restée presque toute la journée au fond d'un fauteuil à écouter la radio, le soir je suis montée auprès de maman. Elle était douce et sereine. Tout le venin distillé par l'amertume et le dépit qu'avait engendrés sa condition d'invalide avait été expurgé par la danse. À nouveau calme et prévenante, elle ne se réfugiait plus dans ses bizarres morceaux choisis du passé. Elle se tourmentait au contraire beaucoup à mon sujet en se reprochant de m'avoir obligée à endosser les rôles de compagne et de garde-malade. Sans répondre, je lui ai tamponné les tempes avec de la ouate de coton imbibée d'eau de Cologne. Nous

197

n'avons jamais évoqué le pique-nique et plus jamais parlé de lui.

Je ne l'ai pas revu à la bibliothèque avant le lendemain de l'enterrement. J'avais mon nouveau rouge à lèvres et l'air sans doute troublé. « Je vais vous préparer à dîner en l'honneur de votre deuil », déclara-t-il. Il s'invita à la maison et je ne trouvai pas la force de le repousser.

Je mis la robe de maman, peut-être pour faire comme si cela valait la peine de s'habiller pour l'occasion, peut-être en souvenir de jours meilleurs, peut-être tout simplement pour faire comme si j'étais elle. Dès son arrivée, l'entrée de la cuisine me fut interdite. Je m'installai dans le fauteuil de maman.

C'est un festin qu'il nous prépara, extravagant et sombre. Il avait amené sa propre vaisselle, toute noire, et tout ce qu'il servit dedans était également noir. Nous avons commencé par une soupe de tortue, puis ce fut du caviar beluga servi avec du pain de seigle russe et des olives grecques. Le plat principal était un morceau de gibier cuit dans une sauce aux mûres et accompagné de pâtes à l'encre d'encornet. Le dessert, du pudding aux prunes et des poires au sirop de raisin noir. Nous avons bu des vins lourds et capiteux du Roussillon et de Valdepeñas et coupé le café avec une liqueur de noix suivie de verres de Guinness en guise de digestif.

Il fut la correction même pendant qu'assis sur des sièges à part nous dégustions notre bière. Nous avons parlé des empereurs romains, je m'en souviens, et il m'étonna en déclarant que Caligula était velu mais chauve, contrairement à l'image que je m'en faisais.

J'ai oublié l'excuse dont il se servit pour m'entraîner sur le balcon ; peut-être l'envie de voir les étoiles, qui sait. Mais nous étions là, au plus fort de l'hiver et du froid, je sentais ses mains remonter ma robe par en dessous et, impuissante contre lui, je me souviens avoir pensé : c'est pour cela que maman est morte. L'acte que nous accomplissions là était le reniement de tout ce qu'avait été ma vie. Il était grossier, il était bestial et douloureux, et c'était en public. Je perdis de vue qui était celui avec qui je me trouvais là, il n'y avait plus que la douleur et une urgence désespérée, et en permanence la peur d'être découverte. Et la douleur s'intensifia, l'urgence se fit plus pressante et la peur d'être découverte se transforma en espoir. C'était la seule façon d'en finir, mais en même temps je voulais être nue, avilie, et je voulais qu'on me voie — j'espère que cela ne vous choque pas.

Le supplice cessa enfin. Il eut la délicatesse de ne pas s'excuser, de ne pas demander comment j'allais ; à la place, comme si j'étais une petite fille et lui mon père, il remit de l'ordre dans mes vêtements et me frappa sèchement au visage. Puis il rassembla sa vaisselle et ses ustensiles et quitta la maison, laissant la cuisine sens dessus dessous.

La semaine suivante, il m'emmena dans une chambre qu'il avait louée de l'autre côté de High Holborn. Nous bûmes du thé dans le gobelet d'une bouteille Thermos en aluminium puis il me massa le visage et les épaules en murmurant des racontars sur la Rome antique. Ensuite il me fit faire des choses méprisables et moches.

Il ne voulut même pas me laisser me laver. Il consulta sa montre de gousset et me poussa dans un taxi qui nous conduisit à Regent's Park. Là, nous avons attendu sans qu'il me dise pourquoi, sur un banc de jardin froid à côté d'une statue vulgaire. En silence. Puis, au bout d'un temps infiniment long et froid passé à nous recroqueviller, il désigna du doigt un petit groupe qui marchait lentement sur la pelouse non loin de l'endroit où nous étions assis. Une femme mince entre deux âges ; une Asiatique élégante, plus jeune ; et une petite fille brune. « Elle est jolie, n'est-ce pas ? » dit-il, et je ne saurais dire à laquelle il faisait allusion. La petite fille brune nous vit et se mit à rire. Elle attira l'attention de la femme mûre qui regarda dans notre direction ; un douloureux rictus lui tordit soudain les traits, puis elle se détourna, prit l'enfant par la main et toutes trois poursuivirent leur promenade. « Ma famille », dit-il. Ce fut la dernière fois que je le vis. Je pense qu'il s'ennuyait peut-être avec moi.

Je vis dans la maison de ma mère et sa chambre est restée telle qu'elle l'a laissée. J'y fais le ménage une fois par semaine et de temps en temps je m'arrête sur le seuil. J'ai perdu mon poste à la bibliothèque ; je pense que c'est peut-être à cause de lui, je ne sais pas comment il s'y est pris, et cela m'est égal, je le hais pour ce qu'il a fait à maman, et lui suis reconnaissante de ce qu'il m'a fait. J'avais trente-neuf ans quand je l'ai rencontré.

Il m'a été très pénible d'écrire cela. J'espère que je peux me fier à vous pour les informations que j'y donne. D'une certaine manière je vous attendais… je savais qu'un jour, vous ou quelqu'un comme vous, sûr de lui, attaché au savoir et à la mémoire, surgirait pour me demander ça. Je savais aussi qu'il me serait impossible de me débarrasser de vous. N'y voyez pas d'offense.

J'estime que notre relation est maintenant terminée. Je ne pense pas qu'il y ait quoi que ce soit d'autre à expliquer. Ne cherchez pas à me contacter ou à me voir, s'il vous plaît. J'étais heureuse à la bibliothèque de H***. Je le suis moins à G***. Mais vous aurez probablement compris qu'en ce qui me concerne, je déteste changer. Je préférerais ne pas demander au Service des bibliothèques de me transférer une deuxième fois. Cela les agacerait, et pour moi ce serait ennuyeux.

J'aimerais pouvoir vous souhaiter bonne chance dans votre quête. J'en suis incapable. Si jamais vous arrivez au bout de votre livre, ne prenez pas la peine de m'en envoyer un exemplaire.

J'ai veillé toute la nuit pour lire. Le temps que je finisse, c'était déjà le matin. J'étais ivre, épuisé, assommé par les confessions, la beuverie, les spéculations et une brutale prise de conscience. J'ai remis les feuillets dans l'enveloppe marron de Miss P***. Une litanie d'imprécations beuglées, de jurons affolés pêchés dans le caniveau montait de la rue. Je suis allé à la fenêtre. En bas il y avait de la bagarre entre les putes et les dealers, et c'est à regret que je les vis partir une fois l'engueulade terminée. Je me suis allongé sur le lit mais j'avais tout sauf sommeil. Regagnant le bureau, j'ai appuyé ma tête entre mes mains et j'ai écouté le bruit du sang aviné gronder dans mes oreilles. Je me suis rassis en balançant la chaise sur deux pieds, puis je suis de nouveau allé à la fenêtre et suis resté planté là, inspiré par la souffrance.

Vers midi j'ai fini par trouver le sommeil. Deux heures plus tard environ, j'en fus sorti par un battement lourd frappé contre la porte. La tête qui bascule vers la lumière vive venue de la porte. Un plateau craquelé en Formica vert qui s'avance vers moi. Bagels chauds, montagnes de saumon fumé, pâtés de crème fraîche entassés par-dessus — tout cela s'approche. Et toi, derrière. Disant : « Ces jours-ci je me refuse à avaler quoi que ce soit d'autre. Bon après-midi. Comment ça va ? Tu as une mine épouvantable. Tu veux du café ?

201

— Oh oui. Oui. Café. Oui. J'aimerais bien. Bonjour. Où suis-je ?

— Tu es dans une espèce d'endroit plutôt minable qui s'appelle l'hôtel Invincible ou je ne sais quoi. Franchement. Je pensais que tu aurais pu trouver mieux.

— Dans le temps, oui. Pas pu assumer le loyer. Quand es-tu arrivée ? Il faudrait que je m'habille.

— Reste couché. Mange ton petit déjeuner. Tu as le droit de te faire un peu dorloter. » Tu t'es mise à traîner dans la chambre à la recherche d'un truc à commenter, tu ne l'as pas trouvé et, sans raison particulière, tu as lancé : « Je me suis installée chez ma mère. »

J'ai tiré sur mes abdos pour m'asseoir dans le pieu. J'ai allumé la lumière. Tu t'es assise au bord du lit. Ton manteau sur le dos.

« Je trouve que Londres te vieillit, Tierney. Tu as l'air rétamé. Dis-moi quelque chose. Mange. »

Évidemment que j'avais l'air rétamé. Ça faisait une éternité que je courais après un mort. La bouffe était bonne. Tu n'as pas voulu y goûter.

« J'ai déjà trop mangé. Si tu n'arrives pas à finir on pourra toujours donner ce qui reste à ce drôle d'Australien, en bas. Je ne serais pas étonnée que tu sois le seul client de l'hôtel. Tu as commencé à écrire le livre ?

— Encore au stade des recherches. Il manque encore un tas de trucs. »

Tu t'es écartée du lit pour aller à la fenêtre. Tu es passée à côté de la table où s'empilaient mes notes et le grand registre des lettres d'Ivory à Helen. Tu ne les as pas remarqués, ou alors tu as peut-être fait semblant de ne pas les voir, pour protéger, décidai-je, mon professionnalisme. Quelque chose vint se prendre dans tes cheveux, une mouche d'hôtel, peut-être, qui s'offrait un été dedans et que tu as chassée d'un geste preste. La brève vision de ton cou à l'occasion de ce geste, la chair de ta nuque soudain découverte, insuffisamment protégée par quelques cheveux mutins, courtes mèches brunes bouclées par-dessous. Puis brusquement tu as tiré le rideau et regardé dans la rue.

« Charmant quartier. Qu'est-ce qu'on y vend, de la drogue ou du sexe ?

— Les deux. Assieds-toi. Tu me rends nerveux. »

Tu as laissé retomber le rideau pour masquer à nouveau la rue. Tu t'es retournée vers moi et tu as souri. Sans doute pas d'un sourire sincère, ça je le savais déjà, et plutôt du genre indolent, mais n'empêche que c'était tout de même un grand sourire. J'adore ta bouche et tes dents — je ne te l'ai jamais dit ? Une grande bouche, et tes dents, on dirait que tu t'es donné le mal de les aiguiser un petit peu. J'ai englouti ma dernière bouchée de saumon avant de formuler à grand soin une question polie et ambiguë censée ne rien révéler de ce qui me passait par la tête ou ailleurs.

« Tu es rentrée pour rester un peu ? »

Je pensais que tu serais désappointée par mon sang-froid. Mais pas du tout. Tu avais l'air content. Tu as ouvert ton manteau comme si tu t'apprêtais à l'enlever et tu as glissé tes mains dans tes poches pour les en sortir aussitôt et les agiter de haut en bas.

« Ça dépend. C'est bizarre d'habiter chez ma mère. Nous avons du pain sur la planche. N'est-ce pas ? On gèle, ici, tu dois avoir froid. Tu m'as dit que tu avais découvert comment il était mort. Alors ?

— J'imagine que j'ai voulu t'impressionner. Je n'en suis pas encore là. Je peux te raconter plein de choses sur la guerre et des tas de trucs sur le cousin Mattie. Sur le jeu, aussi. Tu avais raison, pour Ivory. C'est un bon sujet de livre.

— Tu devrais t'habiller, non ? J'ai des courses à faire en vitesse. Je reviens dans deux petites heures. »

Et tu es partie. Je suis allé à la fenêtre pour te regarder marcher dans la rue. Petite silhouette, petit oiseau noir qui battait des ailes, tu as fondu droit sur une bande de jeunes baratineurs comme s'ils ne vivaient pas dans le même monde que toi, et tu as disparu au coin de la rue qui descendait vers le fleuve. Une fille à la peau sombre, une Indienne, une Sri Lankaise ou je ne sais quoi m'a aperçu à la fenêtre et m'a montré du doigt en souriant. Cinq têtes moroses se sont lentement levées, l'air de vaguement attendre, l'air d'espérer que j'allais sauter pour m'entraîner. Je leur ai prestement montré mes parties avant de sortir de la chambre et de m'engouffrer dans le couloir pour passer sous la douche.

Tu n'es pas revenue au bout de deux petites heures. C'est au bout de cinq heures environ que tu as appelé. Ton coup de fil n'était pas le premier. Juste avant, il y avait eu une drôle de voix étouffée, d'homme ou de femme, je ne pourrais pas dire.

La voix me demanda si j'étais bien Tierney et je reconnus qu'en effet Tierney c'était moi. Puis, sur un ton de menace dans le genre implorant, elle a continué : « Vous l'avez ?

— J'ai quoi ?

— Nous sommes prêts à conclure un arrangement. Il nous faut des preuves.

— Des preuves de quoi ?

— Ne jouez pas au plus fin. C'est pas destiné à durer, ce truc-là. »

Coupé. J'ai tapoté le combiné. Secoué la tête. Les choses ne se sont pas éclaircies pour autant. Je suis retourné manipuler notes, cassettes et transcriptions, histoire de m'occuper. J'avais avalé les miettes des bagels dédaignées lors du petit déjeuner. J'ai tracé des lignes sur des bouts de papier dans l'idée d'établir des liens, d'évaluer les blancs. J'ai regardé les photos que tu m'avais données au début et du bout des doigts j'ai touché son visage pour essayer de comprendre.

Nous avons enfin dîné ensemble, ce soir-là. Tu t'en souviens ? Bien sûr que tu t'en souviens. C'était un restau russe en dessous du niveau de la rue, en soubassement, des murs noir et or, les dîneurs serrés comme des sardines devant de longues tables où s'amoncelaient des plats de poissons fumés et des carafes de vodka au poivre en chemise de glace. Et moi, raide pété, les yeux rouges, des questions risquées plein la tête. Comme à l'arrivée je puais le whisky rance du matin, j'ai chassé l'odeur à grands coups de vodka au poivre. Au départ ce fut assez gentil. Tu t'en souviens, bien sûr.

« La bouffe a l'air sympa, ça me plaît bien ici. Pas trop de place pour jouer des coudes, mais l'un dans l'autre c'est pas si mal. Tu ne manges pas, quelque chose qui ne va pas ? Parle-moi de New York. Qu'est-ce que tu fabriquais là-bas ?

— J'ai soif. Tu veux encore de la vodka ? Parle-moi de la vierge de bibliothèque. Tu as fini par la retrouver ?

— Elle n'est plus vierge. Je l'ai retrouvée. »

Quand je me suis mis à beugler l'histoire de ma poursuite de la vierge de bibliothèque, tu m'as recommandé de baisser la voix. L'histoire de Miss P***, paraphrasée, étrange mélange de tristesse et de reconnaissance.

« Tu vois, t'es-tu rengorgée une fois que j'ai eu fini, c'était un monstre. Je te l'avais dit.

— Elle affirme qu'il l'a sauvée.

— Il a tué sa mère.

— Elle n'en avait plus pour longtemps. Miss P*** lui est reconnaissante de tout ce qu'il a fait.

— C'était un monstre. » Tu as encore répété ce mot et pour la première fois j'ai remarqué ta manie de secouer la tête chaque fois que tu étais contente d'un truc.

Et puis ça a commencé à devenir plus personnel. Je t'ai posé des questions sur toi et ça ne t'a pas plu du tout. Imbibé de vodka barbotant dans le whisky, je me transformais en brute insatiable de questions.

« Parle-moi de toi. Je n'en sais vraiment pas si long que ça sur toi. Où es-tu née ? Quand es-tu née ? Tu as eu une enfance heureuse ? Comment t'es-tu lancée dans l'édition ? Qu'est-ce que tu faisais à New York ? »

Tu as haussé les épaules tout en examinant les autres clients comme si tu lisais sur leurs lèvres dans l'espoir d'y trouver une réponse à emprunter.

« Je suis allée là-bas parce que j'en avais marre de Boston.

— Pourquoi être allée à Boston ?

— J'en avais marre de Londres.

— Ça pourrait durer toute la vie. Dis-moi quelque chose sur toi. N'importe quoi. Quelle est ta couleur préférée ? Tu crois aux héros ? »

Là, tu as quand même souri. « J'ai toujours eu du respect pour les gens qui ne se laissent pas arrêter par la mort.

— Qu'est-ce que ça signifie ? »

Tu as baissé les yeux sur tes galettes. Tu jouais avec le poisson, avec les trois grains de caviar posés sur un monticule de crème aigre. Tu avais des regrets, c'est sûr. Dès mon arrivée mon attitude et mes manières t'avaient sidérée. À partir de là on a dégringolé la pente, pas vrai ?

« Qu'est-ce qui te prend, Tierney ? Que s'est-il passé ?

— Parle-moi un peu des pique-niques. Tu n'aimes pas pique-niquer, hein ? Pourquoi tu n'aimes pas ça ?

— Baisse un peu la voix. »

Je t'ai souri, souri de toutes mes dents toutes à moi ou presque, de mon grand sourire de brave gars pété. « Ma voix je peux la pousser encore plus haut, D.B. Je me la suis faite sur les gradins de Fenway Park, ma voix. On faisait un concours à qui scanderait le plus fort "Lou-is, Lou-iis" quand Luis Tiant se lançait dans son grand numéro avant d'envoyer la balle. Je peux vraiment crier plus fort si je veux. Ça te plaît, la bouffe ? Parle-moi de ta mère. Où est-ce qu'elle habite ? Tu t'occupes d'elle ?

— Non », as-tu dit. Fille sérieuse. Grands yeux verts sans maquillage inquiets de la direction prise par l'interrogatoire. « Je m'occupe plus de mon père. » Et voilà. Comme s'il suffisait d'une réponse, tes yeux se sont à nouveau baissés sur l'assiette pendant que ta fourchette jouait avec les formes que la crème peut engendrer.

« Ton père. Il vit toujours ?

— Non. Il est mort depuis un certain temps.

— Mais ta mère vit toujours, elle ? Tu habites chez ta mère ?

— Oui, j'habite chez ma mère.

— De quel côté ça peut bien se trouver, chez ta mère ? Dans quel genre de quartier ? Dans le sud de Londres ? Il y a peut-être plus de chances que ça se trouve dans le nord, non ?

— C'est possible. Tierney, tu perds les pédales. Contrôle-toi. Si tu as quelque chose à dire, vas-y, dis-le. »

Hou, là tu m'en as bouché un coin. Courageux défi. Sombres sentiments dissimulés derrière un masque vide. Le masque d'une fille accusée d'on ne sait quoi par son père. Et là-dessus le silence. Le silence est imparable. Impossible de se trahir quand on s'abrite derrière.

« D.B. ?

— Oui ? » Sur tes gardes. Incertaine.

« Qu'est-ce que c'est que ces initiales ?

— Mon nom. Dorothy Burton.

— Comment s'appelle ta mère ? »

Silence.

« Tu as eu une belle-mère, n'est-ce pas ? Elle s'appelait comment ? »

Silence.

« De quelle couleur étaient ses cheveux ? »

Enfin une qui n'avait pas l'air dangereux. Tu as haussé les épaules. Tu m'as répondu.

« Elle était brune.

— Asiatique, c'est ça ? »

Silence.

« Tu n'as pas connu une bibliothécaire de la British Library ? Une vierge anguleuse avec un fard à paupières ridicule — Bleu Minuit ?

— Non.

— Tu ne l'as jamais vue ? Pas même entrevue ? Disons dans un parc, par exemple ? »

Silence.

« Tu as des frères ou des sœurs ?

— J'ai un frère.

— Il s'appelle comment ? »

Silence.

« Il ne s'appellerait pas Matthew, par hasard ? En mémoire de feu l'oncle Mattie ? »

Une ombre de sourire. Silence.

« Quand est-ce que ton père est mort ?

— Je ne sais même pas s'il est mort. »

Ça, ce n'était pas banal. Tu m'as dévisagé d'un regard très ouvert, très franc. De ce regard qu'ont les femmes seules branchées dans les bars pour célibataires quand elles veulent coucher avec toi.

« Qu'est-ce que ça signifie ? »

Sourire. Nouvel arrêt de jeu. Silence.

On a repris de la vodka. Ça nous a tous les deux un peu dégrisés. Un type à moustache est venu ramasser nos assiettes toujours pleines de ce qu'elles contenaient au départ, mais plus joliment arrangé. Tu as dit que tu t'amusais bien. Tu as proposé de continuer ailleurs. J'ai payé l'addition avec l'argent que tu m'avais donné en début de soirée. Une somme généreuse.

Nous avons pris un taxi pour un troquet de Soho. Un chevelu à la coule au visage émacié jouait au piano des airs connus pleins d'entrain. Autour du long bar en bois à dessus de verre, quelques poivrots à l'air fier. Au fond, une salle de restaurant. Tu as dit que quelques-uns des poivrots étaient célèbres. J'ai dit qu'ils ressemblaient à des poivrots. On a pris une table à côté du bar et on a recommandé de la vodka. Sur notre table traînait un journal de la veille, plié, avec des mots croisés à peine entamés. Par-ci, par-là, des lettres griffonnées en rond témoignaient d'un combat perdu pour saisir les anagrammes.

« Ou en étions-nous ? ai-je demandé.

— Tu jouais au grand inquisiteur. À mon avis tu allais essayer de me faire dire que William Ivory était mon père.

— C'était ton père ?

— Je suis sûre que tu étais en train d'échafauder toute une théorie. Que tu es tombé sur une magnifique petite preuve gentiment mise de côté. C'est ça, Tierney ? Tu as relevé mes empreintes dans un endroit compromettant ? Tu as prélevé du sperme sur un cadavre et tu l'as comparé à un petit bout de ma peau ? Dis-moi tout.

— C'était ton père ?

— Pourquoi ? Parce que je m'intéresse à lui ? Parce qu'il était anglais et moi aussi ? Parce qu'il pique-niquait et que je n'aime pas beaucoup ça ? Elle est là, ta preuve concluante ? »

208

Tout cela sonnait un peu creux. J'ai bien essayé de me rac-crocher au fil de mes pensées d'avant, mais elles étaient loin à présent. Avant je trouvais ça limpide, et d'ailleurs ça ne l'était pas moins. Le seul truc c'est que je ne me rappelais pas pourquoi.

« Ou alors, c'est parce que ma belle-mère était brune et que la seconde femme d'Ivory était brune ? C'est ça ? »

Je t'ai souri en m'efforçant à la condescendance. Je ne sais pas trop comment je m'en suis sorti. Assez mal, probablement. C'était probablement plus près du rictus égrillard d'un ivrogne que du sourire d'un Sherlock Holmes, pincé et sûr de lui.

« Ah, je sais. » Le gros sarcasme. Pas ton genre. « C'est parce que j'ai un frère. Et Ivory a eu deux enfants, un garçon et une fille. » Tu t'es mise à rire. « Est-ce que tu sais seulement si je suis bien une fille ? Tu n'en es pas si sûr, hein ? Tes recherches ne t'ont pas encore mené aussi loin. Tais-toi pour l'instant. J'ai envie d'écouter le piano. »

Ton visage s'est comme illuminé, comme absenté. Aussi longtemps que le pianiste a joué du piano tu n'as plus été là. J'ai attendu qu'il ait fini. J'ai attendu que tu reviennes. Quand il a pris sa pause, tu as soupiré tout doucement et tu t'es tour-née vers moi. Prête à entendre mes preuves.

J'ai respiré un grand coup. Et parlé lentement. « Le jour où je suis allé chez Helen Ivory, elle m'a expliqué qu'elle atten-dait sa fille. La dernière fois qu'elle avait eu de ses nouvelles, sa fille était au Canada, je crois. Peu de temps après, tu rentres. Tu dis que tu habites chez ta mère. »

Tu as opiné. La prof qui encourage un gamin attardé à aller au bout de son raisonnement fuyant et maladroit. Il se peut même que tu aies bâillé. En fait je ne crois pas, mais tu y as sans doute pensé. Il y avait quelque chose à ajouter à propos de Nick Wheel mais j'avais oublié de quoi il s'agissait. J'ai re-essayé.

« Ah, ouais. Je m'en souviens maintenant.

— Ne crie pas. On n'est pas sur un terrain de base-ball.

— Pas base-ball : *ball* tout court. Chez nous on dit ball. Qu'est-ce que je disais ? »

Silence. Un regard froid, désapprobateur. Qui m'a donné envie d'arrêter. J'ai continué.

« D.B. ? »

Silence. Maintenant ça commençait à coincer. Maintenant il n'y avait plus qu'une masse confuse d'ivrognes à demi célèbres, de pistes de mots croisés sibyllines, ton visage qui bougeait, changeait, s'assombrissait, s'éclairait, plus le tintement sans cesse répété des bouteilles et des verres qui devenait insupportable à mes oreilles, et le retour du pianiste, des airs connus allègres qui défilaient de plus en plus vite avec des arpèges follement complaisants — ça devenait dur, quasi impossible de suivre au milieu de cette jungle l'étroit sentier encaissé de la raison.

« D.B. ?

— Oui ? » Le ton impatient. En boule. Marre.

Bouché mes oreilles. Compté jusqu'à dix. Mis un peu d'ordre dans le monde.

« D.B. ?

— Qu'est-ce qu'il y a ? »

Sauté en plein dedans. Foncé droit devant pour éviter que tout m'échappe une fois de plus.

« C'est pas courant comme nom, hein ? Un peu bizarre à porter pour une fille. Ça fait cadre supérieur d'un film des années soixante. Chef d'entreprise. Masculin.

— Ce sont mes initiales. » Méfiante. Fuyante. On était sur mon terrain.

« Ouais, ouais, d'accord. Je vais te dire un truc. J'ai toute une pile de lettres d'Ivory à Helen. Tu le savais ? Des lettres étranges et tristes. Il lui racontait tout, comme si elle était son psy ou son confesseur, et c'est plutôt terrifiant et sinistre parce qu'il avait des tas de choses blessantes et méchantes à raconter, mais en même temps c'est curieux et tendre, tout à la fois. » Une pause. Pour me contrôler. Je perdais le fil, une fois de plus. J'ai fait barrage à tous les bruits. Arrêté de te regarder. C'était plus dur de réfléchir quand je te regardais. « Mais ce n'est pas ça l'important. L'important c'est qu'il avait une fille. Elle s'appelait Deborah. Deborah Ivory. Elle avait peut-être un deuxième prénom qui commençait par B, je n'en sais rien.

Il parle d'elle de temps en temps dans ses lettres. Quelquefois il l'appelle Deborah. C'est son prénom, après tout. Mais le plus souvent il se contente de deux initiales. Et tu sais ce que c'est, ces initiales ? D.B., tout bêtement. Ça c'est ce que j'appelle une coïncidence. »

Je me suis fièrement carré dans mon siège. J'ai avalé une nouvelle lampée de vodka. Je l'avais bien méritée. Bien gagnée.

« Tu commences à devenir casse-pieds.

— C'est tout ? C'est tout ce que ça t'inspire ? »

Soudain la rage dans la lumière ivre. Le rouge aux joues, on aurait dit qu'elles flambaient. Tu t'es à moitié levée, tu as tendu la main. Tes cheveux te tombaient sur la figure.

« Ça suffit. Rends-moi mon fric. Allez, donne, et tout de suite. Tu as une espèce d'idée fixe bizarre qui n'a rien à voir avec rien.

— Qu'est-ce que tu avais derrière la tête quand tu as dit que tu ne savais pas si ton père était mort ? »

Rien. Tu es restée dans la même position, avec tes doigts qui se tordaient involontairement.

« Qu'est-ce que ça signifie, D.B. ? »

Tu t'es rassise. Tu as ramené tes cheveux en arrière avec impatience, comme s'ils ne t'appartenaient pas, en fait.

« Pourquoi moi ? Pourquoi m'avoir choisi ? Sur quelles compétences ?

— Tu veux le savoir ? Vraiment ? Parce que tu es pitoyable. Tu traînes. Tu écris ces stupides articles sportifs — comment dit-on, déjà ? des chroniques ? — que personne ne lit et des poèmes encore plus stupides que personne ne devrait être obligé de lire. Je t'ai donné une chance. Tu l'as fichue en l'air.

— Je n'arrivais pas à voir les choses aussi clairement, à l'époque. Pourquoi moi ? Il y avait forcément mille duchmols bien plus doués que moi pour faire ce que tu voulais.

— Pourquoi avoir accepté, alors ? t'es-tu moquée.

— J'imagine que je n'ai pas trop pris la peine de réfléchir. J'imagine que j'avais mes raisons. »

Tout s'est noué là. On s'est mutuellement regardés, et ils ne plaisantaient pas, les regards qu'on a échangés. Comme le jour où Bob Stanley a manqué passer sur la ligne pour lancer ce qui aurait dû être une balle d'enfer à Mookie Wilson — ce fut le tournant du match. Stanley aurait pu arrêter. Il aurait pu contourner Wilson. Wilson aurait pu renvoyer au lieu de balancer le coup dehors et de laisser l'autre courir à la base un. Tout pouvait encore arriver.

Pareil pour nous. L'un ou l'autre, peu importe qui, aurait pu dire ou faire quelque chose qui aurait tout inversé. On aurait pu choisir, l'un ou l'autre ou tous les deux, d'avancer d'autres pions, de tomber d'accord sur une quantité x de mensonges acceptables, ou même de tout arrêter là. On savait sans doute tous les deux que ç'aurait été plus futé. Aucun de nous deux ne s'est jamais donné trop de mal pour être futé.

« Qu'est-ce que ça signifie, D.B. ? » répétai-je à voix basse.

Tu as regardé ailleurs. Tu m'as re-regardé. Un visage désespérément sobre. D'où le rouge s'estompait à toute allure. Pâle. Tout à coup tu avais l'air très très jeune.

« Allons chercher la voiture », as-tu dit.

Londres défilait en trombe derrière les vitres de la voiture. Tu conduisais plein pot, peut-être sans risques, peut-être en en prenant, comment savoir, un petit modèle italien rouge luisant. Je t'ai demandé vers où tu allais. Je t'ai demandé quand tu allais te décider à me dire d'où venait ton surnom. Tu ne pipais pas, entièrement concentrée sur la route. Tu déboulais dans les couloirs de taxis, te faufilais pour contourner les bus de nuit qui s'arrêtaient au milieu de la rue, appuyais sur le klaxon pour faire déguerpir des cyclistes qui paniquaient comme des lapins sur l'autoroute. J'ai fumé un paquet de clopes.

Enfin tu as ouvert la bouche. « Ça ne t'embête pas que je baisse la capote ? » Et quand j'ai répondu qu'il me semblait que la nuit était un peu fraîche, tu as braqué le volant, nous a envoyés d'une secousse sur un trottoir qui longeait un des parcs de la famille royale, et tu es sortie de la bagnole pour replier le toit en toile noire. Deux Japonais en futes américains, impers anglais et casquettes à visière ont interrompu leur promenade de nuit pour te regarder te battre avec le mécanisme. Tu t'es réinstallée au volant, tu as attaché un foulard sur ta tête comme si c'était un casque de pilote et tu t'es à nouveau retranchée dans la circulation nocturne.

Transi je me suis blotti sur mon siège en serrant les bras autour de mon corps pour essayer de me réchauffer. Et j'ai attendu, lugubre, qu'on atteigne une destination ou une autre.

Qu'est-ce que tu essayais de me prouver ? Que tu étais une fille super ? Que tu savais faire avancer une automobile ? Ou que tu n'en avais rien à foutre de la vie, ni de la tienne ni de la mienne ? Quoi qu'il en soit, j'ai commencé à reconnaître les rues aux abords de l'hôtel. Tu t'es garée juste devant en tirant sur le frein à main dans un crissement de pneus et tu t'es tournée vers moi avec un sourire. Les mains sur le volant, tu as attendu que je sorte de la voiture.

« Tu ne montes pas ? »

Tu as secoué la tête.

« Je pensais qu'on allait se raconter des petites histoires pour s'endormir.

— Pas ce soir, Tierney. On a suffisamment parlé pour aujourd'hui. Je suis désolée. N'insiste pas, s'il te plaît. Je passerai te prendre demain vers midi.

— Bien sûr.

— Je n'essaie pas de me dérober.

— Tout va bien. Demain ce sera parfait. Nous aurons les idées un peu plus en place, tous les deux.

— Tierney. Tu peux penser ce que tu veux, je ne suis pas la fille de William Ivory. »

Je suis sorti, j'ai fermé la portière. Je ne savais pas si je te reverrais, et à cet instant-là, pendant un instant, ça me fut bien égal. Tu as embrayé, tu m'as fait un signe, et tu as démarré sans jeter un œil pour voir s'il n'y avait pas quelque chose qui arrivait.

Deux putes me regardaient pendant que je te regardais disparaître au coin. J'en ai pris une, la plus près, pour monter avec moi. Robuste et noire de peau, elle avait tendance à

213

l'embonpoint. Elle se mettait du fard à paupières, du rouge sur les joues et un colorant carotte dans les cheveux. On est entrés dans ma chambre et j'ai allumé la lampe de chevet du bout du doigt. Il me semble que nous n'avons absolument rien dit, sauf pour nous entendre sur un prix et, s'agissant d'elle, pour me demander jusqu'à quel point je voulais qu'elle se déshabille. Elle parlait bien anglais avec une espèce d'accent qui pour je ne sais quelle raison me fit décider qu'elle venait de l'île Maurice. Je l'ai payée d'avance, en lui tournant le dos pour sortir le portefeuille que tu m'avais donné. Elle a tout enlevé à part son soutien-gorge et ses bas. J'ai gardé ma chemise. Elle m'a un peu astiqué avant de me coller un préservatif d'un coup et d'une seule main. Elle m'a demandé si j'avais envie de trucs spéciaux, j'ai refusé d'un signe de tête. On a besogné un moment et, quand j'ai senti que ça venait, je n'ai pas crié ton nom. Elle a emporté le préservatif en partant.

Je ne sais pas s'il est jamais arrivé à Ivory de monter avec une prostituée. Si oui, je n'ai rien de lui là-dessus, pas même quelques sarcasmes adressés à Helen. Tu disais à un moment qu'il avait les expériences des autres en horreur. Mon œil. Les dix dernières années de sa vie, il travaillait comme analyste. C'était un virtuose du divan (un dangereux dissident à en croire l'Association psychanalytique, un souffle d'air frais à en croire R.D. Laing). Il employait la technique des jeux de rôles et parfois il utilisait des narcotiques, parfois il se contentait d'écouter. Son cabinet de Hampstead se transforma en arène du psychisme : les patients tentaient de s'accrocher à l'armure de pathologies ayant fini par leur devenir indispensables, ils y livraient bataille à l'assaut d'Ivory et la plupart du temps perdaient, s'effondraient devant ce qu'il appelait l'apocalypse. Il aimait sucer jusqu'à la dernière goutte le mal contenu dans le cœur de ses patients. Il était difficile, c'est incontestable, mais aussi extraordinairement curieux, avide presque des choix des autres dans les choses bizarres qu'ils prennent plaisir à faire avec leurs corps et leurs têtes. On sait qu'il a aimé une vierge. Ce que tu attribuais à un pur désir de corruption.

Plaisirs décadents se lit bien. Je l'ai parcouru tout en t'attendant dans la pièce minuscule que l'Australien appelait le salon. J'ai bu un mauvais café trop léger en feuilletant ce

215

livre. De savoureux potins lascifs, des études de cas historico-pathologiques sur des hommes au raffinement cruel (il n'y est guère question des femmes : quelques anecdotes étonnantes à propos d'une androgyne des Ballets russes, des piques goguenardes sur la Marchesa Casati qui traînait son léopard au bout d'une laisse en cuir, la liste des luxures de l'impératrice Théodora de Byzance — cela mis à part elles ont plutôt des rôles de second plan). Luxueux avec ça. Des illustrations bien choisies : toiles de Moreau, gravures politiques fielleuses, bandes dessinées sado-maso japonaises, portraits de criminels trépassés, tableaux de banals paysages boisés rendus irréels par des utopies condamnées, photos prises par des connaisseurs en instruments de torture où le sang n'a pas fini de sécher.

Je ne comptais pas te voir arriver. Je comptais que tu aurais filé et je comptais te courir après. Et comme deux heures sonnèrent et s'enfuirent sans qu'il se passe rien, pas un coup de fil, pas un coup à la porte, pas même le rugissement de ta voiture de sport dans la rue, j'ai enfilé un manteau et je suis sorti sans trop savoir ce que j'allais faire ni où j'allais le faire, et je suis tombé sur Nick Wheel qui m'attendait dehors.

« Taxi, môssieur ? » s'enquit-il en tapotant la visière de la casquette de son vieux.

« Pour où ?

— Non non non non non. Ça c'est ma partie. Pour où ? Tu vois… On est censés le jouer comme ça. Les aéroports, c'est avec supplément.

— Je n'avais pas l'intention de partir à l'étranger.

— Tu devrais peut-être. Un petit changement fait autant de bien qu'une petite pause. De qui est-ce ? Patsy Fagan. En voiture. T'as le droit de t'asseoir à l'arrière et d'écouter ce que je pense. »

Je me tassai comme je pus sur le siège arrière de la MG. Il s'écarta lentement du trottoir et se mit à rouler au pas en buvant de la vodka au goulot.

« Tu vas dans un endroit spécial cette année ? Qui tu verrais pour la Coupe, alors ? Quant à savoir qui détient le pouvoir, crois-moi, je m'en fiche, c'est tous blanc bonnet et bonnet blanc, les riches deviennent de plus en plus riches, les pauvres picolent de plus en plus, les morts sont de plus en plus morts et apparemment tout le monde s'en balance... C'est quoi la dernière ? Vous allez me raconter ça mon ami. J'ai déjà vu ta pomme, attends, cette Deborah Ivory une fois elle est montée dans mon taxi.

— Parle-moi d'elle.

— Personne n'est parfait.

— Ce qui veut dire ? »

Motus et bouche cousue, il décida de prendre des risques et d'accélérer un tout petit peu l'allure. Nous avons longtemps roulé en silence. Il résistait à mes encouragements.

Enfin la voiture s'est arrêtée et je suis descendu. Je me trouvais dans une rue résidentielle de l'autre côté de Holloway Road. Devant la maison de Helen Ivory. J'ai filé un billet de cinq livres à mon cinglé de chauffeur. Il a soulevé sa casquette.

« Tu veux que j'attende ?

— Je ne crois pas que ce soit nécessaire.

— Une fleur, avec ça ?

— Je t'ai donné assez.

— Ce n'est pas ce que je voulais dire. Laisse-moi te faire une fleur : quand tu pédales, évite la choucroute, conseil d'ami. Aucun de ceux qu'Ivory a touchés ne l'a jamais oublié. Il transformait la vie des gens. »

Il redémarra lentement. J'ai frappé à la porte, juste à temps pour empêcher Helen Ivory de s'installer confortablement pour le premier service de feuilletons australiens.

Elle tremblait, un peu irritée, me sembla-t-il, quand je m'inquiétai de savoir comment elle allait. Je ne fis pas allusion aux lettres subtilisées, elle non plus. Elle m'invita à entrer dans le salon où pendant une demi-heure nous observâmes des faits et gestes d'Australiens à la plage. Une actrice, je m'en souviens, avait un problème de peau particulièrement grave. Le son étant coupé, seuls parvenaient à mon oreille les difficultés respiratoires de Helen, le grondement de la circulation sur Holloway Road et, venu d'un endroit tout en haut de la maison ou peut-être au-dessus d'elle, un battement d'ailes continu.

Helen s'endormit juste avant la fin du générique, au moment où déferla le thème musical langoureux. J'écartai sa tête de mon épaule et l'appuyai sur un coussin oriental. Puis je m'esquivai sur la pointe des pieds.

Dans l'escalier le bruit d'ailes se fit plus sonore. Je passai devant la chambre de Helen, devant la porte de l'infirmerie modèle, puis je grimpai la dernière volée de marches pour atteindre l'appartement du grenier. La porte était ouverte et certaine personne s'était installée là comme chez elle. Sur la table, une pile de journaux à côté d'une coupe ronde pleine de fruits blets — des pommes dont la peau se ridait comme la figure d'une vieille, des oranges qui commençaient à pourrir. Je suis passé devant la salle de bains, sous mes pieds une jonchée d'enveloppes ouvertes, je me suis arrêté à la porte close menant à la chambre et les bruits sortaient de là, des sons qui n'avaient rien d'humain, un lourd frottement de plumes, un puissant battement d'ailes, comme un monstre qui aurait pris vie par une nuit d'enfance. J'ai essayé d'ouvrir la porte. Fermée. Je suis allé dans le salon. De hautes fenêtres à l'autre bout, derrière une table ronde. Dans le coin, une mallette en cuir brun cabossée, ouverte, vide. Des bagages où étaient encore apposés les autocollants de la douane de l'aéroport encombraient le canapé.

Tu n'as pas remarqué ma présence quand tu es sortie de ta chambre, un bol en porcelaine vide dans les mains. Tu portais une écharpe couleur d'or et un long manteau marron au col garni de fourrure. Je t'ai entendue verser du lait dans le bol, dans la cuisine, et une fois revenue dans ta chambre tu n'as pas fermé la porte à clef.

Je t'ai suivie. Drôle de spectacle. Toi en train de poser ce bol en porcelaine par terre, à côté de ton lit. L'oiseau estropié, un genre de faisan ou de perdrix, douces plumes châtains sur les ailes et le dos, du bleu sur le cou mince, qui soulevait une aile comme un piston et laissait pendre l'autre, agitée de soubresauts, pendant que sa queue balayait frénétiquement et tout à fait inutilement le plancher en bois de gauche à droite. Toi, une main derrière le cou de l'oiseau pour essayer de lui faire baisser la tête, en train de l'amadouer pour qu'il plonge le bec

218

dans le bol de lait. Sous le manteau à col de fourrure on devinait une jolie petite robe années soixante. À pois. Autour de tes yeux un lourd trait d'eye-liner — Carnaby Street, rêves sous acide.

« Comment ça va ?

— Tierney ! »

Surpris, l'oiseau tenta de s'envoler et alla se cogner le bec contre le mur. Tu l'attrapas par le cou et commenças à le calmer de l'autre main en lui caressant le dos, mais là-dessus tu m'as regardé et tes mains se sont vivement écartées de l'oiseau blessé comme si tu touchais un truc brûlant. Saisissant sa chance, il fonça vers la porte entrouverte. Je la refermai d'un coup de pied et il fila précipitamment se cacher sous le lit.

« Rapide, cet oiseau-là. Comment s'appelle-t-il ?

— Ne sois pas ridicule. Il n'est pas apprivoisé. Je l'ai heurté en voiture — il a jailli sous mon nez — je roulais dans un parc. Je ne sais pas quoi faire.

— La plupart des gens l'auraient laissé là où il était.

— J'ai failli. Qu'est-ce que tu fais ici ?

— Tu étais en retard, je suis venu te chercher.

— Comment es-tu entré ? Elle t'a ouvert ? Comment m'as-tu trouvée ici ?

— Je suis déjà venu, avant. Tu m'as donné l'adresse, tu te rappelles ? »

Tu as opiné. Ce qui signifiait que le sujet te barbait. J'ai vu tes yeux chercher l'oiseau sous le lit et j'ai vu tes yeux vite revenir se poser sur moi quand tu t'es dit que je t'observais.

« Ta mère est une gentille vieille dame. J'imagine qu'elle est pour quelque chose dans ton nom. Parle-moi de ton nom.

— N'essaie pas de m'intimider.

— Mais pas du tout. Si tu détournes…

— Oui, oui. J'ai soif. Tu veux du café ? Ne bouge pas. Laisse la porte fermée. »

Tu es passée dans la kitchenette. Je t'ai entendue brancher la bouilloire. Tu m'as appelé. « Je t'entends parfaitement d'ici. Parle. »

J'ai parlé. En faisant comme si je n'entendais pas le battement d'ailes de l'oiseau planqué sous le lit. Je t'ai raconté la tragédie des Red Sox de Boston. Je t'ai raconté 1949, 1967, 1972, 75, 78 et 86, quand Bill Buckner nous a une fois de plus brisé le cœur à tous en laissant cette balle qui roulait doucement sur le terrain lui passer entre les jambes. J'ai parlé en élevant la voix tant que tu as été dans la cuisine et je l'ai baissée quant tu es revenue avec la cafetière et deux tasses à expresso sur un plateau.

« Qu'est-ce que tu as l'intention de faire de cet oiseau ?

— Laisse tomber. C'est sans importance. Je m'excuse de m'être mal conduite avec toi hier soir.

— J'ai le dos large. »

Voilà qui t'a un peu contrariée, n'est-ce pas ? Une excuse sincèrement présentée méritait un accueil moins frais.

« Je n'aurais pas dû me conduire si mal.

— On s'en fiche de ta conduite. Tout ce que je veux c'est que tu te mettes à table. Après avoir lu Miss P***, tu sais, la vierge de bibliothèque…

— Tu en as découvert combien d'autres ?

— Qui ? Quelles autres ? »

Tu as souri. Fière de ton savoir ou plutôt de mes lacunes.

« Il les appelait la Congrégation : la Congrégation des saintes vierges. Il y en a eu d'autres, en plus de la bibliothécaire, il avait aussi d'autres femmes, mon p… de père fier de ses enfants — c'est bien la formule de la nécro, non ? — mais sa spécialité c'étaient les vierges. Noble et vicieuse attitude, tu ne trouves pas ? Qu'est-ce que tu en dis, Tierney ? Quels mots utiliserais-tu ? Des femmes seules tellement refoulées que ça les rendait folles, mûres pour accepter le contact déflorant du plus dégueulasse des hommes.

— Il l'a sauvée.

— Il les baisait toutes.

— Je ne savais pas qu'il y en avait eu d'autres. J'aurais dû m'en douter. Il y avait pourtant des indices. Mais quoi qu'il en soit il leur a donné ce qui leur manquait. Ce qu'elles voulaient.

— C'était de la corruption, un pur désir de corruption. Histoire de trouver quelque chose à casser, à abîmer. De faire la preuve de sa virilité en prenant les plus malheureuses des femmes que personne n'avait jamais touchées, pour les bourrer de son venin.

— J'adore quand tu dis des cochonneries.

— Ne fais pas ton malin. Tu n'es pas si malin. »

Je suis allé aux toilettes. J'avais entendu le petit déclic de la cassette arrivée au bout. Les étagères de la salle de bains qui étaient vides lors de ma dernière visite croulaient maintenant sous un tas de bordel. Pots, bouteilles, boîtes, tubes de maquillage visqueux tout aplatis. Fards à joues, mascaras, eyeliners, rouges à lèvres à n'en plus finir, ombres à paupières (vérifié si le Bleu Minuit ne s'y trouvait pas : il y était), crèmes pour la peau, fonds de teint, vernis à ongles, toute la série du noir au clair avec au milieu un carrément osé, baptisé Scarlet O'Hara, crèmes pour se débarrasser des poils superflus, shampooings pour tonifier les cheveux fatigués. Un vrai salon de beauté, là-dedans. J'ai retourné la cassette derrière une porte fermée à clef pendant que la chasse se vidait dans les chiottes. Pas envie que tu saches que tout ce que tu disais était enregistré. Ensuite viendraient de longs jours, de longues nuits de transcription solitaire. La voix de ta mère, celles de Julian Brougham Calder, de Nick Wheel, de Miss P*** ; les voix de Gibbs, de Mrs. Brennan la nounou, de Monsieur le juge Anthony Brougham-Calder et de sa femme, Jane, celles de leur robuste et blonde tribu ; celle de ton frère Matthew, la tienne. La tienne que je connais sur tant de registres différents, ta voix déçue, furieuse, diminuée, triste, et, le plus souvent, égale, maîtrisée, légèrement voilée, comme celle des gens de la BBC lorsqu'ils racontent des choses banales servant à dissimuler d'énormes secrets. J'aimerais ta voix si tu parlais maintenant.

Le calme régnait dans la chambre quand je suis revenu.

« Qu'est-il arrivé à l'oiseau ?

— Qu'est-ce que tu fabriques ici, Tierney ?

— J'envisageais de te poser la même question. Tu n'es tout de même pas très pro pour une éditrice — ça ne se passe pas comme pour les hommes politiques, dans ton métier ? Tu n'es pas censée dire où est ton intérêt ? »

Tu as haussé les épaules. « Chacun fait ce qui l'intéresse. J'ai été au plus pratique, j'imagine.

— Mais il ne s'agit pas simplement du livre, ce n'est pas le plus important. Qu'est-ce que tu mets là-dedans ? »

Tu as fini par répondre au bout d'une longue attente. D'une interminable attente. Pas de bruits d'oiseau pour nous distraire, rien que la rumeur apaisante de la circulation sur le boulevard. Et quand tu as enfin ouvert la bouche ce fut pour prononcer chaque mot si soigneusement qu'on avait l'impression que ce que tu disais risquait sans arrêt de te blesser.

« Dis-moi simplement comment il est mort. C'est tout ce que je veux savoir. Oublie le livre, si tu veux, ce serait sans doute aussi bien d'ailleurs. Ne t'inquiète pas pour l'argent, tu seras payé, je me débrouillerai. Laisse tout tomber, oublie tout le reste, découvre simplement comment il est mort, dis-moi comment il est mort, tu en seras récompensé et tu me feras plaisir. »

Ivory mère avait surgi en silence à l'entrée de la pièce. J'ignore depuis combien de temps elle se trouvait là. Et ce qu'elle avait entendu. Elle me regarda comme si elle ne m'avait encore jamais vu, avec sa tête ridée qui tremblait tout le temps sur son cou si facile à casser.

« Je suis désolée de vous déranger, les tourtereaux. J'ai fait. Du thé en bas. Est-ce que ton ami. En prendra, Deborah ? »

La vénération due au grand âge. Nous avons lentement descendu les volées de marches, suivi la démarche branlante de la vieille dame à tout petits pas douloureux pour nos muscles. En bas, nous avons pris place dans le salon, installés en demi-cercle autour d'une télé qui transmettait sans le son les titres d'ouverture d'une vieille interview datant des années soixante-dix. Helen éteignit le magnétoscope et répandit du thé un peu partout à notre intention. Le breuvage était trop léger, froid, le bord des tasses disparaissait sous les sédiments de taches de générations et de générations de thé trop léger et froid. Helen tança sa fille d'un doigt convulsif. J'essayai de reconnaître un air de famille. J'essayai de t'imaginer dans un corps ridé en décrépitude. J'essayai de me rappeler les photos de la vieille dame à l'époque où elle avait la peau lisse. Je ne trouvai pas la moindre ressemblance.

Pour finir la vieille dame prit la parole par à-coups : « Il y a beaucoup de choses. Que les jeunes filles ne veulent pas. Comprendre. Il faut que tu apprennes. Deborah. À ne pas dire de mal des morts. » Elle eut un froncement de sourcils qu'elle voulait sans doute maternel et sévère et qui lui fit un rictus de masque mortuaire, elle posa sa tasse sur le bras de son fauteuil, appuya sur la télécommande pour passer sur une émission d'informations et remit le son.

Tu m'as lancé un regard. Devant ton air fatigué, malheureux, coupable, je me sentis prêt à tout te pardonner.

« Je vais tout de même l'écrire. Tant pis. Je me fiche complètement de tout ce que tu peux dire ou faire. »

Tu m'as accordé une ombre de sourire de circonstance. « C'est ce qui me plaît chez toi, Tierney. Tu n'es peut-être pas très brillant mais tu ne renonces pas, hein ? » Nouveau sourire. Ce sourire embarrassé que tu as quand tu vas te montrer trop généreuse. « L'hôtel où tu es est vraiment minable. Tu peux rester ici si tu veux. » Puis, plus fort : « N'est-ce pas, maman ?

— Bien sûr. Ma chérie », répondit Helen sans détourner les yeux de l'écran de télé et sans que rien laisse soupçonner qu'elle savait à quoi elle consentait.

Tu m'as mis dans la pièce que tu appelais le cabinet médical. Dans cette chambre triste, tu m'as fait un lit avec des draps d'hôpital. Chromes brillants, hygiéniques. Plancher blanc, aseptisé. Je devais dormir sur l'étroit chariot, tous freins bloqués au milieu de la pièce. Tu as apporté une serviette et l'a drapée sur le dossier du fauteuil de médecin placé à côté du bureau chromé dans le coin. Tu t'es assise sur le fauteuil et moi sur le chariot, les pieds à bonne hauteur du plancher, et nous avons attendu, tous les deux, que l'autre ait quelque chose à dire. J'ai risqué une blague, tu as vaguement ri puis tu t'es levée, tu m'as embrassé sur la joue et tu m'as laissé à mes plaisanteries.

J'ai dédaigné le peignoir de malade accroché à la porte, trop mince et trop suggestif, pensé à l'horreur qui saisirait Ivory mère à minuit si jamais elle se réveillait et sortait dans le couloir pour y découvrir mon cul rayonnant. Ne gardant sur moi que mon tee-shirt et mon caleçon, j'ai flâné dans la chambre. Pensé monter te voir, mais le moment n'était pas bien choisi, pensé aller chercher mes affaires à l'hôtel, mais comme ça pouvait attendre le lendemain je me suis mis à lire les brochures des firmes pharmaceutiques vantant des produits nouveaux, j'ai lu les recommandations d'un organisme gouvernemental sur la méthode pour arrêter de fumer, la conduite à tenir en cas d'anévrisme, d'ingestion de substances toxiques, de choc électrique, de suffocation. Je suis allé voir de plus près la petite armoire à pharmacie, j'ai examiné les cachets, puis je l'ai refermée, j'ai éteint la lumière et, à tâtons pour protéger mes tibias, je suis retourné vers mon lit à roulettes. J'ai enveloppé mon corps non lavé, criblé sans doute de germes vivants, dans les draps d'hôpital. À l'intérieur de la maison c'était le calme absolu. Même pas un oiseau pour secouer son aile cassée. Helen devait être dans la chambre à côté mais rien ne filtrait, pas le moindre bruit de vie. Toi tu devais être au-dessus de ma tête, dans l'appartement du haut, à moins que tu ne te sois glissée dehors pour quelque rendez-vous nocturne, histoire d'essayer d'arranger le coup pour un bouquin.

Il y avait un petit jour entre le store et la fenêtre, et sur le mur latéral, entre le bureau de médecin et l'armoire à pharmacie, les deux bonbonnes d'oxygène brillaient d'une horrible lumière sans vie. J'ai fermé les yeux pour ne pas voir. Je me demandais si Helen n'allait pas couper ma nuit en faisant une petite sortie en quête d'O_2 ou de cachets. Essayé de ne pas y penser. Un murmure venait de la maison d'à côté. Des bruits sourds de conversation, de dispute si ça se trouve. J'ai tendu l'oreille, m'y suis accroché en m'efforçant de distraire mon imagination des fantasmes de vivisection tordus qui hantaient Frau et Fraülein Frankenstein, en m'efforçant de ne pas me demander ce que je pouvais bien foutre là.

3 juillet 1973

Chère Helen,
Gaspard déteste mes cigares. Le claquement de dents métallique de la pince que vous m'avez achetée suffit à lui faire passer la porte d'un air affligé et sournois. Les Gauloises lui manquent, et je suis dans le même cas : reste que la sensibilité olfactive d'un chien intelligent passe forcément après l'avis médical ou prétendu tel d'un tripier prétentieux. Il va certes falloir que Gaspard apprenne à tolérer de nouvelles mœurs, mais cela me trouble de voir les animaux souffrir autant. Ils ont le changement en horreur, ces domestiques, et plus Gaspard se transforme en vieux grincheux plus il devient difficile d'infliger des épreuves à la bête.

Les enfants sont-ils bien récurés, lavés, emballés et prêts pour leur visite ? Je sais pouvoir compter sur vous pour donner un peu de grâce à leurs corps maladroits. J'ai en vue une excursion aux dunes de Holkham Bay. Une de mes proches et serviables relations désirant ardemment les avoir sur les bras il serait superflu que vous vous inquiétiez à leur sujet. Veillez à mettre des maillots de bain dans leurs bagages.

Cette relation est d'un genre nouveau pour moi. Vous l'apprécieriez, j'en suis certain. Lizzie porte comme une souillure la marque de l'expérience et en sort pourtant intacte. Une tache à la surface, sans effets sur le centre. Elle a une passion curieuse pour la photographie : un besoin pathologique de préserver les instants sous forme de souvenirs en deux dimensions. Autre signe, lui dis-je, de sa malhonnêteté foncière et de sa peur. Elle rit et se révèle une vraie beauté. Elle me fait un peu penser à vous quand vous étiez plus jeune.

Ayez l'œil sur Reiko, je vous prie. Elle dépérit et miaule comme un chat abandonné.

W.

Je me suis réveillé raide et affamé. (Prends ça comme tu voudras.) En bas, dans la cuisine, une cafetière de café froid, des morceaux de pain grillé desséché posés côte à côte sur un porte-rôties en argent, des pots sans étiquette, confiture et marmelade d'oranges. Une Ivory mère attentive veillait sur la scène. Tu étais partie. Destination inconnue.

« C'est agréable d'avoir à nouveau un homme. Dans la maison. Un peu plus de marmelade ? Du café ?

— Du café, s'il vous plaît.

— Deborah a omis de me dire quel. Journal vous lisez le matin.

— Je ne lis que les pages sports. Ils font tous l'affaire.

— Avez-vous bien dormi ?

— Assez bien. Où est Deborah ?

— Elle est sortie pendant que vous dormiez encore. Cette fille a toujours aimé les secrets. »

Nous avons devisé un bout de temps de façon assez sensée puis, lorsque j'abordai le sujet de son défunt mari, ton père vivant, Helen me recommanda de ne pas m'occuper de la vaisselle et remonta dans sa chambre avec deux opuscules religieux.

Je t'ai attendue un long moment en bas avant de regagner l'infirmerie. Fermé à clef derrière moi. Sorti mon fichier Ivory. Étalé les papiers.

29 septembre 1973

Très chère Helen,

Je vous ai déjà parlé d'elles, je vous reparlerai d'elles. La peau des vierges, l'éclat de leurs joues dès lors que la décré-

226

pitude, le refoulement, la pureté sans passion témoignent d'une beauté supérieure au lustre fortuit de la jeunesse. Ces saintes de banlieue, équipées de chariots de supermarché et de cartes de bibliothèque en lieu et place des reliques religieuses ; aux oreilles de ces madones des culs-de-sac qui achètent leurs robes en solde, les nouvelles nationales que diffusent des transistors de pacotille ont des accents de cloches d'église ; leurs vauriens de chats forment la confrérie, tout à la fois adorateurs et prêtres autour du bol de lait du téton de la Vierge.

Et Lizzie, encore. Nue et à ses yeux avilie, la même pureté sourde resplendit au travers de sa chair qui se flagelle. Nous eûmes tôt fait d'atteindre le transfert ; après notre troisième séance, elle rêvait de moi dans ses rêves sexuels. Nous en sommes maintenant à la deuxième étape, celle où la haine qu'elle me voue révèle son absolue dépendance. Elle affecte de me mépriser pour ce qui lui apparaît vanité de ma part. Comme tous ceux qui souffrent d'une infatuation du moi elle ne saisit pas la différence : sa petite cervelle brouillonne tient tous les êtres humains coupables des mêmes crimes : motifs et schémas composent l'album d'un monstre criminel, universel et unique, pris de face et de profil : elle-même. Comment lui dire ce que vous seule comprenez ? Je ne peux. Comment lui dévoiler ce que vous savez sur moi et qui vous rend infiniment précieuse à mes yeux ? Je ne peux. Cela échappe au domaine où se retrouvent médecin et malade. C'est du tout au tout étranger aux noires actions pleines de vie qu'elle et moi obligeons l'autre à accomplir la nuit, poussés par le désir téméraire d'une vérité dangereuse. Raison pour laquelle vous et moi, chère épouse, sommes et resterons à jamais mariés.

La petite sotte vigilante m'a surpris en train d'affronter mon image sur l'écran de contrôle d'un studio de télé. BBC 2, vendredi, 10 heures 15, date retenue pour la retransmission. Vous trouverez peut-être intéressant de la regarder. Du fait de la position excentrique de l'une des caméras, l'image restituée par le moniteur avait capturé l'arrière de mon crâne. Vous comprenez, n'est-ce pas ? Ce trou horrible dans les cheveux par où s'exposait le scalp mis à nu : luisant démon de la mortalité, révoltant, bien réel. C'est assez de le voir sur le crâne des autres (pourquoi ces mourants ne portent-ils pas de chapeau ?), la vision accidentelle d'une tête chauve suffit à provoquer la nausée. Lizzie me surprit qui tressaillais à la vue de la mienne : ce trou ricanant de décrépitude synonyme de mort.

Il arrive que pareil moment ait pour effet de me pousser à la charité. J'ai ensuite œuvré pour le bien de quelques enfants fous, ce qui a conduit Lizzie à se défaire du voile élimé de sa haine affichée et à décider, chambre 244 dans un hôtel chic de Notting Hill, que j'étais le saint d'une singulière église cochonne entièrement vouée à sa dévotion personnelle. C'est une petite sotte, mais une sotte excitante.

Vous pouvez informer DB que son ami Gaspard va bientôt mourir. Qu'elle vienne, si elle le souhaite, le constater par elle-même. Elle sautera sur l'occasion, n'en doutons pas. Cela lui offrira la possibilité de le sauver et, une fois qu'elle y aura échoué, elle s'en prendra très certainement à elle-même. Ce sera une dure et nécessaire leçon.

Votre mari aimant,

W.

J'avais vu une photo de Gaspard au début, sur le deuxième portrait d'Ivory, celui avec les cheveux soufflés par un brusque coup de vent, une cigarette sans filtre entre les doigts et son chien, un berger allemand pure race, joli museau, les oreilles droites, des yeux intelligents fixés sur son maître, le poil lisse, noir et blanc, preuve qu'il était bien nourri et soigneusement brossé. Tu l'aimais ce chien, n'est-ce pas ? Plus que tout au monde. Ces étés de ton enfance sur la côte nord du Norfolk, le ciel énorme, monotone, menaçant, ton frère, méfiant déjà, faible et cruel, pâle édulcoration de son père, et les folles qui s'échelonnaient avec leurs furieux désirs physiques contrariés, la maison elle-même, froide sauf quand il y avait de la visite dans l'air, médiocre refuge. Du temps, tu en avais à ne pas savoir qu'en faire. Tu lisais. Tu te dérobais le plus possible à l'étrange et dur contact de ton père — ses brusques familiarités tournaient toujours à la persécution : *Ne pleure pas en public. Ça t'apprendra qu'il ne faut jamais faire confiance à personne.* Ou ce *Tais-toi !* quand il t'arrivait momentanément de te trahir avec enthousiasme. Ses doigts puissants qui te chatouillaient sur le fauteuil en crin de la petite chambre, des chatouilles bien au-delà de la plaisanterie, au-delà du plaisir, pure et simple soumission tyrannique au dur tripotage de ses doigts qui se poursuivait alors que ton rire avait depuis longtemps disparu, que depuis longtemps tu n'arrivais plus à respirer normalement, que tu t'étais mise à pleurer, à hurler, à supplier d'être délivrée de la torture de son toucher. Et puis il y avait aussi cette histoire de D.B., mais nous y reviendrons plus tard.

Et quelle parade as-tu trouvée ? Le silence. L'immobilité. Dissimuler tes émotions derrière un masque parfaitement vide. Apprendre à former un sourire acceptable qui passerait pour une réponse. Parfois te tenir absolument immobile dans la cour de la maison. Simplement rester là, une statue, sans rien sentir, pas même le vent salé qui soufflait de la côte, sans rien entendre, pas même les piques de ton frère ou les ordres gueulés par ton père, sans n'être plus rien, pas même toi. Dans ce monde où tout était menace et danger tu avais un allié, un ami sur l'amour de qui tu pouvais compter, un chien, Gaspard.

Gaspard tu l'aimais et tu savais qu'il t'aimait lui aussi. Il te tardait de le retrouver. Intelligent, fort, doux, véloce ; chaque fois que ton père t'y autorisait tu sortais le chien, fière de traverser le village avec lui sans avoir besoin de te servir de la laisse : Gaspard ne te ferait pas faux bond, tu pouvais avoir confiance en lui. Il t'est arrivé d'aller jusqu'aux dunes, de courir dans la mer, de jeter un bâton loin dans l'eau, et de regarder Gaspard patauger pour aller le chercher. Ou, par temps froid, de prendre un frisbee qu'un des cousins américains de ta mère t'avait envoyé un Noël. De jouer avec dehors dans le champ qui s'étendait derrière la maison, puis, quand vous étiez tous deux fatigués et heureux, de tout bonnement t'allonger avec Gaspard dans ce champ glacial, serrés l'un contre l'autre pour vous tenir compagnie et vous réchauffer, et de regarder la lumière du feu émettre des signaux d'avertissement vacillants par la fenêtre de la salle à manger en sentant sur ton visage l'haleine du chien, chaude, âcre, rassurante.

Certains jours, quand il n'était pas avec une de ses timbrées bizarres, il ne te laissait pas sortir le chien ; alors Gaspard te lançait un regard de regret mais, fidèle à sa loyauté première, il répondait au coup de sifflet perçant d'Ivory. Et là-dessus tu restais seule dans la maison, avec dehors ce grand ciel monotone, avec sur le dos deux pulls de ton père pour te tenir chaud, avec à côté de toi ton frère qui aurait aussi bien pu ne pas être là.

Et cela te fut bien égal que Gaspard se mette à vieillir, qu'il devienne plus lent, un peu dur d'oreille et parfois distrait. Il ne t'oubliait jamais, quel que soit le temps écoulé depuis ta dernière visite. Son poil avait perdu de son éclat, ses yeux un peu de leur vive intelligence, il lui arrivait de te donner un petit coup de dents pour te mettre en garde quand tu le caressais à un endroit où il avait mal, mais tout cela n'avait aucune espèce d'importance.

L'important c'était la manière dont Ivory traitait le chien. Ivory n'aimait pas que les choses s'usent. Il détestait ça. Il jetait les chapeaux dès qu'ils commençaient à accuser leur âge. Il laissait tomber ses amis quand l'affaissement et l'abandon signaient leur délabrement physique. À partir du moment où Gaspard bascula dans la vieillesse, Ivory se mit donc à ignorer le chien tout comme il t'ignorait souvent, et Gaspard, l'air honteux et misérable, errait dans la maison en quête du réconfort de tes genoux où il appuyait la tête. Avant, malgré toute la haine que tu portais à ton père, malgré toute la peur, l'inquiétude et les larmes qu'il t'inspirait — contrebalancées de temps à autre par un espoir fou, une brusque explosion d'amour, d'orgueil et, à haute et intelligible voix, une promesse sur la femme que tu deviendrais — tu n'avais rien à redire à la façon dont il traitait Gaspard. Il le brossait soigneusement, le sortait assidûment, avait pour lui la considération qui s'imposait et lui prodiguait, à lui seul peut-être, une juste affection. Mais désormais c'était fini. Il criait après Gaspard quand le chien ne réagissait pas à ses coups de sifflet éloquents. Un jour même tu le vis lui donner un coup de pied alors qu'ils sortaient de la maison, et que Gaspard manifestait obstinément son mécontentement à l'idée de partir en promenade. Quel âge avais-tu, à l'époque ? Dans les onze ans, un tout petit peu moins que le vieux chien décrépit.

J'avais cru que l'infirmerie était pour Helen la parkinso-
nienne. Mais non. L'usage en était destiné à celui qui avait été
et serait son mari. Il s'y rendait souvent. C'est d'ailleurs à ces
occasions que tu le voyais, après avoir cessé d'aller dans le
Norfolk — indistincte vision fugitive de ton père entrant dans
la pièce où il se barricadait. Ou alors, à l'improviste, tu tom-
bais sur le bel Ivory qui te saluait en portant la main à son
chapeau, lèvres hermétiquement closes pour dissimuler son
râtelier, ou tu le voyais d'en bas lorsqu'il s'arrêtait pour dire
un mot à Reiko qui passait l'aspirateur dans l'escalier, tu le
croisais dans la cuisine où il se préparait un café avec la cafetière dont Helen ne laissait personne d'autre se servir, ou dans
le salon en train de siroter un cognac en bavardant avec son
ex-femme, ta mère. Quelquefois aussi tu le voyais garer sa
Jaguar et s'approcher de la maison, et toujours ton premier
mouvement était de ne pas le reconnaître. Mais il t'est aussi
arrivé de t'accroupir devant la porte de l'infirmerie pour coller
ton œil derrière le trou de la serrure et passer des heures à le
regarder là-dedans.

Il se soignait pour des maux réels et imaginaires. Il suçait
l'oxygène des bonbonnes mises de côté. Il se rédigeait des
ordonnances sur le bloc de la sacoche de médecin. Il se
concoctait des mixtures avec les cachets de l'armoire à pharmacie accrochée au mur. Il s'injectait de l'adrénaline pour
s'aider à respirer. Il s'octroyait des petites siestes sur le chariot

avant de retourner à Hampstead et de là dans le Norfolk. C'est peut-être là qu'il se trouvait le matin du jour de sa mort.

Je me suis réveillé en pleine nuit avec un cercle humide à la base de la queue. De deux choses l'une : elle fuyait de trop peu servir ou une bouche s'était refermée dessus. La tienne ? Les blanches lèvres plissées de Helen Ivory ? Ou était-ce un succube assoiffé d'amour qui cherchait partout Ivory, son défunt amant hypocondriaque ?

Lutté pour retrouver le sommeil. Les bonbonnes d'oxygènes étaient sinistres dans la lumière nocturne. Deux mauvais génies rondouillards parfaitement immobiles qui m'observaient d'un œil impatient. Quelque part dans la maison, peut-être dans la pièce d'à côté, j'entendais un grattement, comme un rongeur qui s'amuse. Je regrettais Pimlico et son côté rassurant, la certitude qu'il y avait des macs et des putes dehors et dedans, ce pitre d'Australien. Je ne savais pas combien de temps j'allais rester ici. Je ne savais même pas ce que j'étais vraiment venu y faire. Écrire un bouquin ? Trouver un endroit pratique pour surveiller les Ivory de sexe féminin ? (Jusqu'à quel point étais-tu dans le coup, de toute façon ?) Coucher avec toi ? Découvrir la vérité sur ton surnom ? Tirer au clair la façon dont Ivory était mort ? Tu peux toujours te moquer de moi si ça te chante. Mais on vivait un conte de fées dont tu étais l'héroïne, lui le monstre et moi plus ou moins le héros.

Je me suis enveloppé dans une serviette et suis descendu à la cuisine. Ivory mère m'avait battu d'une longueur. Assise à la table, son corps caché quelque part dans un ample kimono, elle s'envoyait à la figure des morceaux de toast barbouillés de fromage mou. Elle me vit entrer sans esquisser de mouvement de fuite. Je pris place à la table, tentai un sourire. Lui confiai que j'avais du mal à dormir. Elle en fut toute contente.

« C'est ce que j'appelle les heures creuses. » D'un geste désinvolte elle expédia quelques miettes de pain sec sur le plancher. « Vous avez lu le livre de mon mari ?

— *Plaisirs décadents* ? Pour l'essentiel, oui.

— Et qu'en pensez-vous ? »

Allez, on se reprend. On lui sert ce qu'elle a envie d'entendre : « Je trouve que c'est un chef-d'œuvre.

— Oui. Bien sûr que c'en est un. C'est tout ce que vous en dites ? Sans doute est-ce tout ce qu'on peut en dire. Vous savez par bien des côtés. C'était un génie. Évidemment. Vous allez lui rendre justice. Quelles autres œuvres de mon mari avez-vous lues ? »

C'était donc ça, le fin mot. Salaud, me disait-elle. Sale petit intrigant sorti de nos colonies. Tu m'as piqué ces fichues lettres. Tout ce qui me restait du monstre que j'aimais.

Mais je me trompais. Elle s'attaquait à un truc complètement différent. Mine de rien, elle me demanda : « Avez-vous eu ses *Derniers Points*. Entre les mains ? »

Et tu as fait ton entrée. Comme si tu attendais le signal. Je fus d'abord soulagé que tu sois là, que tu nous interrompes. Mais en y repensant, ce que tu as interrompu devait aboutir. Une fois négociés les passages difficiles on allait se mettre à parler de lui pour de vrai, sur un ton qu'elle m'avait jusqu'ici interdit. Pourvu que je reste courtois, que je réponde à sa fierté par l'admiration, j'aurais droit à ces vérités qui se disent la nuit. Mais non. Tu as fait ton entrée en disant que tu avais entendu des voix. Tu portais un pantalon de pyjama en soie bleue et un grand débardeur d'homme, tu t'es mise à déambuler dans la cuisine, éperdue, presque belle, les mains glissées à plat dans la ceinture du pantalon, tu m'as montré tes seins par l'échancrure du débardeur et tu as souri à ta mère, tu es allée derrière elle de l'autre côté de la table, l'air ailleurs tu as sorti une main de ton pantalon, un éclair de peau blanche à la taille, un frisottis de poils, et de nouveau tu as souri d'une espèce de sourire absent et dit que tu allais boire un verre d'eau, quelqu'un d'autre en voulait-il aussi ? Alors deux mains sont allées au réfrigérateur puis à la carafe d'eau filtrée qui était dedans, et tu as bu directement au bec, débardeur remonté pour me montrer ton bassin, nichons sous le coton pour me montrer tes bouts de sein, et je pouvais toujours m'accrocher pour apprendre autre chose d'Ivory mère cette nuit-là. Tu as remis la carafe d'eau filtrée à sa place, fermé la porte du réfrigérateur et annoncé que tu retournais te coucher

233

en espérant pouvoir dormir, à présent, sur quoi ta mère a souri jusqu'aux oreilles en tremblotant, moi de même, probablement, puis je t'ai suivie dans l'escalier, à quelques marches d'intervalle, en regardant les formes que dessinaient tes fesses sous la soie bleue de ton pantalon, nous sommes montés tout en haut, jusqu'à ton appartement sous les combles, et tu t'es assise sur le lit jambes croisées et tu m'as lancé un drôle de regard vaguement déçu. Je me suis approché pour m'asseoir à côté de toi, nous nous sommes plus ou moins battus ou débattus jusqu'à ce que tu en aies ta claque, et que tu m'embrasses, bouche ouverte, à peine si nos langues se sont effleurées, avant de me tendre ma serviette pour que je m'y enveloppe à nouveau et de me réexpédier une fois de plus à l'infirmerie. À nouveau ce sentiment d'être redevenu adolescent, d'être revenu à Boston, ces fois où je rentrais d'un rendez-vous de lycée avec une chaude-pisse, et qu'en silence je gagnais le salon où j'allais m'asseoir dans le canapé pour me masturber dans un mouchoir sous les deux tableaux de scènes de rue vaguement européennes tout éclaboussées de pluie, saisi d'une espèce d'envie brûlante et sans joie d'en finir. J'étais là, sur ce chariot d'hôpital, à lutter pour trouver le sommeil, et quand la porte s'est ouverte devant une forme qui se glissa sur le seuil pour entrer dans mon royaume médical, j'aurais juré que c'était l'infirmière D.B. venue me rendre une visite secourable, genre vous verrez tout ira bien. Mais tu étais là-haut, en train de bêtement tramer tes plans (question chantage tu n'arrivais pas à la hauteur de ton père, hein ?), et une fois que mes yeux se furent accommodés ils comprirent qu'il s'agissait de Helen, une pile de carnets en papier florentin dans les mains. Elle a pris place sur le fauteuil du médecin. Elle m'a jeté dessus un bloc d'ordonnances pour être sûre que j'étais bien réveillé, puis elle s'est mise à parler dans un rauque chuchotement d'oiseau. Elle me proposait un marché.

« Ils sont. À lui. Ils pourraient être à vous.

— Qu'est-ce que c'est ?

— Son journal. Quand il était enfant. Et après. Ces cahiers sont très précieux. Ils vous aideront.

— Merci. Je vous suis très reconnaissant.

— Mais il faut me promettre deux. Choses. »

J'ai hoché la tête, attendant qu'elle m'en siffle un peu plus.

« Il y a un livre. Les *Derniers Points*. Le dernier. De ses livres. Il est perdu. Vous pourriez le retrouver. J'aimerais. L'avoir à moi.

— Il est à vous si je mets la main dessus. Et la deuxième chose ?

— Surtout pas un mot à Deborah. De notre plan. Il y a des raisons. De bonnes raisons. Je peux. Vous faire confiance ? »

Elle a agité les cahiers dans l'air chirurgical. J'ai enroulé le drap d'hôpital autour de mon corps et je l'ai soulagée de son fardeau. Elle m'a fait une bise sur la joue puis s'est retirée. Une fois regrimpé sur le chariot, j'ai écouté ta mère s'installer à côté, dans sa chambre, et espéré le retour du succube fou des hypocondriaques.

Tu m'as raconté l'histoire de ton surnom le lendemain matin par-dessus le plateau du petit déjeuner que tu avais apporté. Te voir arriver avec m'a surpris, et tiré de rêves troublés pimentés par Ivory. Un plateau avec du café, des toasts, des pots de trucs à tartiner immangeables, et toi le portant comme si on était mariés ou peut-être simplement parce que tu avais des regrets. Tu l'as posé sur un carton plein de seringues, et m'as regardé manger. Nous n'avons pas soufflé mot de ce qui s'était passé pendant la nuit. Tu avais l'air de ne vouloir rien dire. Je t'ai posé une question sur les *Derniers Points*, tu l'as écartée avec dédain. D'après toi c'était un mythe, un bouquin qui n'existait pas, sauf dans l'imagination crédule de quelques moribonds.

J'en étais à ma deuxième tasse de café et à ma troisième cigarette (tu cillais parce que je me servais d'un petit plateau de chirurgie pour y mettre mes cendres) quand soudain les mots se sont mis à couler de ta bouche en même temps qu'un air étonné se peignait sur ton visage, comme s'il n'en revenait pas.

« C'est mon frère qui a commencé, as-tu dit. Il doit venir demain ou après-demain. Tu auras l'occasion de le voir. Nous dînerons tous ensemble, ça devrait bien se passer — tu n'es pas végétarien ou je ne sais quoi ? Non, ça ne te ressemble pas. Matthew et la méchanceté de ses railleries — il a inventé ce nom parce que comme j'étais plus petite que lui ça lui donnait le droit de se moquer de moi et que ce jour-là j'avais mauvaise haleine — mon père nous avait préparé un truc avec de

236

l'ail dedans, il était très bon cuisinier. Je crois que je devais avoir six ans. On était dans le Norfolk. On allait déjà passer l'été là-bas. Non, je devais en avoir cinq. Matthew m'a montrée du doigt et m'a appelée "Death-Breath *". On était dehors, dans le champ derrière la maison, et il me semble qu'il y avait une des femmes d'Ivory avec nous. Mon frère n'arrêtait pas de le répéter, Death-Breath, c'est le genre de blagues qu'il aimait et ça plaisait à Ivory. Pour lui c'était une façon de nous dégrossir. Il était pour la compétition qui permet de départager les plus forts, un truc que mon frère avait bien intégré, moi aussi d'ailleurs, et si Matthew a fait ça, c'est autant pour lui plaire qu'à cause de cette méchanceté foncière qu'il a toujours — ne te laisse pas avoir par ses manières quand tu le rencontreras — et puis Ivory s'est emparé du nom, comme il faisait chaque fois que quelque chose lui plaisait. Il en a tiré toute une mythologie. Il l'a transformé en créature. Il me racontait des histoires sur le Death-Breath. »

Des histoires d'après le bain racontées grand style, la voix étouffée au début, de longs passages dits d'un même souffle, les mains qui battent l'air pour que tu sentes la présence invisible et malveillante inspecter la chambre comme le prince des voleurs, puis au fur et à mesure que la voix s'enfle, le D.B. s'agite de plus en plus vite, tournoie tout près, se rue sur toi, chauve-souris qui te passe au ras des cheveux, et voilà que tu arrives presque à le voir, à présent qu'il s'installe dans le coin que forment le plafond et le mur, juste au-dessus de la porte, tout cerné d'ombres pendant qu'il te fixe, toi sa proie virginale. Secouant les épaules avec arrogance il ramène autour de lui ses sombres pouvoirs et attend, tapi en silence, créature de l'ombre. Tu as intérêt à cacher tes bras sous les couvertures, tu sais comme il est vorace de leur chair blanche et douce, à fermer les yeux et à les garder bien clos en essayant d'empêcher tes cils de battre, tu sais comme il aime te voir bouger et ce qui va se passer si jamais il te fixe droit dans les yeux et

* Souffle de Mort, ou Haleine Mortelle. *(N.d.l.T.)*

que son regard aspire le tien ; la voix de ton père résonne fort, maintenant, lourde de menaces et tendre, il te met en garde, il est avec toi, dépêche-toi de dormir, il le faut, et laisse la fenêtre ouverte, il fait froid dans la chambre, tu as de l'asthme comme lui et l'air froid te serre la poitrine, mais si la fenêtre est fermée le D.B. ne pourra pas s'en aller — il restera là, présidant à tes rêves, guettant le moindre bruit pour te faire peur dans la nuit, te tirer du sommeil, avec toujours ce risque horrible qu'ouvrant les yeux tu les diriges vers ce coin sombre et les plonges dans ceux du D.B. qui alors déploiera ses ailes ténébreuses si grandes que leur envergure couvre d'un bout à l'autre le plafond au-dessus de toi, et qui, rapide comme l'éclair, aigle nocturne implacable, fondra sur toi, sa victime qui l'attend en tremblant, l'œil grand ouvert.

Tu m'as raconté tout ça et j'ai écouté les mots sortir de toi alors qu'à voir ta tête on aurait dit que tu n'avais pas envie de les laisser aller, et une fois que tu as eu fini, tu étais toute rouge, tu respirais péniblement et tu n'as pas dissimulé ton intérêt pendant que je m'arrachais du lit et que j'entreprenais de m'habiller.

« Ton corps est pas mal bousillé, non ?

— J'étais receveur.

— C'est comme si tu avais eu des fractures partout. C'est quoi, un receveur ?

— Terme de base-ball. Le type derrière la batte du batteur. On dérouille pas mal. Il faut être un peu dingue pour être receveur.

— Tu étais bon ?

— J'étais assez bon. Sans doute pas meilleur qu'un bon de dernière division. J'ai eu les côtes, les pieds et les épaules fêlés un peu trop souvent. Les genoux, aussi. À force de me plier. Quand il va pleuvoir je peux le prédire rien qu'en le sentant dans mes genoux.

— Le base-ball, c'est comme le rounders* ici, non ?

---

* Sport britannique assez similaire au base-ball. (*N.d.l.T.*)

238

— Ouais, à ce qu'il paraît. Un peu plus dur, c'est tout.

— Je jouais au rounders à l'école. Je ne me suis jamais rien cassé. Tu ne devais pas faire très attention. »

Je suis allé tirer les rideaux pour laisser pénétrer un peu de soleil dans notre confessionnal médical. Levant une main pour m'arrêter tu m'as demandé de te parler du base-ball. « C'est de la poésie, ai-je dit, de bout en bout. Ça se voit rien qu'aux noms. » Je t'en ai cité quelques-uns : « Darryl la Fraise. Et Harry le Chou-Fleur. Chet la Tronche. Ester des Nèfles, Graig Orties, Zack de Farine, Plein d'Oseille. »

Tu riais. « On dirait des noms de scène. Groucho Marx ou W.C. Fields. Mon père aurait pu être receveur ?

— Ivory ? Pas si bête. Il aurait peut-être été lanceur, le faux jeton qui te balance des balles mourantes, ou alors un voltigeur qui l'aurait joué l'œil sur son score, sans se presser, élégamment, en attendant la balle du batteur dans le champ extérieur. Comme Ted Williams.

— Qui est Ted Williams ? »

Je ne pouvais pas te raconter toute l'histoire du base-ball. J'ai ouvert les rideaux. Avec l'irruption du soleil dans l'infirmerie, toutes les pensées que tu remuais dans ta tête ont choisi de se tirer.

« On se voit plus tard, Tierney. » Tu t'es plantée sur le seuil, l'air fragile et suffisant. « Tu ressembles beaucoup à Lee Marvin. On te l'a déjà dit ? »

Quelqu'un me l'avait dit une fois, mais je ne me rappelais pas qui et en plus je ne savais pas ce que tu pensais de Lee Marvin.

« Une chose avant que tu partes. Ça n'est pas très agréable de dormir et de travailler dans cette pièce.

— Et alors ?

— Je me disais qu'éventuellement... tu as plein de place là-haut. Il y a la grande table près de la fenêtre. Ailleurs il y a trop de bazar dans la maison.

— Pas de problème. Viens travailler en haut si tu en as envie. La porte est ouverte.

— Merci infiniment. Encore une chose. Ton père avait les yeux de quelle couleur ? »

Silence. Tes yeux à toi se sont fermés. Puis rouverts. Des yeux verts, foncés, et, du moins dans cette lumière, pailletés d'argent. Comme ceux de ton père, peut-être ?

« Tierney ?

— Ouais ?

— De quelle façon mon… est-il mort ? »

Les choses que tu as pu me raconter, par ces tranquilles soi-rées d'été, pendant que nous attendions, l'un et l'autre, que la vérité se révèle.

Tu avais été punk du milieu à la fin des années soixante-dix, un cinglé nommé Nick Wheel te baisait par-derrière, tu portais des fringues en cuir ou en plastique qui ressemblait à du cuir et des futes écossais collants avec des épingles à nour-rice et des bretelles, des tee-shirts déchirés, tu sortais dans des boîtes, tu te teignais les cheveux un coup en jaune, l'autre en rouge, des fois en brun, tu sniffais toutes les poudres qui te tombaient sous la main, héroïne, talc, poussière de craie mélangée à de l'aspirine, sulfate d'amphét' (il t'arrivait aussi d'essayer la marijuana, mais uniquement en compagnie de Lizzie Sharp), et tout le monde t'appelait D.B. mais, à part ton père, personne ne savait ce que ces lettres désignaient puisque même ton frère avait depuis longtemps oublié.

Tu avais une amie, Alex, une vraie bourge qui avait tout à fait l'accent de la rue, et cette Alex se shootait à l'héroïne (la pure ? c'est comme ça que vous disiez ?) avec Paul, son copain homo qui était fils de prêtre et qui coupait les cheveux contre de la drogue ou un petit service de temps en temps. Tu dormais chez les autres, à même le parquet, quelquefois dans un squat près de Warren Street, à six ou huit dans un lit sans trop penser à la bagatelle, tout le monde était trop pété, défoncé ou malade pour pouvoir faire grand-chose avec son corps si ce n'est essayer de l'oublier.

Et tu t'étais embarquée là-dedans toute seule. Le lycée était bien loin, à peine si tu y mettais les pieds. Ta famille ne se mêlait pas de tout ça. Ce lécheur de Matthew tâtait de la drogue, lui aussi, mais avec des airs de hippy rasoir comme tous ses potes de l'école privée Westminster avec leur accent bourgeois, leurs longs cheveux propres, leur papier à rouler et les brins de tabac qu'ils laissaient fièrement traîner sur les pochettes de disques des Pink Floyd, dans des chambres remplies de l'odeur aigre des chaussettes sales où ils s'étaient masturbés. Ta mère s'égarait dans sa vieille passion pour ton père. Il y avait belle lurette qu'il l'avait saignée de tout son fric et qu'il ne venait plus que pour profiter de l'infirmerie, mais il continuait à lui écrire les plus noires de ses confessions, tous les jours parfois. Elle, elle s'enfonçait dans les bonnes œuvres de bénitier, les prières marmonnées fort, et trouvait quelque réconfort dans les premiers symptômes de sa maladie. Elle gardait la maison exactement dans l'état où il voudrait la retrouver lorsque inévitablement il reviendrait pour ne plus jamais partir. Elle ne remarquait absolument rien de ce qui t'arrivait.

Mais ton père, si. Il aimait ça. Un temps il réussit à casser la haine que tu avais pour lui et à te séduire à nouveau complètement. Un après-midi, après t'avoir trouvée à genoux avec tes insignes fétiches de punk cuir devant la porte de l'infirmerie, il t'emmena dans un restaurant de Hampstead et te paya à déjeuner, tu ne savais pas pourquoi mais tu n'avais rien contre. Il admirait ce que tu faisais de ton corps, de l'art, disait-il. Tu lui montras le tatouage du cœur dégoulinant de sang que tu t'étais fait faire sur l'épaule et pour la peine, à ta grande surprise, il te montra le sien, un dragon japonais bleu qui s'enroulait tout feu tout flamme autour de son nombril. Il admirait ton comportement. Et il ne se donnait pas des airs protecteurs avec toi, pas du tout. Tu n'allais toujours pas le voir là-bas, tu avais arrêté à la mort de Gaspard, mais lui venait à Londres pour ses dangereuses thérapies, souvent il passait à la maison et tu le rencontrais comme par hasard devant la porte de l'infirmerie, et là-dessus il t'emmenait prendre un thé chez Fortnum & Mason et vous parliez trop fort, histoire de vexer les bourgeois, et il te donnait de l'argent en échange de tes secrets.

Tu lui racontais des histoires sur ta vie, sur tes amis, et quand il appréciait tes histoires — comme celle d'Alex à court de veines pour y planter une aiguille et obligée d'utiliser son sexe, ou celle de Paul qui s'était injecté de l'essence de hasch dans la veine de son bras, la bouchant obstinément, si bien qu'il avait fallu l'emmener à l'hôpital pour lui ouvrir le bras tout du long, enlever le hasch et lui recoudre la veine, ou l'histoire de ton copain qui demandait à tout le monde de coucher avec lui sans tenir compte ni de l'âge ni du sexe mais qui n'arrivait jamais à bander sauf quand il le faisait par-derrière (et ça te plaisait qu'en plus ce soit un de ses patients), Ivory te récompensait généreusement avec deux billets de dix livres, argent que tu prenais car tes amis et toi trouveriez bien mille façons de l'employer, et tu avais beau te dire que ce fric était pourri par le fait qu'Ivory l'avait touché, pour la première fois de ta vie d'ado tu sentais un lien de parenté entre ton père et toi.

Qu'est-ce qui t'a poussée à arrêter ? C'est parce que les chansons devenaient sentimentales et moches ? Parce qu'un trop grand nombre de tes copains inventaient des façons de mourir idiotes ? Ou simplement parce qu'il y avait un peu trop d'autres petits bourgeois pour zoner, sapés comme des cloches avec un air d'étudiants des Beaux-Arts ? À cause de Paul qui s'est jeté dans la Tamise un soir d'hiver parce que ça faisait deux jours qu'il avait oublié son nom et qu'il n'arrivait pas à s'en trouver un autre ? (Cette histoire-là t'a rapporté quarante livres.) Selon toi, c'est tout simplement parce que tu en avais marre, et je veux bien te croire. Ton père usa du piston et graissa des pattes afin de t'expédier dans une école de luxe. Il te fila une carte de crédit, un rouge à lèvres français dans un étui en argent, et tu changeas d'allure aussi bien que de nom. Dorothy Burton. Ça sonne comme un pseudo flatteur. Dorothy, piqué dans le *Magicien d'Oz*, l'innocente qui adore les chiens, et Burton, comme Sir Richard, scandaleux personnage de l'époque victorienne tout à la fois explorateur et traducteur. Dorothy Burton. D.B. Deux initiales pour venin, expliquais-tu, et les gens ne comprenaient jamais ce que tu voulais dire.

Quelque chose devait arriver, tu ne voulais pas dire quoi. Mais tous les matins tu te plantais devant la porte d'entrée dans ton pantalon de pyjama bleu et ton débardeur d'homme en attendant l'arrivée du facteur, et Helen qui y était tout le temps elle aussi frissonnait dans son peignoir, à moitié planquée sur le seuil du salon, une main tremblante levée vers son visage plein d'espoir, les yeux fixés sur toi qui regardais les lettres poussées à travers la fente de la porte ; le soudain changement d'expression de tes traits, cet air affamé, avide, un air d'écolière pressée d'avoir son prix, que tu prenais en avançant vivement d'un pas pour ramasser les lettres une par une et les rejeter impatiemment tour à tour, attraper un paquet, t'en débarrasser avec mauvaise humeur après avoir compris à sa forme que ce n'était pas le bon, puis remonter lentement là-haut sans que les yeux craintifs de ta mère te lâchent une seconde.

Matthew Ivory ne portait pas la moustache. Autrement ç'aurait été le pâle portrait de son père. Beau gosse, grand, mou, un costume anthracite impec, des bottes noires, impec elles aussi, une chemise blanche avec une cravate à rayures au nœud parfait. Une attitude impeccable, passe-partout, à l'aise. Des yeux bleus un peu trop délavés à mon goût. Et les cheveux, surtout. Matthew avait les cheveux de sa mère, châtain clair, presque crêpus. De drôles de cheveux pour un homme.

Il fumait des cigarillos, sans en proposer à personne. Nous nous sommes installés dans le salon toute télé éteinte, lui, Helen et moi. Tu préparais le dîner dans la cuisine. J'avais voulu t'aider à mettre le couvert dans la salle à manger, débarrassée pour l'occasion des cartons albanais, de la collection de théières et des piles de *Psychic News*, mais tu m'avais vite envoyé promener. Nous sommes donc allés nous installer là-bas et avons essayé de bavarder. Matthew fumait ses petits cigares en se prélassant dans un fauteuil, une jambe croisée sur l'autre, un petit air narquois condescendant collé sur la figure. Helen tremblotait fièrement sur le canapé sans lâcher son fils du regard, sauf lorsqu'il tournait les yeux vers elle.

Ce n'était pas facile d'entretenir la conversation. J'ai demandé à Matthew ce qu'il faisait dans la vie et Matthew m'a demandé si je me plaisais à Londres. J'ai répondu que je trouvais ça incroyable, une ville où il n'y a plus moyen d'acheter de l'alcool à partir de onze heures du soir. Levant un sourcil, Matthew suggéra que j'adhère à un club d'une sorte ou d'une autre. Il y en a beaucoup chez nous, dit-il. Je répondis que je n'avais été convié à adhérer à aucun d'entre eux. Pour ma part je ne bois pas, déclara-t-il, et plus fière que jamais Helen la maboule s'en dit très heureuse.

Tu es entrée avec le plateau d'apéros. Pour moi un whisky sour. Pour ta mère, de l'eau minérale gazeuse, avec dans le verre une paille courbe en plastique pour que ce soit facile à boire. Tu avais mis un tablier de cuisine rigolo. Dessous tu portais une robe du soir en velours noir dans laquelle tu étais mieux que belle. Et puis aussi tu avais fait quelque chose à tes cheveux, une espèce de coiffure compliquée avec une barrette et un peigne qui retenaient toute une masse en l'air et laissaient pendre quelques mèches, brunes, avec un petit côté que je trouvais négligé. Ça te donnait un genre grande époque victorienne, ou débutante du temps où Helen faisait son entrée dans le monde. Tu as donné à ton frère un truc jaune pétillant dont il a poliment bu une gorgée avant de le repousser d'un geste rancunier à l'autre bout de la table basse pour sortir un autre cigare de sa poche. Tu as annoncé qu'on dînerait dans un moment, puis tu t'es retirée dans la cuisine. J'étais encore en train de me demander si notre petite causerie était terminée quand ton frère a décidé de nous raconter une vilaine anecdote languissante sur un serial killer américain. Un tueur de vieilles dames qui s'était fait pincer parce qu'il envoyait la même couronne, un mélange de lis, à l'enterrement de chacune de ses victimes.

« Ton père n'aimait pas. Les fleurs. »

Matthew renversa la tête en arrière, et pour une fois sa mère ne détacha pas les yeux de lui en même temps qu'elle lui adressait un sévère sourire plein de bonté à peine agité par la tremblote.

« Il dit quelque part d'elles que ce sont. D'inutiles symboles de la nécessité. Elles lui faisaient plutôt peur. Avec leur façon de toutes se tourner du même côté. Vers le soleil. Quand il offrait des fleurs à une fille, cela voulait dire que tout était fini. Il ne m'a jamais offert de fleurs, à moi.

— C'est servi », annonças-tu.

246

Je ne sais pas si ton interruption était préméditée ou non. Chacun prit place à la table. Tu l'avais très bien arrangée. Au centre, un chandelier en argent vieux de plusieurs siècles, six bougies vertes, allumées. À chaque bout, un vase de fleurs bleues. Des sets de table en tissu encadrés de couverts en argent. Pour commencer, une soupe aux épinards servie dans des bols noirs. La table était longue, en bois sombre, de l'acajou j'imagine. Tu avais laissé les extrémités libres pour nous mettre tous au milieu. J'étais assis à côté de ta mère, en face de toi.

Alors que Matthew levait une cuillerée de soupe vers ses lèvres, Helen se pencha en avant pour l'arrêter en posant la main sur son bras.

« S'il te plaît. En cette circonstance. »

Matthew regarda sa soupe couler en débordant tour à tour de chaque côté de sa cuillère pour tomber dans le bol avec des éclaboussures. Helen joignit les mains, ferma les yeux et lâcha un murmure de chuchotements légers que j'ai pris pour une prière. « Eh bien. Régalons-nous maintenant. Ça a l'air délicieux. Tu as tout préparé toute seule. Mon chou. »

Matthew bâilla puis se mit à manger. Tu gardais les yeux baissés sur ton bol. J'ai avalé une cuillerée et admiré tes talents de cuisinière.

Matthew s'est tourné vers moi avec un sourire. Un charmant sourire faux. « Je crois comprendre que votre domaine ce sont les biographies, d'une sorte ou d'une autre.

— Je ne sais pas trop ce que vous mettez sous une sorte ou une autre, mais oui. En effet. »

Ivory mère nous coupa la parole. « N'est-ce pas merveilleux ? Il y a si longtemps que nous avons besoin d'un livre sur lui. D'un testament. Qui lui rende justice. » Elle cessa de parler afin de récupérer les deux filets de soupe qui lui coulaient parallèlement des coins de la bouche jusqu'au menton.

« Sans rien enjoliver ? s'enquit innocemment Matthew.

— J'ai très envie de tout découvrir.

— Tu sais, mère ? L'idée n'est peut-être pas si merveilleuse, au fond.

— Nous n'avons pas. De secrets. »

Tu as souri. Matthew aussi. Helen a toussé. J'attendais.
Rien. Le bruit de la soupe lapée de trois façons différentes.
Tu gardais toujours les yeux obstinément baissés. Je n'aimais
pas la manière dont la présence de ton frère te diminuait.

« Merveilleuse cette soupe. Deborah, dit Helen.

— C'est la Vert Émeraude.

— Une de ses recettes ? Il me semble la reconnaître.

— Je trouve l'éclairage trop fort. Tierney, cela ne t'ennuie
pas de baisser la lumière ? »

Je me suis levé. Ai tripoté le variateur avec un peu l'impression d'être dans la peau de la tête d'œuf de *Sunset Boulevard*
pendant que j'encourageais les ombres à se montrer un peu
plus gentilles avec Helen.

« Comment va. La petite Ginny, mon chéri ?

— La petite Ginny pèse douze tonnes, passe la quasi-tota-
lité de son temps à se bourrer de chocolats belges et ça fait
six mois que nous n'avons pas baisé.

— Quel dommage quel dommage. J'avais espéré. Un rap-
prochement. Cette soupe est. Vraiment bonne. De quoi me
rendre vorace.

— Il y en a d'autre si tu en veux.

— Tu es une vraie tentatrice parfois. Je pense qu'il vaut
mieux que je garde. Un peu de place. Tu ne crois pas ?

— Comme tu voudras. Tierney, aide-moi à débarrasser. »

Tu es retournée dans la cuisine où je t'ai suivie avec les
bols de soupe. Malgré ses compliments, ta mère en avait laissé
la moitié.

Tu as sorti du four une carcasse calcinée que tu as déposée
sur un plat de service.

« Ne regarde pas ça comme ça. C'est censé être de cette
couleur. Mon frère est épouvantable, non ?

— Il n'a pas l'air d'un homme heureux.

— Il était junkie jusqu'à l'an dernier. Je crois que je le pré-
férais en camé. Surtout ne te gêne pas pour lui dire ce que tu
penses. De toute façon il ne pigera pas.

— Vous vous comportez comme si vous aviez peur de lui,
toutes les deux.

248

— Histoire de loyauté familiale. C'est pure gentillesse de notre part. Tu peux pousser ces cochonneries ? Elles m'empêchent de passer. »

J'ai porté le sac-poubelle dehors, dans les boîtes à ordures de derrière. L'air sentait bon le frais et le propre, et je me suis appuyé contre le mur du fond pour m'en remplir les poumons, histoire de reprendre des forces. Contemplé les tournesols du jardin, tous tournés du même côté vers un soleil imaginaire. Jeté le sac-poubelle dans le container et manqué glisser en repartant. De douces plumes marron sur l'asphalte mouillé. Je les ai reconnues, éparpillées autour des boîtes à ordures. Je n'avais jamais réussi à trouver ce que tu avais fait de cet oiseau soudain réduit au silence. Un moment j'ai joué avec l'idée que tu nous l'avais cuisiné pour le dîner, puis j'ai soulevé le couvercle du deuxième container et vu le corps, cou bleu brisé, aile brune cassée, fourré dans un sac de supermarché. Ça m'a flanqué la nausée, je n'arrivais pas à comprendre. Maintenant je peux. Tu l'as tué, hein ? De tes douces mains. Tu lui as tordu le cou parce qu'il t'avait trahie, avec ses faiblesses, et pour te punir d'avoir manifesté un peu de compassion devant un étranger.

Quand je suis rentré, Matthew découpait, en bras de chemise, les manches élégamment retroussées au-dessus du coude. « Vous ne croyez pas qu'il serait aussi simple d'émietter les cendres dans une urne ? C'est en principe ce qu'on fait avec un cadavre calciné, non ?

— C'est censé avoir cet aspect.

— Je te mets en boîte, D.B. Ne t'emballe pas. »

Tes traits se sont durcis quand il a utilisé ton surnom de petite fille. Helen a levé ses lunettes à l'aide de leur tige en ivoire pour les amener devant ses yeux.

« Cela paraît délicieux. Ma chérie.

— C'est du canard.

— Avec aussi des légumes. Je vois. »

C'était plutôt bon. Un goût amer d'orange brûlée en dehors. En dedans la chair rose du canard. Des mange-tout à peine cuits, presque crus. Des couches de pommes de terre séparées par de l'ail et de la crème. J'étais surpris de te découvrir si bonne cuisinière.

« C'est extra, dit le languissant Matthew.

— Hum, risquai-je. À quand remonte votre dernière réunion de famille ? »

Helen sourit joyeusement. « Au mariage. Avec la petite Ginny.

— Petite Ginny, répéta Matthew.

— Votre père était avec vous ?

— C'était après », dit Matthew.

Un peu de mélancolie passa dans l'œil d'Helen. « J'étais à côté de cette gentille Lizzie si drôle. Là.

— Ne sois pas ridicule. C'est impossible.

— Ah bon ? »

Matthew repoussa son assiette. « Qui a envie de parler de la gentille Lizzie si drôle ? Toi, Deborah ? Toi, maman ? Ça ne vous ennuie pas que je ne vous pose pas la question, Tierney ? Je ne pense pas que vous ayez eu l'occasion de rencontrer la gentille Lizzie si drôle. Et puis bordel, si je peux me permettre, qu'est-ce que vous foutez là ? Vous me déplaisez, Tierney. Je vous trouve casse-pieds, je vous trouve sournois. Qu'est-ce que vous avez à coller ma sœur comme ça ?

— Quand…

— N'y pensez plus. Restez à votre place. Soyez naturel, votre présence ici a quelque chose d'étrangement rassurant ; comment vous décririez-vous ? Comme un brave bougre ? Un type susceptible ? Un balourd ? Balourd vous convient bien, a priori. Maintenant que vous êtes dans notre pays vous devez apprendre à vous conduire en conséquence. Un peu de tenue, Tierney. Vous êtes irlandais ? C'est irlandais, ce nom-là. Allons, tenez-vous tranquille, arrêtez de remuer comme ça, de serrer les poings comme ça — vous avez envie de cogner ? À votre aise. Cognez, si vous voulez. Je risque de vous rendre la pareille. Tenez-vous tranquille, Tierney. Du calme. Un cigare vous tenterait ? Faites honneur à vos hôtes, Tierney. Je déteste la grossièreté, pas vous ? Écoutez nos histoires et fabriquez-nous quelque chose de propre avec. Ça vous arrive souvent de prendre un bain, Tierney ? Vous avez les ongles sales. Tu vois ses ongles, D.B. ? Ça te plaît ? Un cow-boy grossier, c'est ça qui te plaît ? Où est-ce qu'ils vont gratter ces ongles-là, D.B. ?

— Tu es épouvantable, tu es...

— J'essaie. Je ne suis pas encore à la hauteur, je n'ai pas son panache mais je fais de mon mieux. Tiens, tant que nous y sommes, parlons un peu de Reiko.

— C'était. Une adorable, une charmante fille.

— Adorable, maman. Oui. Charmante, maman. Adorable et charmante, maman.

— Je l'aimais. Beaucoup.

— Elle te tenait compagnie, c'est sûr.

— Nous étions. De bonnes compagnes.

— Elle comptait quand même pas mal sur toi, non ? Avec son mari infidèle, en plus. Son anglais n'était pas si parfait, n'est-ce pas ? Et pour tout dire elle n'avait pas d'amis.

— C'était une petite jeune fille ravissante. Une poupée en porcelaine. Quoique allergique. Aux papillons.

— Tu ne vas pas expliquer qui était Reiko à notre invité, D.B. ?

— Il sait qui c'était.

— Oh, vraiment ? Futé, le farfouilleur. Dis-le-lui quand même.

— Reiko était la deuxième femme de mon père. Elle nous a servi de fille au pair. Elle était japonaise. Maman s'en est pas mal occupée.

— Maman s'en est occupée, n'est-ce pas maman ?

— Chacun fait. Ce qu'il peut.

— Et souvent, mais ça ne suffit pas, hein ? »

Matthew a allumé un nouveau cigare. Et Helen humé la fumée. Tu gardais toujours les yeux baissés sur la table, un pâle sourire de plaisir sur le visage.

« Il fumait. Les mêmes cigares. »

Matthew a haussé les épaules. Et Helen ramené encore un peu de fumée vers son nez et sa bouche ouverte.

« Comme dit maman, chacun fait ce qu'il peut. »

Tout doucement tu as pris la parole : « Pourtant tu n'es pas encore à la hauteur, n'est-ce pas ? Tu crois y arriver avec les cigares et la cruauté ? »

251

Matthew a légèrement rougi, puis il a secoué la cendre de son cigare sur son tas de canard. « Parlons encore un peu de Reiko. Ce qui est intéressant, c'est que nous ne savons même pas si c'était bien son vrai nom. Quelqu'un m'a raconté qu'Ivory l'avait rebaptisée d'après un des personnages d'un récit de Mishima. J'ai tendance à le croire. Quand se sont-ils mariés, maman ? Pourquoi ne nous a-t-elle plus servi de fille au pair, tout à coup ? C'était en 1968 ?

— Je crois mon chéri. Que c'était plutôt. L'année suivante.

— Bon. 1969. J'avais huit ans. D.B. en avait six.

— Sept. On était presque à la fin de l'année. Je venais juste d'avoir sept ans. Il me semble que tu devais en avoir neuf, en fait.

— Quelle différence ? Qui tient vraiment à le savoir ? Notre biographe, peut-être. C'est important d'avoir les dates exactes, n'est-ce pas ? Dans votre branche en tout cas. En 1969 ils se marient. Nous emménageons dans cette maison. Toutes les affaires que nous avions à Tite Street entassées dans cette baraque minable. Et en plus Reiko arrête de passer l'essentiel de son temps ici. Jusque-là elle avait dû vivre un an ou deux avec nous. Complètement incompétente, malade de son pays à mourir. C'est elle qui avait voulu quitter le Japon pour être formée à l'européenne alors qu'Ivory insistait pour la traiter comme une geisha de la période d'Edo. Ivory s'en fatigua vite. Il avait d'autres chattes à fouetter. Il n'y avait pas franchement de différence entre Reiko la fille au pair et Reiko la deuxième Mrs. Ivory, vous ne trouvez pas ? Elle passait l'essentiel de son temps avec nous, elle faisait le ménage, la cuisine, sauf de temps en temps quand Ivory avait envie d'une Japonaise dans son lit. À son service. Oui ? Je n'ai jamais compris pourquoi il l'avait épousée. Pourquoi le droit de cuissage a cessé de lui suffire. Maman avait moins d'argent qu'avant, il fallait qu'elle économise sur tout. Mais D.B. et moi on ne manquait de rien. Ivory était généreux avec l'argent de poche, il nous en donnait plus que tous les autres parents. Même s'il le reprenait quand il n'était pas content de nous, la fois suivante il en donnait plus. Maman économisait, mais pour nous ça allait et nous savions tous d'où venait l'argent, n'est-ce pas ? »

252

Il promena un regard fier autour de la table. Je me souviens m'être dit qu'Ivory s'y serait mieux pris s'il avait fait le même numéro. Il l'aurait joué plus subtil. Un cran plus méchant.

« Mais bon. Poursuivons. 1975. C'était au début de l'année, j'avais donc quatorze ans. Lizzie était entrée en scène, à l'époque, et il était rare que Reiko soit requise à son service. Non, je ne sais pas pourquoi je me suis lancé là-dedans. Je ne voulais pas parler de Lizzie. Une fausse piste. Je m'embrouille. Des fois je suis complètement nul quand je raconte une histoire. Ça ne vous arrive jamais, Tierney ? On commence par tirer sur un fil et on se retrouve sur une piste complètement différente. C'est rageant, non ? Oui. J'avais neuf ans. C'était forcément fin 76. Vers Noël. Pour nous tous c'était une vraie fête, Tierney. Un jour peut-être je vous raconterai l'histoire de ces Noëls, mais pas aujourd'hui. »

Il perdait le fil. Les bonnes raisons qu'il avait de s'apitoyer sur son sort lui étaient sorties de la tête. Helen les lui rappela étourdiment. En demandant s'il y avait du pudding, interruption qui eut le don de rendre Matthew furieux, blanc de colère. Il se mit à parler plus vite. Et plus bas.

« Il faisait souvent froid dans cette baraque. On n'avait pas le chauffage central à l'époque. Certains soirs, quand maman était partie prier et que D.B. dormait déjà, je montais voir Reiko dans sa chambre. Elle rêvassait sur des photos de chez elle ou de son soi-disant mari et on se faisait des câlins. Peut-être pour se réchauffer, tout simplement. Peut-être parce qu'elle se sentait seule et qu'Ivory lui manquait tellement que le fils devenait un substitut juste potable du père. Oui ? Tu savais ça, maman ? Tu le savais, tu t'inquiétais ? Tu écoutes ? Je suis désolé pour ma mère, Tierney. Elle est pas mal décatie. Elle a connu des jours meilleurs, le problème c'est qu'elle s'en souvient. En ce temps-là c'était une poivrote de bénitier. Un état de stupeur solitaire et béat. La sainteté. Reiko avait gardé sa chambre au dernier étage. (Vous avez vu cette pièce, Tierney ? Tout le monde sait que ma sœur l'occupe.) Reiko était devenue la deuxième Mrs. Ivory mais elle continuait à passer presque autant de temps ici qu'avant, à l'époque où elle n'était que notre exotique préposée au ménage avec son bandeau dans

253

les cheveux et son jean pattes d'éph'. Je montai dans sa chambre. Il faisait noir, c'était la nuit, j'avais dix ans et des insomnies. Je devais me sentir très malheureux. Vous me suivez ? Tous ? Même vous, Tierney. Je veux que vous m'écoutiez. Vous m'écoutez bien tous ? Il faut que je sache que vous m'écoutez tous. »

Nous avons levé les yeux, tous sans exception, comme si une ficelle nous tirait la tête vers lui.

Il haletait, son visage avait affreusement pâli et une bulle de bave tremblait à une commissure de sa bouche : quand il serait vieux, un jour viendrait où il se mettrait à ressembler plus à sa mère qu'à son père.

« La porte de la chambre de Reiko était un tout petit peu entrebâillée, pour moi ç'avait toujours été le signal disant qu'elle recevait des visites. J'allais entrer quand j'ai reconnu la voix de ma mère. Tu pleurais, maman. Ça t'arrivait souvent, à l'époque, mais exclusivement dans la cuisine, tard le soir quand tu croyais que tout le monde dormait, tu n'allais jamais pleurer dans sa chambre. Je ne savais même pas que tu en connaissais le chemin. J'ai regardé à travers l'ouverture de la porte. Vous étiez toutes les deux à genoux sur le plancher, face à face. Bizarre. Reiko avait son kimono de nuit et toi cette robe de chambre bleue que tu portais tout le temps. Tu étais rouge, tu avais pleuré, ça me rendait malade de te voir dans cet état. Reiko séchait tes larmes avec une écharpe tout en te parlant comme elle parlait toujours, des mots en japonais mélangés à de l'anglais. Elle parlait doucement, calmement, elle te calmait de la même façon qu'elle me calmait, et j'ai été jaloux de toi, jaloux que ce soit ton visage qu'elle essuie et pas le mien. »

Ton frère reprit bruyamment son souffle et écrasa son cigare, il sortit un mouchoir de sa poche et se le passa sur le front comme s'il avait oublié que ce n'était pas là qu'étaient ses yeux. Son expression s'est adoucie. Pour un peu on l'aurait trouvé sentimental.

« Et c'est là que vient le truc carrément bizarre. Reiko s'est levée, elle a sorti quelque chose d'une boîte, attrapé un sac Coop et repris sa place face à toi. Et puis elle a levé le truc

254

qu'elle avait pris dans la boîte, c'était un pantin. Il me semble bien que c'était mon vieux robot, avec une moustache qu'on lui avait peinte, je la voyais de l'endroit où je me trouvais. Et puis elle a vidé le sac Coop sur le plancher en faisant dégringoler tous ces habits miniatures, vous aviez l'air absolument ravies toutes les deux, et à tour de rôle, chacune attendant respectueusement que l'autre ait fini, vous vous êtes mises à habiller la poupée. »

Il nous a regardés. Il prêtait plus d'attention à toi qu'à sa mère. La tremblote d'Helen dépassait tout ce que j'avais vu jusque-là. Elle avait gardé la bouche ouverte et je voyais sa langue noire trembler dans sa bouche. Sa main gauche reposait sur ses genoux, la droite levait sans arrêt son verre d'eau à ses lèvres pour le reposer aussitôt sur la table. Lève, pose, lève, pose, on aurait dit une machine déréglée. Tu étais tournée vers ton frère. Le menton appuyé au creux des mains, comme pour une photo officielle. Tu lui souriais. Histoire de l'encourager.

« Naturellement tu t'en souviens, maman. Et tout le monde ici peut imaginer comment était habillé le pantin, pas vrai ? Souliers noirs parfaitement astiqués. Costume années quarante, bonne coupe ample, pli impeccable. Chemise blanche. Cravate. Borsalino planté de biais sur la tête. Rien à redire. Toutes les deux vous avez éclaté de rire quand Reiko a ouvert sa boîte à ouvrage. Il ne me semble pas que tu aies applaudi des deux mains lorsqu'elle t'a donné une longue aiguille brillante exactement pareille à celle qu'elle tenait, mais tu aurais aussi bien pu. Et chacune à votre tour vous avez planté les aiguilles. Vite — vlan, vlan — dans la poitrine, les jambes, les pieds. Vlan vlan vlan. Et puis là où ça compte vraiment. La bouche. Vlan. Les parties. Vlan vlan. Les yeux. Vlan vlan vlan. Le mouvement s'accélérait comme au cinéma et vous étiez hystériques, vous hurliez de rire toutes les deux, et vous plantiez ces aiguilles en braillant des mots sans queue ni tête, qu'est-ce que vous avez pu rigoler. Et une fois que vous avez eu fini avec les aiguilles, Reiko t'a tendu l'effigie et tu n'as pas hésité. Tu l'as levée bien haut et tu l'as tapée sur le plancher. Vous étiez enragées, deux folles en train de brailler un mélange de japonais et d'anglais, sa voix stridente plus haut que la tienne (j'ai toujours admiré ta voix maman, je ne te l'ai jamais dit ?), puis Reiko a sorti son briquet et d'un seul coup vous avez toutes les deux ravalé votre hystérie, très solennellement vous avez remis votre poupée Ivory sur ses pieds en y plantant des épingles pour la fixer au tapis, et comme au ralenti tu as regardé Reiko mettre le feu à votre mari commun infidèle. Les habits ont eu vite fait de prendre. Le plastique a mis un moment à brûler. Une puanteur atroce. Je devais me boucher le nez et la bouche mais vous, ça ne semblait pas vous gêner. Vous étiez reparties pour un tour, fou rire, hoquet, furie, jusqu'à ce que mon père finisse par se transformer en petit tas rose tout noirci, suintant et fumant sur le plancher, un petit tas que vous regardiez toutes les deux avec une tranquille satisfaction. »

Matthew s'est radossé sur son siège, heureux. Il a allumé un autre cigarillo. Tu t'es tournée pour regarder ta mère. Elle pleurait. Tous deux, le frère et la sœur, vous regardiez votre mère comme s'il s'agissait de votre jouet magique préféré. Il n'y aurait pas de pudding. Pas ce soir. Votre mère pleurait, tremblait, pleurait, et quand Matthew en a eu assez de la regarder, il a dit quelque chose à propos de Ginny et expliqué qu'il était temps de rentrer. Tu as levé les yeux vers moi, m'as tendu la main et je l'ai prise, même si je savais que ce n'était pas pour de vrai, que c'était pour ton frère que tu faisais ça. Pas pour moi.

Tu sens le froid ? Moi oui. On dirait qu'il fait beau dehors mais dedans ça caille. Des pulls d'hiver en automne. Le bruit des camions sur Holloway Road. Quelquefois la maison tremble quand un semi-remorque fonce en bringuebalant vers le nord. J'ai remonté Holloway Road hier soir. (Tu as remarqué que j'étais sorti ?) Quand j'en ai eu marre, je l'ai descendue dans l'autre sens. Des boutiques de fringues condamnées, avec des affiches de cirque collées de traviole sur les planches. Des gargotes où acheter des brochettes à manger dans la rue. Deux films de Bruce Lee pour le prix d'un, en nocturne au cinoche avec les jeunes du quartier devant l'entrée en train de répéter leurs meilleurs coups. Des pubs qui suent l'urine. L'échoppe d'un prêteur sur gages dans un coin idéal, à côté d'une salle de paris. Un petit carré d'herbe à mi-chemin du passage voûté, sur la gauche de la rue. Un pré de parodie, qu'est-ce qu'il fait là ? Personne ne va s'y asseoir. Les gens traversent pour éviter de le regarder. Par ici on se méfie de ce genre de bout de nature, petit. Chez nous la nature c'est les trottoirs défoncés, les cabines téléphoniques pétées, les réverbères qui grelottent. Adam c'est ce poivrot irlandais en train de tituber sur le chemin en zigzag qui le ramène chez lui. Eve se teint en blonde, elle a l'air hyper dure et elle marche dans la rue en poussant un landau plein de chiards miaulants, tout à son jeu innocent d'avant la chute : ne pas tourner la tête pour voir si les voitures vont s'arrêter pour elle. Dans ce coin du monde, petit, l'économie est de subsistance. On élève des brochettes de mouton,

257

par ici, et des hamburgers et du poisson frit. Ferme les yeux, écoute bien le bruit de moteur poussif des bagnoles volées et tu entendras les bestiaux mugir. Une conduite d'égout crevée vomit de la merde sur la chaussée. La gueule affamée et inquiète, des clebs bâtards aux pattes estropiées clopinent à tous les coins de rue poussés par l'espoir d'une vie meilleure.

Ça caille dans la maison. Je n'arrive pas à piger comment marche la chaudière. Le système a peut-être été débranché. Des fois je me mets en rogne. Des fois je deviens dingue. Je casse des trucs. Je les regarde et je les casse. Je suis passé devant les bureaux d'une compagnie d'aviation pendant ma balade, hier soir. Dans la vitrine, un commandant de bord faisait de la pub pour des vols pas chers pour la côte Est. New York. Miami. Boston. Boston, deux cent cinquante livres aller-retour. Qui parle de billet de retour ? Si je pouvais me tirer d'ici, jamais l'idée de revenir ne me traverserait l'esprit.

La tête de ton frère quand tu m'as tendu la main pour que je la prenne. (Et c'est ce que tu guettais, hein ? Tu le regardais lui, pas moi.) Un air qui n'était pas d'arrogance a froissé ses jolis traits. Si ça se trouve c'était de la jalousie, peut-être même du désir. Et puis c'est passé, comme toujours dans ta famille. Les traits se sont recomposés, les sentiments véritables sont vite allés se cacher derrière une surface lisse, sexy, inexpressive.

« Bon, je vais y aller. À propos, il y avait un drôle de petit bonhomme qui rôdait du côté de chez moi, l'autre jour. Avec apparemment dans l'idée que je pourrais avoir quelque chose à papa. Un livre. Ça ne vous dit rien ? »

Vous vous êtes empressées de secouer la tête, ta mère et toi. Je n'ai pas secoué la mienne mais il ne me regardait pas.

Il a rassemblé ses affaires. Il a déroulé ses manches, glissé ses boutons de manchette dans les trous, remis sa veste anthracite impec. Il a embrassé les joues flétries et humides de sa mère. Un baiser sur chaque joue. Tu as lâché ma main pour lui adresser un signe d'adieu. Il m'a salué de la tête, il t'a souri. J'imagine que ce sourire-là se voulait plein de sagesse, supérieur, entendu, destiné à exprimer une infinie compréhension. Le sourire d'un gosse grandi trop vite que tout ou presque terrifie. Il m'a été sympathique, pour la première fois. Il est parti au volant de sa Jaguar.

Tu m'as permis de rester avec toi, cette nuit-là. En haut, dans l'appart' sous les combles. J'ai filé à la salle de bains pendant que tu enlevais quelques affaires de ta chambre. J'avais monté une bouteille de vin qui restait du dîner. Pissé un coup sans la lâcher (en m'appliquant pour viser pile le milieu de la cuvette — ce genre de connerie peut foutre en l'air un rendez-vous), puis l'ai posée sur le rebord de la baignoire pendant que je me lavais la figure et les mains. Toutes ces rangées de flacons, de pots, de tubes de crème écrasés, de baumes, d'onguents, de teintures. Je n'ai pas les mots pour dire toutes les couleurs. Bleu c'est facile. Rouge. Jaune. Pas mal de noirs. Quelques blancs. Mais comment appellerais-tu une nuance rose foncé soutenu tirant sur le marron ? Tu devais bien avoir toute la collection. Étuis de rouge à lèvres et de mascara. Crayons d'eye-liners de différents coloris, du brun au kohl. Boîtes d'ombres à paupières. Pots de fond de teint. Lotion démaquillante. Base de maquillage. Parfums et eaux de toilette aux noms sensuels et au logo galvaudé. Boots, Shiseido, Mary Quant, Cover Girl, Helena Rubinstein, Elizabeth Arden.

De retour dans la chambre j'ai posé les doigts sur ton visage. En faisant passer ça pour une caresse alors qu'en réalité il s'agissait d'une enquête de privé en mission. Rien ne m'est resté collé au bout des doigts. Je ne touchais que de la chair, la tienne, douce, nue, et pressée de se dérober à mon contact.

Reiko. Allergique aux papillons. Traînée contre son gré à ce pique-nique de 1973, mais ta mère n'en démordait pas. Elle avait des ordres. Pourtant Matthew n'y était pas, lui. Il allait à l'école et là s'exerçait une autorité momentanément plus forte que celle de votre père. Regent's Park. Un jour de mars glacial franchement mal choisi pour pique-niquer. Tu avançais entre les deux Mrs. Ivory. Reiko portait le panier. Tu fus la première à les voir et tu les as montrés du doigt. Ton père sur un banc de pierre avec une femme tartinée de Bleu Minuit qui grelottait à ses côtés. Ce spectacle arracha à ta mère un drôle de bruit de gorge. Elle te prit par la main et vous avez vite passé votre chemin toutes les trois sans que ni Helen ni Reiko répondent à tes questions. Là-dessus la figure de Reiko s'est couverte de vilaines zébrures rouges, elle se plaignait que sa langue était trop enflée pour sa bouche et on voyait clairement qu'elle avait du mal à respirer. Le coupable, un vulcain, se laissa emporter par la brise qui l'éloignait du petit groupe des victimes.

Reiko était arrivée à Londres au printemps 67. Ivory partit la chercher à l'aéroport en Jaguar et la ramena à Tite Street où vous étiez tous rassemblés devant la maison pour l'accueillir. Vous n'aviez jamais eu de bonne jusqu'ici. Elle avait dix-huit ans et elle était jolie comme une image dans son jean et sa chemise en batik, le visage gentiment barbouillé de poudre Shiseido, un sourire dissimulé derrière sa main. L'idée était de la former à l'européenne. Et l'histoire voulait que ton père ait rencontré ses parents à Kyoto et qu'il l'ait invitée pour leur rendre service. Elle s'acquittait avec zèle des tâches ménagères, ton frère et toi lui appreniez des mots d'argot anglais et, à défaut d'amis, elle accompagnait ta mère au temple.

Sa mère était une snob, une maniaque de l'étiquette shinto qu'elle possédait sur le bout des doigts — Reiko voulait fuir tout ça. Elle sifflait des chansons de groupes anglais tout en faisant le ménage. Elle tapissait ses murs de reproductions de tableaux préraphaélites et de posters d'hommes qu'elle adorait, et elle chantait toujours la même rengaine sur des bébés couleur café crème pendant que ton frère l'accompagnait de son jeu de mauviette à la guitare. Quand Ivory venait habiter chez vous, tout ça passait à la trappe. Il avait voulu se trouver une femme japonaise et il veillait au grain. Il la dissuadait d'apprendre l'anglais. Reiko devait devenir un objet d'intérieur décoratif, éventuellement un instrument de recherche, rien d'autre. Le jour où il l'épousa, elle portait le kimono de circonstance au bureau d'état civil de Chelsea.

Elle était amoureuse de lui, c'est sûr. Ça se voyait clairement. Les photos qu'elle prenait de lui avec son Instamatic vinrent remplacer les posters de Che Guevara, Steve Marriott, Rod Stewart, Mao Zedong. Mais vous n'avez jamais compris pourquoi il avait voulu ce mariage. Cela faisait peut-être partie de son plan pour vérifier jusqu'à quel point il pouvait enfoncer ta mère, peut-être aussi que c'était le seul moyen de garder Reiko sous la main. En tout cas, ça n'a rien changé à son rôle à elle. Il vivait dans le Norfolk et elle avec vous, à Londres, elle était toujours préposée au ménage, même si elle ne sifflait plus, elle s'occupait toujours de la cuisine, de temps à autre elle était requise là-bas, puis congédiée quand il s'en fatiguait à nouveau. C'est tout juste s'il lui adressait la parole lorsqu'il venait à la maison derrière Holloway Road pour une visite à l'infirmerie.

Une fois pourtant tu l'as entendu lui parler, et il y avait une tendresse étonnante dans sa voix. Ta mère avait dû passer une de ses lettres à Reiko. Je ne sais pas de quelle lettre il s'agissait, quelle aventure elle relatait, quel méfait ou quelle cruauté elle révélait. Mais tu as entendu Ivory, sa voix d'une douceur étonnante, et tu l'as vu essuyer les larmes de Reiko. « Ne pleure jamais devant moi », la prévenait-il, tendre mise en garde, promesse de représailles envers quiconque exhibait sa faiblesse devant lui.

Plus tard elle t'a parfois accompagnée à tes séances punks. Habillée de PVC, décorative et triste, accessoire superflu qui attendait qu'il se passe on ne sait quoi. Après tu l'as perdue de vue, lorsque tu t'es amourachée de ta bande de toxicos paumés.

Lui mort, elle a disparu, tu t'es dit qu'elle avait dû rentrer au Japon.

Qu'as-tu fait entre-temps, au fil des ans ? Où les as-tu pas-sées, ces treize années, quand tu n'attendais pas que le facteur sonne ? Combien de pays as-tu visités ? Combien de boulots as-tu trouvés ? Tu espérais que sa mort suffirait à le rayer de la carte ? L'as-tu oublié ? Tu as sûrement essayé.

Refus. Reports. En début de phrase toujours les mêmes mots : « non », « pas ici », « pas maintenant », « pas encore ». Il y eut un temps où tu n'osais pas dire « jamais ». Je ne suis pas retourné à l'infirmerie après cette première nuit dans ta chambre où les petites heures filaient doucement pendant que nos corps reposaient côte à côte, se touchant presque. Je tra-vaillais à la table ronde près de la grande fenêtre. Je couchais dans ton lit. Certains soirs tu n'étais pas là mais tu finissais toujours par revenir, le lendemain ou le surlendemain, sans jamais me dire où tu étais allée. On dormait ensemble. Pas comme mari et femme. Ni frère et sœur. Ni amants. Ni amis. Quand je bandais, ça m'est arrivé, généralement tu m'évitais en basculant ton poids de l'autre côté. D'autres fois tu en pro-fitais. C'est ce que tu as fait la troisième nuit passée là-haut avec toi.

Je lisais des lettres tout seul dans ton lit. Tu es rentrée un peu après minuit, l'air superbe, fatiguée, fourbue (tu venais de négocier un contrat pour un bouquin, j'ai découvert ça par la suite). Tu t'es déshabillée en quatrième vitesse et tu t'es couchée toute nue. Je continuais à lire comme si de rien n'était mais tu as éteint la lumière. Ni toi ni moi n'avions ouvert la bouche depuis ton arrivée. Tu t'es roulée en boule, à distance. J'ai vaguement protesté à cause de la lumière mais toi tu ne disais toujours rien. Alors j'ai balancé les feuilles sur le plancher et je me suis pelotonné pour dormir en essayant d'ignorer ton odeur évidente, mélange léger de doux-amer. J'ai marmonné une question à propos de Lizzie Sharp en basculant vers toi, ça y était, je bandais, c'était évident et je ne m'en cachais pas. Tu m'as attiré dans la fente de tes fesses en m'astiquant avec ton cul nu pour m'exciter. J'ai voulu toucher ton corps de mes mains mais tu n'acceptais de continuer qu'à condition que je te lâche.

La nuit, de temps en temps, je te touchais et tu ne disais rien. Je caressais ton corps de mes mains, je frottais contre ton dos mon visage rongé de barbe et je te branlais avec les doigts. Pas avec la bouche. Interdit. Et jamais quand toi-même tu t'occupais un peu de mon corps. Pas en même temps. Chacun prenait son pied tout seul ou pas du tout.

J'apprenais aussi les mots à utiliser pour te faire craquer. Parler de ton père pouvait parfois marcher, parfois ça produisait l'effet inverse. Parler de ta mère ne marchait jamais — autant dire adieu à la baise. Reiko oui, souvent. Ton frère quelquefois. Lizzie Sharp, presque toujours.

On était chez toi. Un peu plus tôt dans la soirée on avait bu de la limonade avec ta mère avant de filer là-haut quand elle s'était endormie devant la télé. Tu étais allongée sur le canapé, recroquevillée dans ton blouson en cuir, et tu regardais le plafond comme si tu allais y découvrir des secrets. Je me suis remis à ce que je faisais quelques heures plus tôt, dresser la bibliographie des publications d'Ivory. Une tâche qui avait ses bons et ses mauvais côtés. Pour les livres, c'était facile. Il n'y en avait que deux. Que deux publiés, en tout cas. Mais ça se corsait avec les essais et les critiques non répertoriés, publiés dans des revues comme *The Listener*, *Encounter*, *The New Statesman*, *The Times Literary Supplement*, *Psychiatry Now*, etc. J'avais acheté les sommaires de ces revues à de drôles de types travaillant dans de drôles de boutiques, feuilleté les listes des collaborateurs et retrouvé les titres (« L'éleveur de chiens aux oubliettes », « Le prince Boothby ou le triomphe de l'ennui », « Jouer avec les schizophrènes », « Utilisation des hallucinogènes organiques dans le traitement des névroses », « Les oiseaux morts dans l'œuvre de Henry Green », etc.) Là-dessus, re-visite à la bibliothèque, la British Library (où je guettais l'ombre de Miss P***) pour les lire et les photocopier.

Et ses traductions, une de Mishima, une de Tanizaki, mais les autres étaient dures à trouver. J'ai écrit aux japonisants de plusieurs universités. Interrogé des bibliothécaires. Contacté l'attaché culturel de l'ambassade du Japon. Appelé Gibbs, qui m'a envoyé sur les roses. Il n'avait rien à me dire mais n'empêche qu'il suivait mon travail avec intérêt, ce qui pour le coup me dépassait complètement.

Plaisirs décadents, Thames & Hudson, 1973, 424 pages, 5,95 livres sterling. On peut le prendre comme on veut : une chronique minutieuse et bienvenue de la fin des civilisations ou un vulgaire récit à sensation joliment présenté sous des dehors historiques et artistiques.

Morita, dédié à Mishima en personne, publié chez Secker & Warburg, 1976, 172 pages, mis en vente à 3,50 livres, réédité l'année suivante en poche chez Penguin pour 40 pence. Accueilli par un mépris glacial. Une seule bonne critique, celle de Ian Hamilton dans *The New Review*. Il qualifie le roman d'« exploration pleine d'élégance de la noirceur ». Le reste de la clique n'était pas du tout emballé. *The Daily Telegraph* trouvait le livre « déplaisant » ; *The Times* déplorait ce « monument de gratuité » ; et dans *The Guardian*, Roland Gibbs parlait d'« une complaisance immonde à se repaître de la violence de l'esprit de la décadence ». Là, Ivory a vu rouge. Gibbs le minus s'en prenait à lui. Ivory avait bien trop conscience de sa dignité pour se répandre là-dessus noir sur blanc dans un journal. Mais dans une lettre à Helen, il brandit la menace d'une mystérieuse vengeance à venir.

« Bizarre, ai-je dit. Gibbs ne fait aucune allusion à tout ça dans la nécro. Il a une phrase aimable et polie sur le roman. Pourquoi a-t-il changé de ton, à ton avis ? »

Tu as hoché la tête. Tu t'en fichais. Tu étais enfin disposée à bavarder un brin. Je reconnaissais les signes, à présent. Nervosité. Irritabilité. Tu t'es levée du canapé et tu as commencé à prendre des trucs pour les remettre exactement à la même place. En feignant scrupuleusement de ne surtout pas faire un bruit qui m'aurait distrait de mon travail.

J'ai reposé mes papiers pour lever les yeux vers toi. Tes cheveux te cachaient la figure. Soudain les mots te sont sortis de la bouche.

« Tout ce qui peut me rappeler mon père. Je rêve énormément de lui et, quasiment tous les jours, je remarque chez les autres quelque chose de lui qui me le rend de plus en plus proche. L'implantation des cheveux d'un banquier. Une photo de Johnny Cash sur une pochette de disque. Laurence Harvey dans le film *Darling*. Patrick MacGoohan. Des hommes grands au regard froid. Quelqu'un joue du piano et tout à coup il apparaît dans la pièce. Tu joues du piano, Tierney ?

— Parle-moi de Lizzie Sharp. »

Tu as repoussé tes cheveux en arrière, l'air de n'y attacher aucune importance. Quand tu as souri, des plis inhabituels sont apparus au coin de tes yeux. Tu t'es assise sur le canapé, jambes tendues et raides. Tu avais gardé ton blouson en cuir. Tu as allumé une cigarette, tiré une bouffée et secoué la cendre sur le plancher.

« Lizzie Sharp était l'amie de mon père. Son père à elle était poète, Jack Crew. Ivory le connaissait depuis longtemps, il puait l'alcool. De longs cheveux blancs, un gros nez rouge, il me terrifiait comme un clown de cauchemar. Ivory m'emmenait quelquefois assister à ses lectures. Il beuglait ses poèmes dans des endroits comme l'Institut des arts contemporains ou la salle au premier de pubs de Hampstead. Ses vers étaient assez cloches, toujours en rimes, tout un fatras sur la sagesse disparue des travailleurs, mais c'était un épouvantable cabotin. Des milliers de petites veines sur le visage. Un long pardessus, de grosses bottes d'ouvrier. Mon père disait qu'il avait toujours l'air d'un terrassier. Des poses années trente, les poètes du peuple, vive la république d'Espagne, sus aux riches héritières. J'ai oublié d'où venait sa femme, je ne crois pas l'avoir jamais rencontrée, je lui parlais simplement au téléphone chaque fois que Lizzie voulait que je réponde pour mentir à sa place — elle était écossaise, canadienne, sud-africaine ou je ne sais quoi mais elle s'exprimait comme les membres de la famille royale. Obsédée par Jack Crew, amoureuse. On avait l'impression qu'ils ne se voyaient jamais, tous les deux, mais ils avaient des tas d'enfants ensemble. Cinq, il me semble. Lizzie était au milieu. Elle était belle comme tu n'as pas idée. Blonde. Un corps sexy, râblé. Des traits parfaits de fille élevée au couvent. J'adorais les lignes de son visage. Elle ressemblait à une groupie des Rolling Stones, c'en avait sans doute été une. Elle goûtait à toutes les drogues qui se présentaient. Ivre en permanence. En permanence à côté de la plaque. Elle adorait se déshabiller en public — en fait je ne sais pas si elle adorait, ce n'est peut-être pas vrai, on n'avait jamais l'impression qu'elle en tirait du plaisir, mais elle le faisait quand même. Une compulsion. Comme la photo. Elle avait toujours un appareil sur elle. Chez elle, tous les tiroirs étaient bourrés de rouleaux de pellicule voilés, pas développés. Elle photographiait tout et tout le monde. Elle t'obligeait à la photographier. Elle se déshabillait, s'asseyait sur le canapé et faisait semblant de téléphoner. Et quelquefois elle se penchait pour te regarder par-dessus son épaule, l'air faussement étonné, avec un culot monstre. Mais tout était innocent chez elle, même ça. Rien de cochon là-dedans. Ce n'était même pas de la séduction. Elle n'avait pas besoin de me séduire. Déjà j'étais complètement toquée d'elle, j'aurais donné ma vie pour elle, je rêvais d'elle, tu sais, des rêves excitants, mais elle se conduisait comme si c'était tout naturel. Je ne pense même pas que nous nous soyons jamais touchées, toutes les deux. Même quand elle me donnait l'argent du baby-sitting, elle le posait pour que je le prenne, jamais elle ne me le tendait. Je crois qu'elle n'aimait pas qu'on la touche. Je ne l'ai même jamais vue tenir ses gamins ou les embrasser sur les deux joues avant de les envoyer au lit. Elle avait simplement besoin qu'on l'admire. Partout dans la maison il y avait des photos d'elle prises longtemps avant, des agrandissements accrochés aux murs comme des affiches, des instantanés en noir et blanc dans des cadres en argent, des albums derrière chaque meuble ; elle avait été actrice ou mannequin ou je ne sais quoi, mais elle n'en parlait jamais, pas comme ces femmes sur le retour qui n'arrêtent pas de se vanter en racontant comme elles étaient belles et comme on les appréciait et comme elles étaient branchées, autrefois, et qui pour t'impressionner te dévident des noms de gens qui ne te disent absolument rien. Comme s'il n'y avait aucune différence entre ce qui lui arrivait, ce qui allait lui arriver et ce qui lui était déjà arrivé. Elle n'avait jamais l'air de s'ennuyer ou de désespérer. Et quand elle rentrait d'un rendez-vous, avec mon père, si ça se trouve, elle venait dans le salon où généralement je regardais la télé et elle se déshabillait complètement, comme n'importe qui d'autre aurait enlevé son manteau et son écharpe, et elle s'installait dans un fauteuil, attrapait une de ces affreuses petites boîtes indiennes en argent pour se rouler un joint et on se défonçait ensemble. Je détestais la came. Mais je ne pouvais rien lui refuser. Donc on se défonçait pendant que la télé continuait à marcher, à la fin il n'y avait plus que la mire, ou juste l'écran noir et la neige, elle était assise les jambes croisées dans son fauteuil, et moi je me contentais de la regarder, je la regardais, je la regardais, je m'emplissais la tête d'elle et de rien d'autre et nous ne disions jamais grand-chose, quelquefois le silence était tout simplement absolu, et souvent elle se mettait les mains sur les seins pour les inspecter, tout à coup un vilain double menton lui enlaidissait le visage et elle se caressait pendant tellement longtemps qu'on aurait dit que ça allait durer toujours, comme si elle vérifiait la présence de grosseurs, de rides peut-être.

— Comment ton père l'avait-il connue ? »

Tu n'aimais pas que je t'interrompe. Ça te rappelait que tu parlais.

« C'était une de ses patientes. Elle l'avait probablement rencontré quand elle était petite, avec Jack Crew, mais des années plus tard elle est venue le voir de sa propre initiative.

— Il lui faisait un petit prix comme pour la famille, hein ?

— Jamais. Il n'a jamais fait de prix à personne. Il demandait toujours une somme très légèrement supérieure à ce qu'il pensait que ses patients pouvaient se permettre. Il disait qu'autrement ils n'auraient pas pris leur thérapie suffisamment au sérieux.

— Pourquoi est-ce qu'il s'occupait d'elle ?

— Aucune idée ! Tout et le reste. Elle était perdue, elle était belle, elle était folle. Les années soixante l'avaient foutue en l'air, elle prenait trop de drogues, elle buvait mille fois trop, elle ne supportait pas qu'on la touche et pourtant elle sortait constamment avec un homme ou un autre. Il n'y avait que son visage qui vieillissait, c'était visible sous le maquillage qu'elle portait tout le temps, des tonnes de mascara et d'eye-liner et de la poudre blanche partout. Elle avait trois enfants mais ça ne se voyait pas à son corps. Je ne sais pas pourquoi Ivory la soignait. Pour tout ça, peut-être. À moins qu'il y ait eu autre chose dont je n'étais pas au courant. Peut-être qu'elle se prenait pour Napoléon, je ne peux pas dire. Peut-être qu'elle était simplement fatiguée de se déshabiller tout le temps. En tout cas, ce qu'il a fait pour elle n'a pas marché. Encore qu'il lui a peut-être permis de vivre plus longtemps qu'elle n'y serait arrivée toute seule, je ne peux pas te dire.

— De quoi est-elle morte ? Quand est-ce qu'elle est morte ?

— D'une overdose, j'imagine. Forcément, non ? Je ne me rappelle pas bien à quel moment elle est morte. À peu près à la même époque que lui, je pense. Personne ne me l'a jamais dit. Les gens estimaient qu'ils devaient me protéger des péchés de mon père. »

J'ai sorti la photo que tu m'avais donnée à l'époque. Ivory qui se fait vieux dans l'ombre, son torse nu, les marques brunes sur le crâne, l'éclat blanc du flash, le corps de la personne qui le photographie, une femme, nue.

« C'est elle ? »

Tu as opiné de la tête. Tu n'avais pas besoin de la regarder.

« Tu es troublée ? »

Cette fois tu as secoué la tête avec solennité, comme une gamine. Sautant sur tes pieds tu es allée voir à la fenêtre. Une enseigne lumineuse éclaboussait ton jean blanc. Puis tu m'as regardé, pour la première fois, et tu as souri. « De la psychologie de gogo, Tierney. Je ne suis pas — je n'ai jamais été jalouse. Ce n'est pas ça du tout. Je n'étais pas si dingue d'elle que ça. Il ne marchait pas dans ce genre de truc.

— Je voyais plutôt les choses dans l'autre sens. Non pas que tu étais jalouse de lui mais plutôt jalouse d'elle. »

Froncement de sourcils irrité. Tu t'es retournée vers la fenêtre. « Laisse tomber. N'essaie pas de simplifier les choses. Elles ne sont jamais simples. Et de toute façon tu ne sais pas t'y prendre. »

Quelqu'un a frappé à la porte de l'appartement. On a tous les deux fait semblant de ne pas avoir entendu. Tu t'es déshabillée comme si tu enlevais ton manteau et ton écharpe. Le blouson en cuir sur le plancher. La chemise par-dessus la tête. Le soutien-gorge enlevé sitôt dégrafé. Les bottillons balancés de l'autre côté. Le jean blanc qui glisse à terre. Ce n'est pas pour moi que tu te déshabillais, et tu ne le faisais pas non plus pour toi. J'avais dans l'idée que ça devait être pour Lizzie Sharp dont j'avais coincé la photo dans le miroir de la coiffeuse, bien visible du lit. On est allés se pieuter. Je t'ai sucée avec ma bouche, avec ma langue j'y ai planté de longs baisers profonds, je t'ai pénétrée avec mon nez et du bout des doigts j'ai fouillé l'intérieur de ton cul pendant que tu restais presque complètement immobile, le dos si peu cambré, un coup en haut, en bas, en haut, un sourire glacial sur le visage, et puis, juste avant de jouir, tu as lancé une série d'appels haut perchés à quelqu'un qui n'était pas dans la chambre et qui, si ça se trouve, était aussi bien mort et enterré.

Le temps que je me réveille, tu avais filé.

Écoutons la version des dames de la bonne société et des caissières de supermarché. Des adventistes du septième jour antillaises et des jeunes Japonaises au pair, des étudiantes qui tirent le diable par la queue et des antiques vieilles qui meurent avec une seule conviction, celle du désir charnel moderne que leur inspira William Ivory. Ivory en rut, Ivory le bon coup, Ivory le briseur d'hymens à la puissance cynique et menaçante.

Il existe un curieux bouquin intitulé *Mémoires d'une dame de la bonne société*. Publié sous pseudonyme en 1983, il couvre la deuxième moitié du siècle au fil d'un mélange d'anecdotes politiques, de potins de commère et de listes d'objets hors de prix. Je l'ai déniché sur une étagère de la chambre de ta mère. Notre héros y joue les Roméo au petit pied.

« Certains hommes font de bons amants parce qu'ils sont parfaitement réceptifs aux besoins de la femme, écrit la dame de la bonne société ; d'autres parce qu'ils sont parfaitement égoïstes et qu'ils savent exactement, et ce qu'ils veulent, et comment l'obtenir. Ivor Y. tient des deux. » Ces lignes furent écrites en 1962 sur la terrasse d'un hôtel de Ravello. Le compagnon de la dame, Ivor Y., l'avait abandonnée une journée pour une expédition à la ville ensevelie de Pompéi. Il ne revint jamais. Elle l'attendit une semaine puis rentra à Londres après s'être arrêtée un mois dans un château près de Toulouse pour y pleurer sur sa fierté blessée. Ivor Y. le réceptif, Ivor Y.

l'égoïste ne tenta jamais rien pour la revoir. Il devait en avoir assez. Elle-même ne mentionne plus son nom.

Cette dame de la bonne société n'a pas assez ému « Ivor Y. » pour qu'il en parle plus d'une fois à Helen. Dans un mot joint au cadeau de baptême qu'il envoyait à son deuxième enfant, une fille qui devait s'appeler Deborah Stuart Glaven Ivory, il évoque en passant son soulagement d'être enfin débarrassé de la compagnie « de votre reconnaissante amie vampiresque » dans le sud de l'Italie.

Ce mot provenait d'une liasse de lettres différentes écrites à des époques différentes et rangées ensemble dans le coffret japonais laqué de noir appartenant à Helen. Elles avaient un point en commun : toutes portaient sur une nouvelle passade d'Ivory, passade parfois juste effleurée, parfois analysée, dûment confessée à sa femme, et complétée par cette dernière de tous les renseignements qu'il avait négligé d'y inclure. Le mot joint au cadeau de baptême était intercalé entre la description par Ivory de sa première vision de Miss P*** à la British Library et « Une journée décadente » (ci-dessous), texte rédigé à l'encre bleu clair, d'une grosse écriture d'écolière, sur un épais papier crème à rayures et marges jaunes, avec des ronds en guise de points sur les i. Helen avait soigneusement corrigé les fautes d'orthographe en rouge. Un peu comme une prof patiente ou une mère fière de son enfant. Mais elle n'était pas prof, le texte n'avait pas été écrit de ta main et certainement pas dans l'idée que ta mère le recevrait quelques jours plus tard. Il était destiné à plaire à son mari.

Une journée décadente

Assis en rang sur le sable nous devions jouer avec le pistolet chacun à notre tour. Nous étions trois en tout, le médecin de plus en plus vieux, la femme japonaise, la malade triste. Peut-être que le médecin aurait mieux aimé que la malade et la Japonaise jouent toutes les deux mais il ne l'a pas dit. C'est lui qui a commencé. Il a fait tourner le barillet et il s'est mis le pistolet dans la bouche, les yeux tournés vers la mer, puis il a appuyé sur la gâchette et il ne s'est rien passé, il y a simplement eu un déclic. Le canon était tout mouillé par la bruine et la salive du médecin mais la femme ne l'a pas essuyé parce qu'on ne lui avait pas dit de le faire. Elle s'est mis le pistolet dans la bouche et son mari a été obligé d'intervenir sévèrement et de lui rappeler qu'elle n'avait pas fait tourner le barillet, alors elle a obéi. Un déclic. Au tour de la malade. Après avoir mis le pistolet mouillé dans sa bouche elle s'est un peu dégrafée parce qu'elle avait chaud. Beaucoup de pensées défilaient dans sa tête pendant que son doigt appuyait sur la gâchette. Cette expérience devait lui apprendre quelque chose mais elle ne savait pas quoi et, si jamais elle mourait, elle risquait de ne pas s'en souvenir. Elle ne voulait pas mourir. Elle n'aurait pas cru que c'était si dur de faire basculer la gâchette. Le pistolet heurtait durement le haut de son palais pendant qu'elle essayait de toutes ses forces de le faire partir. Un déclic. Pas de balle.

La malade triste laissa le pistolet tomber sur le sable. Le jeu était fini. La femme regarda son mari le médecin, et il hocha la tête pour montrer qu'il était d'accord pour qu'elle examine l'arme. La malade ne se sentait plus triste du tout. Elle riait. Elle se déshabilla et s'allongea sur le sable pour sentir le contact du soleil sur son corps. C'était une blague, elle en était sûre et certaine. Il n'y avait jamais eu de balle, il n'y avait jamais eu danger de mort. Elle sentit sur sa peau un objet dur mais qui n'était pas un caillou, posé là exprès par la main légère de la femme japonaise. Elle le prit du bout des doigts. C'était une balle, en forme de pénis et qui brillait comme un bijou.

La malade se rallongea. Elle attendait ce qui allait suivre parce que le traitement que lui administrait cet homme se déroulait toujours en trois phases. Quand le médecin lui demanda ce qu'elle avait appris, elle répondit que maintenant elle savait qu'elle ne voulait pas mourir et qu'après tout, la tristesse n'était pas définitive. Mais malgré ce qu'elle racontait sa tristesse revenait et en plus il y avait encore les deux autres phases à passer avant la fin de la journée.

Après il avait prévu une fête chez lui. Il avait invité les pires voyous de la région, des garçons qui travaillaient dans des stations-service, des gitans de la fête foraine et des types qui fauchaient des voitures pour vivre et qui allaient voler dans les maisons. Il y avait autant d'alcool qu'on voulait et une fois que tous les invités ont été complètement ivres, le médecin a organisé le deuxième jeu de la journée. Ça s'appelait le jeu des Barbares. Il a fait monter sa femme japonaise sur une table en annonçant qu'il ouvrait les enchères et en demandant aux gens de faire des offres. Tous ces ivrognes ont commencé à rigoler en en rajoutant et en se moquant de cet aristo hospitalier. Mais quand ils ont réalisé qu'il ne plaisantait pas du tout, ils se sont mis à faire des offres. La femme japonaise attendait, perchée sur la table dans son pantalon écossais et son tee-shirt blanc. Le médecin lui ordonna d'ouvrir la bouche, de lever les bras en l'air. Il vantait ses charmes, il secouait les parieurs, il envoya la malade triste remplir encore les verres d'alcool. Alors il y a eu d'autres offres. Il donna l'ordre à la malade de se déshabiller et elle a obéi malgré la société qu'on recevait ce soir-là. Mais les invités ne s'intéressaient absolument pas à elle, tous les yeux étaient fixés sur la femme japonaise mise en vente. Pour une fois j'étais invisible.

La fête s'est terminée par une bagarre, comme se termine forcément ce genre de fête. Tout le monde se battait, les gens se précipitaient dehors sur la pelouse et nous sommes restés seuls tous les trois. Comme elle n'avait plus d'instructions, votre femme est allée se coucher avec un livre, vous avez joué du piano un moment, et puis vous m'avez demandé de faire une rédaction sur un fantasme et quand j'ai dit que c'était bien trop difficile pour moi vous m'avez dit de prendre dans l'ordre des notes sur ce qui s'était passé ce jour-là. Vous avez ajouté qu'il faudrait l'appeler « Une journée décadente », et c'est ce que j'ai fait.

Elle avait écrit ça pour lui plaire. Elle n'y réussit pas.

Hé, Deborah, ça ne va pas ? Quel est le problème ? Ça ne te plaît pas ces histoires-là ? Ça te touche d'un peu trop près ? Ça ramollit ta haine ? Tu n'as pas fini d'en entendre. Toutes ces femmes étaient folles de ton père, c'est sûr. Même ta mère marchait encore. Mais la nature se débrouille pour percer à jour ce qu'il y a de meilleur en nous, de pire aussi parfois.

L'adventiste du septième jour il l'a rencontrée à Clapham. Devant la mauvaise église, un mercredi soir pour une séance de prières. Il l'enleva comme par enchantement, le maudit, il rompit l'hymen de cette solide vierge d'âge mûr grâce à un gros élastique passé à la base de sa queue. Et l'étudiante de Brighton, une Hindoue de Leicester, pas longtemps qu'elle avait quitté ses parents, encore jamais couché avec un homme. Il l'a rencontrée alors qu'il déjeunait avec toi dans un café où les serveuses devaient montrer leurs jambes — règle de la maison —, il était venu sur cette côte de galets pour savoir ce que tu avais décidé de devenir et, après t'avoir ramenée à ta chambre, il est revenu au café, il a emmené la serveuse dans un hôtel et il l'a payée pour qu'elle lui susurre des mots en hindi, des mots exotiques qui lui gardaient la verge haute. Et la caissière de supermarché vierge qui l'accusait de lui avoir pissé dedans — pas exactement en ces termes, elle a dit qu'il s'était servi d'elle comme d'un urinoir. Mais il n'a pas agi par cruauté ce jour-là, pas cette fois. Il ne cherchait pas à montrer le mépris qu'elle lui inspirait (et ce mépris qu'elle lui inspirait, toi, avec ta façon de penser tordue, tu l'as pris pour du mépris à ton égard, hein, fille remplie de venin ?), tout ce qu'il cherchait c'était à la baiser, voilà tout, mais quand la nature te laisse tomber alors que tu voudrais bien qu'elle t'aide encore un petit coup et qu'en même temps tu essaies de la défier en décidant de faire passer une érection bidon pour une vraie (soutenu, si ça se trouve, par des quantités de thé, des litres d'eau et peut-être aussi des diurétiques de synthèse), eh bien la nature se débrouille pour te percer à jour et pour te donner l'air d'un imbécile. Tu ne crois pas ?

Un cœur tatoué dégoulinant de sang pâli sur l'épaule, tu étais plantée devant le miroir de la salle de bains en jean et en soutien-gorge. Tu ne savais pas que j'étais là. Je t'ai regardée. Ton visage restait fixé sur le miroir pendant que tes doigts bougeaient comme d'intelligentes créatures autonomes, couraient le long des étagères à côté de toi, plongeaient dans des boîtes de poudre, étalaient ce machin sur ta figure, soulevaient des brosses à mascara en nylon et les frottaient autour de tes yeux, dévissaient des tubes de rouge à lèvres qu'ils appuyaient sur ta bouche arrondie en un baiser d'adieu. Du vernis peint sur tes ongles, du rouge qui t'empourprait les joues, sur tes paupières de l'ombre bleue brillante d'un désir nostalgique.

Et quand tu as eu fini, quand tous ces trucs vaudous qui embellissent t'ont couvert le visage, tu t'es serrée fort dans tes bras. J'ai regardé tes ongles peints s'enfoncer dans le tatouage pâli du cœur sanguinolent et je t'ai vue sourire au reflet dans le miroir de tous ces êtres que tu étais devenue.

Où en étais-je ? Remets un peu d'ordre là-dedans, Tierney. Il la tue. Il tue la femme. L'homme tue la femme, il la conduit à sa mort. Oublie la dame de la bonne société. Oublie l'adventiste du septième jour. Oublie la vierge de supermarché. Oublie même Lizzie Sharp, au mieux ce n'est qu'une distraction. J'essaie d'expliquer quelque chose. Il faut que je m'y prenne dans l'ordre. Tu es partie. Ça fait des jours que tu es partie. Trois peut-être. Peut-être plus. Je n'ai pas tenu le journal de tes disparitions. Je n'en savais pas assez pour te suivre. Je crois bien que j'ai eu un petit chagrin d'amour. Ça t'étonne ? Ça te fait quelque chose ? Ou tu es simplement déçue que, moi aussi, je me laisse piéger par ce triste jeu ? J'ai un peu tenu compagnie à ta mère. On a bu de grandes tasses de tisane dans le coin cuisine. Mon arrivée l'avait interrompue alors qu'elle dessinait au fusain des formes abstraites déchiquetées au dos d'un calendrier religieux de 1986. J'admirai son travail Elle me dit qu'il était fonction de sa maladie et sans transition me demanda ce que je pensais de feu son mari.

« J'imagine que ce n'était pas un homme facile.

— Pas facile. Non. Difficile à comprendre. Mais encore ?

— Puissant. Irrésistible. Talentueux. Doué. Cruel.

— Oui. Oui. Bien sûr.

— C'est un homme qui avait des idées. Des idées intéressantes. Je ne sais pas ce que vous voulez que je vous dise d'autre. »

Elle me lança un regard farouche. « Vous avez oublié de dire. Que c'était un grand homme.

— Évidemment. C'était un grand homme.

— Vous le pensez vraiment ?

— Je crois. Je l'admire plus que je ne veux bien l'admettre.

— Et votre livre va l'admettre ?

— À sa manière.

— Quelle est. Cette manière ?

— Je veux décrire le personnage dans son entier. Ses mauvais côtés comme les bons.

— Ma fille pense qu'il. Était plein de venin. Elle a peur d'avoir hérité. Ça de lui.

— Où est Deborah ? Il y a quelques jours que je ne l'ai pas vue.

— Elle doit être. Dans le Norfolk. Chez lui.

— Pour quoi faire ?

— Je crois qu'elle a. Son dernier livre. Elle est trop rapide. Pour vous et trop forte. Pour moi. Il est arrivé. Hier par la poste. C'était son anniversaire. Vous le saviez ? Elle n'aime pas. Qu'on en fasse une histoire. Penser à son père la met dans tous ses états. Elle veut qu'il meure. Une deuxième fois.

— Oui.

— Je veux qu'on le célèbre. Je ne suis pas comme ma fille. Le plus grand homme. De son. Temps.

— Je n'irai peut-être pas jusque-là. »

Regard pénétrant en direction de l'Américain apostat : « Vous n'êtes pas. Le premier. Avez-vous cru que vous étiez. Le. Premier ?

— Le premier quoi ?

— Ce que l'on croit. N'a parfois aucune importance. Nous devons tous le célébrer. Autrement nous le décevrons. Une fois de plus. Je l'appelais autrefois. Il lui est arrivé de répondre. Vous ne pouvez pas le juger. Selon les critères habituels. Il l'a prouvé.

— Je suis convaincu qu'il y a beaucoup de vrai là-dedans.

— Je ne vous aurais. Jamais laissé. Voler ses lettres. Sinon.

— Vous m'avez laissé…

279

— Voler. Ses lettres. J'étais. À la porte. Je vous encourageais en pensée. Je voulais que vous compreniez. À présent
je suis. Bien près de le regretter.

— Je pourrais lire les autres ?

— Cela. Dépend.

— De. Quoi ? »

Ta mère a souri. Elle serrait étroitement la mémoire de ton
père contre elle. Les yeux fermés elle admirait la grandeur de
son image. Elle s'est endormie sur la chaise de cuisine à dos
droit.

Je suis monté sur la pointe des pieds dans sa chambre où je
ne me suis arrêté qu'un instant près du lit à baldaquin pour
examiner le vêtement bleu brillant où Helen choisissait de
s'envelopper pour la nuit, puis je me suis dirigé vers la coiffeuse. Le coffret laqué de noir y était. J'ai soulevé le couvercle. Le coffret était vide. Bien. Sûr (eût dit Helen).

Quand l'as-tu vu pour la dernière fois ? Que vous êtes-vous dit, tous les deux ? As-tu essayé de percer à jour sa culpabilité supposée ? A-t-il alors éclaté en sanglots en implorant ton pardon pour tout ce qu'il avait fait ? Évidemment que non. Tu n'as jamais été assez gonflée, et lui pas aussi faible que tu aurais aimé. Tu t'es effacée devant lui à la porte de l'infirmerie où il allait s'emplir les poumons d'oxygène et les veines d'adrénaline. Il s'est retourné vers toi avant de fermer la porte. Pour te dire que tu étais jolie. Ça se passait à la fin du mois de février 1980, trois semaines avant sa mort.

Où étais-tu quand Ivory est mort ? Qui t'a appris la nouvelle ? C'est le lendemain que Matthew t'a appelée, à Brighton, où tu faisais les Beaux-Arts. Tu n'as pas dit à ton frère qu'Ivory t'avait téléphoné la veille au matin en te sommant de te rendre à Londres sur-le-champ, sommation à laquelle tu n'avais pas voulu te plier. Tu n'es pas rentrée pour l'enterrement. Dans ton soulagement tu n'as pas pensé à demander de quoi il était mort. Personne ne t'a montré le corps.

Vous êtes allés à Binham tous les trois, Matthew, Helen et toi, pour fermer sa maison. Un taxi vous a pris à la gare de Norwich et emmenés à travers le paysage plat, d'abord le prieuré en ruine, puis le village, puis la route vers la mer, jusqu'à la vieille maison de pierre, berceau de quelques-uns de tes pires et plus solitaires souvenirs. La porte n'était pas fermée à clef. La maison paraissait sinistrement vide. Vous avez protégé le piano à queue en le recouvrant d'un drap. Vous avez

281

empilé sa vaisselle noire préférée avant de la ranger à l'abri dans les placards en bois. La première à pénétrer dans la petite chambre, tu y as découvert la lettre qu'il avait laissée pour toi sur son bureau, une note brève à teneur juridique pour t'annoncer que la deuxième partie de ton héritage te reviendrait à l'échéance de treize années. Et pendant longtemps tu as décidé que tu pouvais l'oublier. Tu t'es choisi des vies comme d'autres s'habillent en prêt-à-porter. Tu as peut-être été tentée de découvrir la vérité sur sa mort. Combien de fois au juste avant que je tombe dans le panneau ? Mais comme tu ne pouvais pas y arriver toute seule et que personne d'autre n'allait s'y mettre, tu es passée à autre chose, tu as fait tout un tas de trucs et tu en as abandonné tout un tas d'autres jusqu'au jour où il a bien fallu te rendre compte que le dernier des points de ta liste n'était toujours pas réglé.

Ta mère s'abandonnait à un curieux chagrin frivole. Elle allait à des fêtes pour la première fois depuis des lustres. Elle drapait de soies éclatantes son corps décrépit de soixante ans, elle passait en titubant de gala de charité en mariage chic et en bal de solstice d'été, elle se répandait sur de menus événements datés comme si les années n'avaient pas passé et Ivory pas existé. Puis, et tout aussi soudainement, elle s'enferma.

Elle réunissait chez elle un ramassis de banlieusards pleins d'idées bizarres sur la vie et la mort. Tu es tombée sur eux un soir de 1983. Personne ne t'attendait, tu n'appelais pour ainsi dire jamais. Tu es entrée, tu es allée dans le coin cuisine, dans le salon de tous les jours. Personne. Je ne sais quoi te donnait envie de monter au grenier, dans l'appartement de Reiko. Arrivée sur le palier du premier tu as entendu des bruits en provenance de la chambre de ta mère. La porte était entrebâillée, tu l'as poussée encore un peu du pied. Ils étaient tous sur le lit. Un cercle de gens à la lumière des bougies qui appuyaient avec application le bout de leurs doigts sur un gobelet renversé, immobile sur le plateau de Ouija. Le visage de ta mère ruisselait de larmes, elle sanglotait en parlant malgré les consolations de la médium assise à côté d'elle, une femme débraillée avec les nichons sous la ceinture. « Pardon », disait ta mère en essayant, avec des mots, de toucher, d'apaiser peut-être, l'esprit de son défunt mari, « pardon de vous avoir déçu ».

Je ne t'avais pas entendue rentrer de ta veillée d'anniversaire dans le Norfolk. Une raquette de tennis à la main, tu soignais tes revers devant le miroir de ta chambre. Tu t'étais noué les cheveux pour ne pas les avoir dans les yeux. C'était chic.

« Salut Tierney. Il fait beau, hein ? C'est le solstice d'été, tu étais au courant ? Si on partait pour le week-end ?

— Où ça ?

— En dehors de Londres, chez des amis qui habitent près de l'autoroute. Ils font toujours une fête pour le solstice. Ils ont dit que tu pouvais venir aussi.

— Bien sûr. On part quand ?

— Dès que tu es prêt. Prends un costume. Il faudra t'habiller pour dîner. » Je suis allé fouiller du côté de ma valise en quête de vêtements propres.

« On se voit en bas, je veux dire un mot à maman. »

J'ai ajouté mes fringues aux tiennes, j'ai laissé le sac près de la porte et j'ai fini par te trouver dans le salon des dimanches. Je n'avais jamais vu personne utiliser cette pièce, jusquelà. Helen était assise sur un repose-pieds devant le feu. Il y avait une pile de papiers devant elle. Tu te tenais derrière ta mère, les mains sur ses épaules qui tressautaient légèrement sous l'effet de la maladie. Helen a tourné la tête quand je suis entré dans la pièce en annonçant que j'étais prêt. Elle a regardé le feu, elle a regardé les lettres et m'a adressé ce que j'ai pris pour un clin d'œil. Comme si elle me mettait au défi d'oser

283

je ne sais quel geste à ne pas faire, et soudain il n'y eut plus de lettres. Elles brûlaient.

Ta caisse était encore un peu plus esquintée. De longues éraflures fines sur le côté. Un sacré pet sur la portière du conducteur, un autre sur le pare-chocs arrière et sur le coffre qui du coup était dur à ouvrir. On n'a pas dit un mot, ni toi ni moi, avant d'être installés dans la voiture et d'avoir entamé le voyage.

« Tu l'as vu, ce bus ? À mon avis tu ne l'avais pas vu, on a failli racler la tôle de cet enfoiré. À combien on va ? J'ai besoin de me préparer. C'était au tour du piéton de passer. Tu lui as flanqué la trouille de sa vie. Il est long, le trajet ? Tu n'as pas des somnifères ?

— Une heure, un peu moins. N'aie pas peur comme ça avec moi. Je suis extrêmement prudente au volant. On devrait peut-être mettre un peu de musique, ça te calmerait. Choisis une cassette.

— Qu'est-ce que tu veux comme cassette ?

— N'importe laquelle. Mets-en une et arrête de m'énerver. »

J'étais jaloux de ta voiture. Elle avait des creux et des bosses et quelques éraflures mais n'empêche qu'elle te donnait ce que tu lui demandais. Le petit coup d'accélération en prime pour passer dans la file de droite à la moindre brèche. Le freinage brutal lorsque tu décidais de ne pas griller le feu, finalement, et que tu stoppais dans un grand crissement juste derrière la ligne blanche. Après tu flattais le tableau de bord. Tu serrais fort le volant dans tes mains, ni trop réceptive ni trop passionnée mais simplement brutale — ta voiture faisait tout ce que tu voulais et tu aimais ça.

La musique est partie. Une batterie qui dégringole, une guitare qui déguste, un chanteur défoncé qui braille. Du punk. *Pushing Too Hard* : les Seeds.

« Mon frère aimait ce morceau. Je t'ai déjà parlé de mon frère ? Un paumé. Il faisait partie d'un gang de Boston, les Psychos. Une bande de gosses de quatorze ans qui portaient des vestes en jean coupées aux manches avec plein de décalcomanies et de badges. Ils y allaient à l'acide, tous les jours.

Il y avait un autre gang dans le quartier, les Souls. Un peu plus vieux. Blousons de cuir noir. Jeans étroits. Bottes et grosses bécanes. Des coupes de cheveux à la gomme. Ils buvaient des tonnes de bière et d'alcool et tous les jours ils passaient les Psychos à tabac devant le magasin de disques de Cambridge ou dans le parc — tu te rappelles la fois où on y était ? C'est là qu'avaient lieu les bagarres. Tous les jours mon frère rentrait à la maison en sang et complètement défoncé. Hé, qu'est-ce qui te prend ? Ça te gonfle tant que ça de t'arrêter chaque fois que c'est rouge ?

— Il a l'air sympa ton frère.

— Sympa ? Ouais, tu peux le dire si tu veux. Tu te trompes mais tu peux toujours le dire.

— Qu'est-ce qu'il fait maintenant ?

— Ted ? Il vend des ordinateurs. Il est resté à Boston. Il a une femme qui picole trop et un chien avec une maladie de peau. Je ne le vois plus. Il a l'air beaucoup plus mexicain que moi.

— Qu'est-ce qu'il a comme chien ?

— Je ne sais pas.

— Je devrais peut-être prendre un chien. Ça me ferait peut-être du bien.

— Tu en aurais vite marre. Il se casserait quelque chose, il deviendrait fragile et tu risquerais d'être déçue, tu finirais par faire un truc moche.

— Tu crois ? Tu as peut-être raison, je ne sais pas. Ne te moque pas de moi, Tierney, tu promets de ne pas te moquer ? Un chien des fois ça fait du bien. C'est les petites choses. Les odeurs. Le bazar qu'ils mettent. Tout ça est d'une telle simplicité. Manger, jouer, pisser sur les réverbères. Cette façon qu'ils ont de dormir et de rêver de tout ce à quoi ils peuvent bien rêver. Je comprends ces choses-là.

— Les petites choses.

— Oui. Ne te moque pas de moi. Tu te moques de moi ? »

Je ne me moquais pas. Tes paroles inclinaient mon cœur vers toi. Moi je suis différent. C'est le gros gibier qui m'intéresse. Les mystères de l'amour, de la vie, de la mort, les formes qu'ils prennent la nuit. Les grandes choses. Mais toi je crois que tu touchais tout ça d'un peu trop près.

« Je ne me moque pas. Je sais ce que tu veux dire.

— Cette musique commence à me taper sur les nerfs. Trouve autre chose. »

J'ai changé pour une cassette de classique. Mis le volume plus fort mais je n'entendais toujours pas très bien. On était sur l'autoroute, maintenant. La M1. File de droite. L'aiguille du compteur tremblotait au-delà du cent soixante, aussi méchamment que ta mère. Hurlement de ton moteur. Sifflements chaque fois qu'on croisait en trombe les grosses voitures qui filaient de l'autre côté dans l'autre sens. Et le vent qui s'engouffrait entre les vitres et la capote par les fentes dues aux pets sur la carosserie. La vitesse te faisait les joues rouges. Un grand sourire te figeait les lèvres. Tes yeux ravis étincelaient de toute la puissance qui obligeait cette route noire à défiler si vite sous tes roues. Tu as suggéré à grands cris qu'on s'arrête sur le bord pour baisser la capote, mais j'ai réussi à te convaincre que ce n'était pas la peine.

Par-dessus tout ce boucan je t'ai balancé ma théorie sur les vierges. C'est un des trucs que j'avais fini par piger et je l'ai braillée à tous vents sur la file de droite.

« Tu connais Martha Brennan ? Elle était nourrice à Hobart Hall, là où ses cousins habitaient. Quand il était gosse, Ivory allait...

— Je sais tout sur Hobart Hall, m'as-tu hurlé. Explique-toi.

— Nounou Brennan est un être mesquin et vindicatif. Une snob. Une vieille petite catholique vierge, moche, acharnée et vicieuse. Elle en voulait sacrément à ton père. Elle lui crachait dessus, il lui servait de bouc émissaire pour tous les péchés de la famille. Tu veux que je te dise, le côté un peu bizarre de son truc pour les vierges, eh bien c'était une manière de se venger d'elle. Une façon de faire payer cette bonne femme qui lui tombait dessus chaque fois... »

Un hochement de tête. Signe que tu n'étais pas d'accord. Le signe que l'autre venait de faire ou de dire quelque chose qui te confirmait dans la piètre opinion que tu avais de lui. Ou d'elle. Tu as hoché la tête et tu as ralenti, histoire de mieux me cracher dessus.

« C'est trop nul, Tierney. Même pour toi. Il n'y aura pas de livre, et Dieu soit loué, car même Ivory mérite mieux que de t'avoir comme biographe. Malgré tous ses défauts. Il comprenait ce qui remuait les gens à l'intérieur et c'est parce qu'il détestait ça qu'il le démolissait — il avait horreur de ce qui remuait les gens. Il voyait au fond de leur cœur et il tordait ce qu'il y avait dedans. S'il faisait des choses aux gens, des choses dangereuses et vicieuses, c'est parce qu'il comprenait, et les descriptions qu'il en donnait étaient mille fois plus intelligentes que tout ce que toi tu réussiras jamais à sortir. Ce n'est pas pour faire payer une espèce de vieille chouette qui le tyrannisait qu'il baisait des vierges. S'il baisait des vierges, c'est parce qu'il aimait ça. Parce que ça lui donnait l'impression d'être grand et fort, viril. Parce qu'il aimait tout gâcher. Parce qu'il était intoxiqué par un venin qui le poussait à faire un gâchis monstrueux. »

Tu t'es arrêtée pour respirer. Peu habituée à t'expliquer, tu rougissais sous l'effort.

« Il n'y aura pas de livre ? Qu'est-ce que ça veut dire ? »

Tu as ri, quel soulagement.

« Tu n'es pas éditrice ?

— Je ne suis pas éditrice, non. Une de ses expressions préférées, c'était : "Ça t'apprendra qu'il ne faut jamais faire confiance à personne."

— Tu as déjà tenté le coup avant, pas vrai ? Je ne suis pas le premier. »

Silence. Tu as secoué la tête, changé de file sans prévenir et injurié une femme en BMW qui roulait un peu trop doucement à ton gré sur la file de droite.

« Qu'est-ce que tu comptes tirer de tout ça ?

— Tu peux toujours écrire le livre si ça te dit. Quelqu'un aura peut-être envie de le publier. Je ne pourrai t'être d'aucune aide. Tu es vraiment très crédule. Je continuerai quand même à te payer.

— Il vient d'où ton fric ? Et celui de ton frère ?

— Il nous l'a laissé. Tout vient de lui. C'est l'argent qu'il a laissé à sa mort.

— Ivory ?

— Oui. Ivory. »

J'essayais de comprendre. J'avais tout du pigeon. D'un pigeon très paumé.

« Tu veux descendre ? Il suffit de demander. Je te dépose ici si tu veux. »

J'aurais bien voulu le demander. Ça m'aurait mis un peu de baume au cœur. Tu as accéléré.

« Combien de fois m'as-tu menti encore ? Tu n'as pas passé tout ce temps à New York, tu étais où ? Je t'ai vue dans Percy Street. Qu'est-ce que tu faisais là-bas ? »

Tu as fini par répondre au bout d'une longue attente. En prononçant chaque mot soigneusement comme si tu avais peur que ce que tu étais en train de dire te blesse.

« Dis-moi simplement comment il est mort. C'est tout ce que je veux savoir. Dis-le-moi et tu me feras plaisir.

— Qu'est-ce que tu faisais dans Percy Street ?

— J'ai le dernier de ses livres, tu sais. Je te le montrerai peut-être si tu me donnes ce que je veux. Il y en a d'autres qui le voudraient et qui savent, eux. Julian Brougham Calder ne l'aura pas, en tout cas. Ce vieux dégoûtant n'a rien à me donner en échange.

— Tu n'as pas besoin d'aller trouver quelqu'un d'autre. Je vais y arriver. Pourquoi n'as-tu pas confiance en moi ?

— Ne pleurniche pas, Tierney. Ça ne te va pas. Si je t'ai blessé je suis désolée. Ce n'est pas une affaire de confiance. C'est simplement pour augmenter les chances, voilà tout. »

On n'est pas restés longtemps sur l'autoroute. Rudement secoués, on a filé sur une voie de desserte. Qu'on a vite quittée pour une étroite petite route de campagne bordée d'arbres en surplomb au-dessus des haies. On en est sortis pour prendre sur les chapeaux de roues une allée dont tu as fait voler les gravillons en freinant pour t'arrêter devant une grande maison blanche, avec des colonnes qui encadraient une énorme porte en bois, de style transylvanien.

C'était une fête et il y avait un spectacle. Ils appelaient ça mascarade.

Difficile de se souvenir dans sa continuité de cette nuit lourde de lune (pour citer une image du sieur Ivory). Moments particuliers, tendres ou jaloux, éclats de couleur fous propres à séduire un pyromane, bribes de conversation prometteuses, grands gestes exécutés par différentes personnes que je ne connaîtrais jamais, toutes membres d'une même tribu blonde, qui profitaient du soleil agonisant du solstice pour se donner des allures de dingues et pousser des cris d'animaux. Allez, essaie. Essaie de raconter dans l'ordre.

La maison paraissait vide. Tu as poussé la porte. Dans le hall d'entrée, un plafond très haut, un chandelier allumé, des murs sombres lambrissés ornés des portraits de grands de ce monde décédés. Tu t'en souviens ? J'ai cru te voir ciller. On y est allés. Dans une cuisine et vers une vieille femme affublée de carrés de soie brillante, dont les innombrables mentons s'agitaient pendant qu'elle s'affairait à son gâteau.

« Deborah ?

— Jane.

— Deborah. Tu aurais dû nous prévenir de ton arrivée. Nous allons te mettre dans la chambre hollandaise. Approche-toi. Tu es plus belle que jamais. »

Vous vous êtes embrassées deux fois, une fois sur chaque joue mais les lèvres loin de la peau.

« Nous sommes tous terriblement gais, tu sais. C'est le solstice — tu n'as pas oublié, petite futée — et on joue *Le Songe*. Oh, Deborah, demain il faudra absolument sortir les photos pour que ton ami voie quelle fée adorable tu faisais — il y a donc si longtemps ? Je prépare un gâteau pour demain. Je ne sais pas trop ce que ça va donner. »

Jane secoua un peu ses mentons histoire de montrer qu'elle trouvait merveilleux de te revoir. Puis tu m'as présenté, par mon prénom pour une fois, et nous nous sommes serré la main, Jane et moi.

« On m'a encore collé le rôle de Titania — oh, vous auriez été délicieux tous les deux en Hermia et Lysandre —, va vite dans le jardin, chérie, ils reprennent. »

Elle nous a fait passer par un office où des oiseaux morts pendaient à des crochets. De là on est sortis dans le patio où les choses prenaient une allure bizarre avec le soleil qui disparaissait, et ces gigantesques ombres minces qui n'arrêtaient pas de bouger. Une longue table en bois, une piscine éclairée où une bouée canard jaune cognait contre le bord. Tu m'as entraîné à l'écart d'un jardin entouré de murs, avec une grille en fer ouverte. On a tourné au coin.

Des guirlandes de lumières féeriques entre les arbres. Des torches à essence qui flambaient à même la terre. Sur la pelouse, les acteurs. Les vers de Shakespeare, chantés, murmurés, massacrés, hurlés. « *Le Songe d'une nuit d'été*, m'as-tu chuchoté, ils le jouent tous les ans. » Trois générations d'Anglais blonds, peinturlurés et costumés, bien nourris, bien imbibés. Des enfants aux joues peintes en rose et aux fins cheveux blonds qui couraient avec des cris perçants et se rappelaient parfois leurs répliques. Les entre deux âges en tunique, pour flatter la silhouette, les plus vieux emmaillotés de soie, imposants, lourds, sinistres et un peu ridicules. La musique sciée par les violons, éreintée par les tambours. Le soleil du solstice plongeait à l'ouest et la pleine lune s'accrochait au ciel, resplendissante. De l'autre côté des arbres, une rangée de belles génisses brunes s'étaient solennellement réunies là pour regarder. Et puis l'alcool. Du cidre maison dans des cruches en terre. Éclusé trop vite, il soûlait tout de suite.

« C'est ici, dis-tu presque à regret, que tu trouveras ce qu'il faut que nous sachions.

— Qui sont ces gens ? »

Ivre et heureux, tout le monde buvait et flirtait, les chiens aboyaient, quelques enfants s'étaient endormis, les Anglais en pleine action offraient un spectacle assez atroce et terrifiant.

Tu ne quittais pas des yeux la fille en justaucorps et chausses avec ses cheveux blonds qui volaient dans la nuit et son mince corps de gymnaste ; seul son nez narguait sa beauté, d'une drôle de forme, ce nez, retroussé mais long, le genre de nez qui, s'il avait appartenu à une Américaine, aurait tout de suite été remplacé par un autre choisi dans le catalogue du chirurgien esthétique.

« Qui sont ces gens ?

— L'ennemi. »

Elle s'appelait Alex, on disait parfois Allie. Moi qui n'arrivais pas à suivre l'intrigue et qui ne connaissais pas la pièce, j'aimais bien les gracieuses contorsions gauches de son corps.

« On n'est pas près de la mer, je le sais. C'est bizarre. Il me semble que j'entends la mer. »

Ivresse subite. Retâté au cidre pour voir où ça me mènerait. Étalé sur l'herbe, je me demandais pourquoi le vieil empoté qui venait d'enlever son masque d'âne ressemblait trait pour trait à Julian Brougham Calder. Me demandais pourquoi l'homme plus âgé et plus imposant était si rosse avec lui. Le vieux qui en imposait — à tous les coups c'est de ses reins qu'était sortie la tribu — siégeait à côté de sa femme, Jane, dans une parfaite symétrie des soieries et des maquillages. Magicien tout vêtu de soie, ses sourcils blancs retroussés en cornes de diable, il sauta à bas de son siège doré pour ouvrir la danse sur l'air de *Jerusalem* pendant qu'un grand garçon, son fils à tous les coups (je l'ai reconnu sous ses peintures de guerre, ses caleçons et sa couronne en carton, c'est avec lui que tu avais arrêté un taxi dans Percy Street), répétait ta réplique préférée (ton corps tressaillait chaque fois que tu l'entendais, si ça se trouve d'ailleurs il la disait pour toi, comme s'il savait) : « Réfléchissez, jolie fille : pour vous, votre père doit être comme un dieu. »

291

« Regarde les lumières, là-haut.

— Magnifiques. Inviolées.

— J'entends la mer. Qu'est-ce que c'est que ces lumières ? »

La scène, une idée plus qu'un lieu. Tu t'y es faufilée vers la fin du spectacle pour t'allonger à côté de ton amie au drôle de nez, à l'écart, tu m'as laissé au milieu d'une nuée d'enfants habillés en fées, l'air méchant, les traits gonflés par le cidre dont ils n'avaient pas l'habitude, et qui voulaient me ligoter avec des liens fragiles.

Le temps que les derniers mots soient déclamés et chantés, le soleil fou du solstice s'était consumé. Puis, une fois la mascarade terminée, dans l'éclat déclinant des torches qui brûlaient toujours, la violence soudaine du feu d'artifice fit s'éparpiller les génisses. Des roues de lumière étonnantes. Des explosions qui menaçaient le ciel. Des fusées jaillissant des cruches de cidre vides pour aller rejoindre la lune, suspendue, pâle, au-dessus de nos têtes. Des pétards qui arrachaient violemment au sommeil les tout petits enfants endormis sur l'herbe, les précipitant dans les larmes et vers l'immense consolation de la plus âgée des femmes, celle qui à notre arrivée avait parlé de gâteau.

Mystérieusement tu es arrivée près de moi, tes yeux réfléchissaient les lumières qui éclataient dans le ciel, et tes joues rougissaient sans que j'y sois pour rien. Me prenant par la main, tu as chuchoté que tu étais fatiguée, à présent, et nous sommes revenus vers la maison. Nous avons sorti nos sacs de la voiture et nous sommes montés à l'étage, dans la chambre hollandaise.

Tu t'es allongée sur le lit. Deux places, immense, d'une taille presque indécente. Dans un vase, sur la coiffeuse, des tulipes fraîchement cueillies. Sur le mur, des encadrements de spécimens botaniques et des images de machins hollandais du genre canaux. Des romans policiers empilés sur les tables de nuit de monsieur et de madame. La fenêtre donnait sur le pré des timides génisses — marque de la richesse de cette belle tribu blonde — illuminé par les guirlandes électriques et les torches vacillantes.

J'ai enlevé à peu près tous mes vêtements avec la méticuleuse circonspection des ivrognes et demandé pourquoi on était venus.

« C'est ici, dis-tu presque à regret, que tu trouveras ce qu'il faut que nous sachions.

— Dans cette chambre ?

— Comme ce serait sympathique, n'est-ce pas ? Toi et moi, rien d'autre. Non. Pas ici. Ça n'a aucun rapport avec nous deux. Ici, dans cette maison. Chez ces gens.

— Qui sont ces gens ?

— L'ennemi.

— Qui est Alex ? Il m'a semblé voir Julian Brougham Calder habillé en âne. »

Tu as ouvert la bouche, tu m'as montré ta langue. Puis après t'être déshabillée à la diable, tu t'es glissée sous les couvertures en gardant les bras bien cachés parce que le jour qui se glissait à travers les tentures hollandaises dessinait des ombres sur les murs et autour de la porte, pour te menacer, et Death-Breath, le monstre nocturne, allait venir te chercher ici et il n'y avait rien que je puisse faire pour te protéger.

« Tu es vraiment bouché quelquefois, Tierney. » Ce sont les derniers mots que j'ai entendus avant de sombrer dans le sommeil.

Journée civilisée de lendemain de solstice, belle journée de soleil. Je me suis réveillé seul. T'ai attendu un moment, puis suis descendu prendre le petit déjeuner dans le patio avec une femme (blonde) trop petite qui tenait son bébé (blonde ou blond) sur les genoux.

La pelouse portait les cicatrices du feu d'artifice et des torches. Toujours suspendues, les guirlandes électriques scintillaient toujours. Les génisses étaient dans leur pré, sur le flanc, attendant paisiblement la pluie. J'ai aperçu Jane dans la roseraie qui arrachait des mauvaises herbes avec des gants en caoutchouc. De temps en temps elle se relevait pour s'essuyer le front du revers du bras, et ça ne m'a pas plu parce que ça me rappelait ma mère.

Des bruits du côté de la piscine. La tribu en action, qui se marrait en envoyant l'eau gicler. Obliqué discrètement direction le jardin secret, il y avait une serre pleine de plantes tropicales et un sentier sinueux qui descendait dans l'herbe haute jusqu'au court de tennis.

Des séries de balles jaunes aux quatre coins du court et de part et d'autre du filet. Deux raquettes appuyées contre le grillage au fond. À part ça, pas un chat. J'ai pris une raquette, j'ai expédié quelques balles coupées de l'autre côté du filet et j'ai frappé les autres de toutes mes forces. Tout autour de moi, loin là-bas, le bruit de la mer, son clapotement. Je n'arrivais toujours pas à comprendre — on était à l'intérieur des terres, entourés, protégés par des champs et des bois.

Un frémissement dans l'herbe. Retour au calme. Puis à nouveau l'herbe a frémi, une touffe penchait du mauvais côté, contre le vent. J'ai envoyé un lob sur le frémissement, un autre. Un bras nu bronzé m'a relancé la balle par-dessus le mur de grillage du court. J'ai envoyé un troisième lob, un bras nu blanc est sorti de l'herbe pour attraper la balle, puis il l'a lâchée et s'est retiré sous sa couverture herbue.

Vous êtes sorties de l'herbe comme des nymphes des villes égarées aux champs, toi et ton amie au corps de gymnaste et au drôle de nez. Toutes les deux habillées pareil, shorts en jean et tee-shirts nuls au logo publicitaire défraîchi. Elle bâillait, toi aussi, et quand vous vous êtes étirées, vos tee-shirts se sont levés sur deux nombrils, celui bronzé d'Alex et le tien, pâle, privé de soleil.

« Tierney, c'est toi ? » as-tu dit.

Tenté de prendre un accent allemand de film de série B : « Fous addendiez beudêtre quelqu'un d'audre ? » L'effet n'était pas génial, et j'ai eu droit à un regard assez noir de ta copine barbouillée de vert prairie, à croire que j'interrompais quelque chose. S'exprimant avec un accent mi-grand bourgeois, mi-peuple, elle a lancé qu'elle te verrait plus tard à la maison, et elle est partie sans se presser. Tu es passée de mon côté du grillage, tu as pris une raquette et on a tapé dans la balle un moment. Aucune de mes questions ne reçut de réponse, au lieu de ça tu t'appliquais à me donner l'air d'une cloche sur le court.

Quand tu as commencé à en avoir assez du sport on est rentrés retrouver les autres. Des roses grimpaient sur les murs du jardin secret, des plates-bandes de machins brillamment colorés se tournaient toutes vers le soleil d'un même mouvement déprimant. La serre était pleine de spécimens tropicaux charnus qui ressemblaient aux parties sexuelles d'animaux inquiétants. Tu m'as entraîné à découvert, là où le troupeau de génisses nous regardait de l'autre côté d'un fossé. En haut de la colline d'où on ne voyait que des bois et des champs. Et, scintillant dans le lointain, un ruban de lumières, comme des guirlandes électriques.

« On n'est pas près de la mer, je le sais. C'est bizarre. Il me semble que j'entends la mer.

— Les voitures. On se trouve entre la M1 et la M25. Tu peux voir les phares sur la M25, là-bas. En fait ces deux autoroutes sont à quelques minutes d'ici. Incroyable, non. J'imagine qu'Anthony a usé de son influence pour dévier les tracés de son domaine. Il voulait qu'il reste inviolé. »

On approchait de la piscine. Dans l'eau quelques adultes blonds envoyaient leurs bambins blonds — peau rose bien lavée de la peinture de la nuit du solstice — gicler en l'air dans des hurlements. D'autres reposaient sur des matelas, un polar humide ouvert sur le ventre. Le patriarche de la tribu tournait autour de la piscine à pas comptés. Son chien, une sorte de chien de chasse noir, allait fièrement dans les pas de son maître. Ils comptèrent leurs pas jusqu'à nous. Anthony n'avait pas autant de mentons que sa femme, moins de cheveux aussi, mais un ventre plus gros, ainsi qu'il sied à un chef de tribu.

« Deborah. Bonjour. »

Tu l'as embrassé. Il t'a rendu ton baiser. Il y avait une sorte de lascivité polie dans ce baiser qu'il te rendait.

« Délicieux de t'avoir ici. As-tu pu voir notre petit spectacle ? Cela fait si longtemps que tu étais restée sans nous rendre visite. »

Tu as baissé la tête, faussement honteuse.

« Tu sais que tu n'as pas besoin d'attendre que nous t'invitions. Tu seras toujours la bienvenue ici.

— Je sais, Anthony. Merci.

— Et voici ton Américain ? Je suis désolé de n'avoir pas eu le loisir de vous accueillir hier soir. Nous étions tous bien trop pris par la mascarade.

— Richard Tierney. Sir Anthony Brougham-Calder. Excusez-moi. Je veux dire un petit bonjour à Alex. »

Anthony Brougham-Calder. Nous retournant nous t'avons regardée t'approcher de ton amie. Sir Anthony Brougham-Calder. Une carrure. Le soupirant jadis éconduit de Helen Newell. L'homme qui plus tard devait blackbouler Ivory du

Reform Club. On ne l'appelait pas Sir, à l'époque. Je pense que sa carrure avait dû s'étoffer depuis.

« Alex est votre fille ?

— Alexandra est ma fille, oui. Elle et Deborah sont amies depuis des années, elles ont vécu une adolescence particulièrement peu reluisante, ensemble. J'ai aussi cinq fils — Anthony, Charles, Francis, Edward, Peter. Huit petits-enfants au dernier comptage, deux autres pour bientôt. Pas de nièces ni de neveux. Un frère.

— Je pense l'avoir vu hier soir...

— Un gredin. Il paraît qu'il se repose à l'intérieur. Probablement près du cognac. Charmant compagnon, évidemment, aussi longtemps que vous ne croyez pas un mot de ce qu'il dit. Du vent, de l'air, il en a toujours remué. Mais dites-moi, quel est cet intérêt que vous éprouvez pour ma famille ?

— Tangentiel. J'écris un livre sur William Ivory. »

Un livre, ouais. Tu te rappelles comment je le voyais ? La jaquette avec le beau visage sardonique d'Ivory en surimpression sur des images d'une décadence fascinante. Une dédicace, peut-être à toi, je n'ai jamais tranché. Des citations spirituelles sur la page de garde. Les photos, en couleurs et en noir et blanc — portraits de famille, propriétés dans le Norfolk, clichés de vacances, groupes officiels —, réparties au fil du texte au lieu d'être regroupées au milieu par souci d'économie ; et à la fin, l'index, l'appareil critique qui permettrait au lecteur de copier ma quête.

Sir Anthony me le demandant, j'ai dû répéter ce que je venais de dire. J'ai regardé son visage rosé à point par le soleil, regardé ses muscles bandés pour bien réprimer l'émotion, la dissimuler à l'examen. Un tic au coin de la bouche, une lueur dans le regard, un battement de cils, c'est tout, et voilà qu'elle était de nouveau réprimée, l'émotion, comme une bouchée qu'on ravale pour ne pas vomir.

« Vous l'avez connu ? » J'aurais aussi bien pu écarquiller les yeux, me mettre un doigt dans la bouche et zozoter, tant j'étais transparent. On ne piège pas un magistrat de la Cour suprême avec des trucs de bluffeur débutant.

« Naturellement que je l'ai connu. C'était un coquin. » Il baissa la voix pour être sûr que ses paroles n'atteindraient pas tes oreilles. De toute façon tu ne les aurais pas entendues. À rire comme tu riais, assise le dos rond sur le matelas où Alex B.-C. s'étendait de tout son long, short et tee-shirt troqués au profit d'un maillot une pièce noir. Un complot de filles tout ce qu'il y a d'innocent, bien sûr.

« Vous pourriez me dire pourquoi ?

— Je préférerais ne pas. Et certainement pas ici.

— Cela pourrait énormément m'aider. »

Un ballon de plage tout mouillé nous arriva dessus. D'un coup de pied il l'envoya rebondir dans la piscine. Son chien suivit le jouet d'un regard nostalgique.

« Si j'acceptais, ce ne serait pas sans avoir fixé une ou deux conditions. »

Je l'ai encouragé à les détailler.

« J'exigerais que vous me promettiez par écrit qu'aucune des informations que je vous fournis ne me soit attribuée. Et je ne voudrais pas qu'un seul des membres de ma famille fût cité, à l'exception de mon frère. Je ne peux me tenir responsable des bêtises qu'il répand. »

Tout heureux, j'ai accepté. Je me fichais pas mal qu'il pose ses conditions et d'ailleurs je m'en fiche toujours. Jugez-moi donc, traînez-moi en justice.

« Tout à l'heure alors. Pas maintenant. À l'intérieur. Après le déjeuner. »

Le magistrat se baissa pour entrer dans l'eau et entama une brasse aux mouvements mesurés. Je suis allé vous rejoindre, ton amie et toi. Sans que vous me fassiez la moindre petite place sur le matelas.

« Qu'est-ce que tu racontais à Anthony ?

— J'ai juré le secret.

— Je n'y tiens plus », déclara Alex en me tournant le dos, un dos parfait.

J'ai bien dû marquer soit de la désapprobation soit du mécontentement, mais peut-être n'était-ce qu'un relent de jalousie à vif.

« Ne t'inquiète pas, me dis-tu en m'envoyant un baiser par-dessus son épaule parfaite. Ce n'est qu'un complot de filles tout ce qu'il y a d'innocent. »

Les schémas se répètent. Les enchaînements deviennent inévitables. Et c'est bien ce que tu détestes le plus, n'est-ce pas ? Comme Ivory avec son horreur des fleurs toutes tournées vers le soleil du même mouvement impuissant. La nécessité. L'éternel retour. Je t'ai regardée avec cette fille, Alex, j'ai regardé sa mère et son père vous regarder, et j'ai vu comme de la haine sur leurs visages. Toi et les Brougham-Calder, c'était comme ton père avec les Glaven. Même sourde désapprobation de la famille, même type d'amitié secrète avec une cousine. Et des transgressions du même ordre, sauf que, dans votre cas, c'étaient les punks et l'héroïne qui avaient provoqué le scandale de l'adolescence. Je dirais que tu avais eu un bon entraîneur, avec ton père. Toi tu disais que vous étiez infestés du même truc. De la même haine. Du même venin.

Avant le déjeuner je suis parti en exploration. Toute la famille était occupée à s'amuser dans la piscine et je n'appréciais pas de voir cet imbécile de Charlie essayer en vain de te persuader de l'accompagner dans les jardins pour une petite promenade romantique. Dans la maison il n'y avait que quelques marmots endormis, Lady Jane prise par le glaçage de son gâteau et un machin qu'elle appelait du massepain, et Julian B.C., toujours dans le costume qu'il portait pour la mascarade, écroulé dans le salon de télévision devant un jeu de patience avec, dans la bouche, une paille en papier plongée dans une bouteille de cognac. Il souleva un chapeau invisible pour me saluer au moment où je risquai un œil du seuil. J'allais passer mon chemin quand il me héla par mon nom. Étonné de voir qu'il s'en souvenait, je lui fis part de ma surprise.

« Un homme épouvantable, épouvantable », articula-t-il entre deux longues gorgées de cognac. Ses yeux s'emplissaient petit à petit d'un demi-siècle d'amertume scandalisée.

« Il m'a volé mon idée de livre, *Essais entre chien et loup*, il me l'a volée. Tout allait à la perfection, mais il me l'a volée et après il n'y a plus rien eu à faire. Il m'a dit ce qu'il avait dans la tête. En 1943. »

Il se mit à sangloter. Je le laissai à ses larmes.

Je ne sais pas ce que je comptais trouver en fouinant. Disons des indices, histoire de donner un peu de dignité à la chose. Tout doucement je me suis faufilé dans la maison, j'ai ouvert des portes, soulevé des trucs que je remettais ensuite à leur place. Pas découvert grand-chose. J'ai admiré le grand portrait à l'huile de Lady Jane harnachée en débutante à l'époque où elle n'avait qu'un menton à mettre en avant. Je suis allé dans la chambre des maîtres de maison, avec salle de bains et penderie de chaque côté. La salle de bains de Sir Tony : virile, convenable, des brosses à cheveux de tailles différentes alignées en rang propret, un super nécessaire à rasage vert. Celle de Lady Jane, en revanche… un tas de bazar, un tas de trucs pêle-mêle, des flacons bleu opaque d'huiles pour le bain Floris et des savons en veux-tu en voilà. Tu avais les mêmes chez toi, pas vrai ? Toute une série sur l'étagère du milieu avec au bout une palette d'ombre à paupières Bleu Minuit à peine entamée.

Après le triomphe remporté par le gâteau de Lady Jane, le temps se gâta salement et tout le monde alla se replier dans le grand salon. Une fois les instruments accordés, l'ensemble Brougham-Calder a commencé à jouer. Jane tenait l'alto, le jaloux Charlie une contrebasse vibrante de colère, la belle Alex un violoncelle sexy et Tony, le fils aîné, procureur de son état et réplique de son père, mais en moins substantiel, un violon circonspect. Après deux ou trois faux départs, ils se sont lancés dans un quatuor de Schubert qu'ils interprétaient plutôt bien.

Restée seule sur le canapé, tu feuilletais l'histoire familiale illustrée. Charlie a claqué une corde de sa contrebasse et saisi cette occasion pour venir se poser près de toi, sur le bras de ton siège. Tu l'as vite renvoyé à la musique. Moi j'étais dans le coin opposé de la pièce, assis près du paternel magistrat. On parlait à voix basse ; de temps en temps il interrompait la causette pour admirer une phrase musicale particulière ou adresser un petit signe de tête encourageant à sa femme, la plus faible de l'ensemble.

On parlait de tout et de rien, de l'Angleterre, des maladies hypophysaires, de Shakespeare, du progrès, thèmes qui apparemment emportaient tous l'adhésion du magistrat, jusqu'à ce qu'enfin, une fois le deuxième mouvement bien engagé, j'arrive à orienter la conversation sur Ivory.

« Vous l'avez traité de coquin.

— Parce que c'en était un.

— Dans quel sens ?

— Je ne vous connais ni d'Ève ni d'Adam, Richard, et le fait que vous soyez un ami de Deborah ne vous distingue en rien du commun des mortels dans la mesure où cette petite n'a jamais brillé par la sûreté de son jugement.

— Vous l'avez bien connue lorsqu'elle était petite ?

— Je vous en prie. Si vous m'y autorisez, j'aimerais poursuivre sur le point que je viens de soulever. »

Je t'ai regardée. Maussade, tu fumais une cigarette en tournant lentement les pages des albums de photos, de temps à autre tu jetais un regard vers moi, vers Alex ou vers Charlie — nous, tes trois soupirants si dissemblables —, l'air indifférent comme si nous aussi nous étions en photo. Son Honneur poursuivait de sa voix monocorde. Il dissertait sur la discrétion et les problèmes qu'il y avait selon lui à confier des éléments d'ordre privé à quelqu'un qu'il ne connaissait pas.

« J'étais jeune quand j'ai rencontré Ivory. Il ne correspondait en rien à ce à quoi mon éducation m'avait préparé. Je suppose… enfin, quoi qu'il en soit, il m'a de prime abord fait l'effet de quelqu'un qui ne jouait pas selon les règles.

— Y compris quand il jouait aux cartes ? »

J'espérais le déstabiliser. Dans mon pays ça aurait pu marcher. Pas dans le sien (le tien). Les Anglais mentent mieux que nous.

« Vous vous êtes entretenu avec mon frère. Il croit à la magie. Moi pas. Tout ce qui a bien pu se passer ce jour-là —

301

en quelle année était-ce ? 1952, 1951 ? — est l'œuvre de l'intelligence humaine, cela n'a rien de surnaturel. Je ne peux pas vous parler de sa passion du jeu. J'imagine qu'il respectait certaines règles, mais peut-être pas. Je brosse un portrait général. C'était un profiteur et un corrupteur. Il est peut-être vieux jeu de penser de la sorte, mais c'était un scélérat.

— Sa femme chérit toujours sa mémoire. »

Une rage soudaine, une folie d'autrefois le rajeunirent d'un coup. « Il l'a ruinée, broyée, il s'est introduit dans sa vie comme un voleur et lui a pris son âme. Avez-vous rencontré Helen ? De quoi a-t-elle l'air, aujourd'hui ? Plus tard je vous montrerai des photos d'elle. C'était la beauté la plus accomplie de notre génération.

— Et l'une des plus riches.

— Oui, en effet. Il a tout pris. Elle a cédé la totalité de sa fortune à ce joli cœur fringant et, après avoir tout obtenu, il est parti. Voilà toute l'histoire.

— Certainement pas. J'ai lu des tas de choses. Des lettres. Ils sont restés en contact étroit jusqu'à ce qu'il meure. »

Il a haussé les épaules. Vidé son verre d'un trait. L'a de nouveau rempli. « Peut-être bien. C'était sans doute à cause des enfants.

— Cela va beaucoup plus loin. Ils s'aimaient. Il lui disait tout. Elle l'aime toujours. Elle protège sa mémoire comme s'il s'agissait de son fils. Et elle sait comment il est mort, j'en suis sûr, simplement elle n'en parle pas. Vous avez sûrement raison à propos de l'argent, mais il n'aurait rien pu faire si elle n'avait pas été complice.

— C'est monstrueux de dire une chose pareille ! Je dirai les choses ainsi, si vous permettez. (Son ton de voix était plus contrôlé.) Il est je crois très à la mode, dans certains cercles, de dénigrer l'état des choses, de nier l'existence de ce qu'on met aujourd'hui sous le terme de valeurs nationales. Il se trouve que je crois en certaines choses. Il se trouve que je crois en la démocratie. En la loyauté envers les saisons. Or naturellement les valeurs anglaises ont été rudement mises à mal par de misérables fripons de petite envergure du genre d'Ivory, des gens qui n'ont d'autres talents que leurs idées de grandeur et leurs gestes d'escroc. Laissez-moi vous dire que ce faiseur d'ennuis a soigneusement calculé les ennuis qu'il provoquait. Nous pensions tous en avoir fini avec lui mais voilà que sa fille resurgit et fouine partout pour en savoir plus sur les ennuis de son père, et si jamais vous mettez le doigt dessus, nous verrons bien, Richard, si cela tourne à votre avantage. En ce qui vous concerne, je crois que je peux avoir confiance. Deborah, elle, est bien trop la fille de son père. Reste que vous vous trompez cruellement en voyant en Helen Newell autre chose qu'une victime — à partir du moment où l'on habille la victime avec les habits de son bourreau, plus rien n'a de sens, vous savez.

— Y a-t-il des choses qui aient du sens ?

— Espérons-le. Ou alors… »

Nous avons échangé des sourires entendus de vieilles connaissances d'un club quelconque. Il remplit mon verre de son scotch douteux. Puis je lui ai posé je ne sais quelle question sur le Norfolk mais tu t'es mise à hurler au moment où il se préparait à répondre.

Tu as lâché un premier éternuement, sonore et blessé, puis tu as repoussé l'album de photos que tu regardais, un album vert avec sur la couverture des formes dorées en relief. Il est tombé par terre, tu lui as donné un coup de pied avant d'éternuer à nouveau et tu t'es précipitée hors de la pièce pendant que je me relevais et que je te regardais filer dans le hall d'entrée. Mais le temps que j'arrive dans le hall, tu ouvrais la porte sans te soucier de la pluie qui rentrait à l'intérieur, et le temps que j'arrive à la porte — Alex à mes côtés — tu étais montée dans ta voiture, et le temps que nous arrivions dans l'allée, tu t'éloignais au volant et Alex se faisait méchamment couper par un gravillon qui voltigea vers elle après être passé sous une de tes roues, ce qui fait que je lui ai donné mon mouchoir dont elle s'est servie pour tamponner la plaie. Elle l'a levé à hauteur de son visage pendant que nous te regardions disparaître.

Lentement, nous sommes rentrés à l'intérieur. Jane rangeait les albums photos. Il a fallu discuter un peu pour qu'elle me laisse les regarder. Rien que les verts, lui ai-je dit, ceux qui ont des dessins dorés en relief sur la couverture.

Alex connaissait l'histoire de sa famille. C'était justement un sujet dont elle avait envie de parler avec moi. Nous avons empilé les albums verts, Alex et moi, avant de les feuilleter à la file.

Les images aidant, Alex me parlait et me donnait les noms. Sous mes yeux les jeunes gommeux devenaient grands et sages. Des gens de robe dînaient en costume dans des pièces d'apparat. Photos de vacances en Toscane, la famille en train de jeter un œil sur une église poussiéreuse. Photos de vacances dans le Sud de la France, la famille dans sa résidence secondaire. Étudiants d'Oxford de la promotion 1948 entrés au gouvernement en 1984. Clichés montrant des bébés B.-C. en robes de baptême, couchés sur de vieilles dentelles. Clichés des mêmes recevant leurs diplômes, photos des parents lors de dîners, à des parties de chasse, au tribunal. Le jeune Julian en béret et pardessus, une cigarette pendant au coin de la bouche, au coude à coude avec son frère plus respectable. Puis, plus près du sujet, Helen Newell en débutante au bal de la reine Charlotte, virginale et sexy, il n'y a que ses yeux fous pour trahir son désir. Coupures de presse collées côte à côte annonçant les mariages de Miss Jane York, de noble famille, avec Mr. Anthony Brougham-Calder, et de Miss Helen Newell avec Mr. William Ivory, d'autres coupures relatives à la nomination de Mr. Anthony B.-C. au rang d'avocat de la Couronne et de défenseur des intérêts de Sa Majesté. Et même une photo d'Ivory, une que je n'avais encore jamais vue, où on le voit debout sur un balcon peint en blanc, avec le lieu et la date proprement inscrits au crayon blanc sur la page noire : Ravello, 1962.

J'aurais pu rater la coupure la plus importante, celle qui t'avait fait crier et éternuer, si Alex n'était pas passée si rapidement dessus. Je suis revenu à la page pour regarder l'instantané des chiens de chasse des B.-C. pris en 1980 et je suis tombé dessus, un titre, c'est tout, placé près de la remise de diplôme de Charlie à Cambridge :

UN HOMME TUE UNE FEMME ET
PRÉCIPITE LA VOITURE SOUS UN CAMION

Rien d'autre. Pas de suite. Juste ces mots, tout seuls, séparés de l'histoire, ce titre en grand, funeste et définitif, avec la date écrite en dessous : 16 mars 1980. La page suivante était tout entière occupée par un portrait officiel du frère de Jane, secrétaire d'État, le jour de sa prise de fonctions. Pas un détail de plus sur l'homme, la femme ou le camion.

J'ai encore feuilleté quelques albums. Rien. Et personne n'allait m'en apprendre davantage. Ni Alex qui, après avoir recouvert sa blessure d'un bout de sparadrap, alla réclamer son violoncelle pour se remettre un peu à la musique. Ni Jane qui emporta vivement tous les albums en me demandant si je voulais boire quelque chose, mais qui reprit son alto sans me laisser le temps de répondre. Ni même le gentil oncle Julian qui ronflait dans la pièce voisine, hébété de cognac. Et certainement pas Sir Anthony. Me dévisageant avec une satisfaction irritante, il écarta toutes mes questions, y compris les plus directes. Puis lorsque je glissai que si Ivory avait tout de même une petite place dans les albums c'était parce qu'il avait peut-être été — comment dire ? — lié avec Lady Jane B.-C., le magistrat me jeta à la porte.

Nivea, Floris, Clinique, Chanel, Body Shop, Annick Goutal, Clarins, Helena Rubinstein, Elizabeth Arden, Revlon, Max Factor, Guerlain, Christian Dior, Boots n° 7, Mary Quant, Bourjois, Yardley, Shiseido, Lancôme, Estée Lauder. À peine si quelques-uns avaient servi, et encore. Des rouges à lèvres, oui, au bout usé par la marque de ta bouche arrondie en moue efficace, quant au reste tu ne l'as jamais destiné à un usage innocent, pas vrai ? Un rituel magique, point, les instruments de la rivalité. Maintenant j'arrive à en identifier certains. Floris c'est pour Jane Brougham-Calder. Mary Quant, pour Lizzie Sharp. Yardley c'était la marque favorite de Miss P***. Nivea et Helena Rubinstein, les produits qu'utilise ta mère, Helen, fidèle dans la décrépitude. L'adventiste du septième jour penchait pour Estée Lauder. La fille du supermarché se flanquait Boots n° 7 sur la peau pour se débarrasser de cette odeur d'urine. Body Shop, c'est la vierge de l'université qui s'en servait. Clinique, Lancôme, Clarins, d'autres qui avaient eu la chance ou la malchance de rencontrer William Ivory, le monstre. Le bâton de rouge à lèvres Guerlain si raffiné, si français, il te l'a acheté pour ton seizième anniversaire. Et Shiseido, si joliment présenté, c'était le choix de la jolie Reiko.

Tu pensais pouvoir rivaliser avec ces femmes en te tartinant ces produits dits de beauté ? Au début tu les volais, n'est-ce pas ? Petite ado sournoise, un grand manteau sur le dos, tu rôdais du côté des rayons de cosmétiques des pharmacies de la grand-rue histoire d'accomplir ton rite de maquillage vaudou. Tu fermais la porte de ta chambre à clef avant de te barbouiller la figure de couleur et de poudre ? Tu t'aspergeais de parfum sur les poignets et derrière les oreilles ? Et ensuite tu te pomponnais devant le miroir, tu t'imaginais être elles, et tu allais en bas t'asseoir près du téléphone en attendant que ton père appelle ? C'est arrivé que ton père appelle ?

Regarde-moi quand je te parle. Ton père est mort. Il est parti. Cela ne sert plus à rien de t'habiller pour lui. Il n'a jamais marché, ton rituel magique, alors bordel pourquoi penser qu'il pourrait marcher maintenant ? Tu as l'air d'un clown avec ces tartines de trucs gluants. Tu m'entends ? Est-ce que tu me vois, seulement ? Tu m'entends marcher, là ? Tu entends mes pas quand je vais dans la salle de bains ? Là je suis devant les étagères de la salle de bains. En ce moment même je les regarde, elles et leur foutoir parfumé aligné au petit bonheur. Tu entends ce bruit ? Un pot en plastique qui roule au fond du lavabo, tu l'entends ? Et ça, tu l'entends ? Une pleine étagère de merde bazardée sur le sol par une grosse patte d'Amerloque. Ooh, il y a des trucs qui roulent mais d'autres qui se cassent, des pots de verre éclatent, la crème barbouille les tessons, la mélasse ramollo dégouline en gouttelettes le long de la baignoire et sur le carrelage. Tu l'as entendu, ça ? Tu as sursauté ? Et ça ? Encore une pleine étagère qui valdingue en balançant des éclaboussures sur le mur, sur la baignoire, par terre. C'est arrivé jusqu'à tes oreilles, ça ? Le sol on dirait un détail d'un tableau de New York et l'odeur qui règne là-dedans cogne dans la tête comme un marteau enveloppé d'une substance molle et vénéneuse. Du venin, ouais, du venin, j'en ai après toi et je n'ai pas l'intention de m'arrêter ; encore une étagère, encore un grossier poing d'Amerloque qui s'abat sur un tube bleu de Nivea et envoie un jet de pâte blanche éjaculer dans la baignoire. Et encore une étagère de pots, de tubes et de machins joliment emballés qui sautent, roulent, giclent et se cassent, et ce bruit-là me plaît, ouais, agir comme ça me plaît, j'y trouve une sorte de soulagement, même si l'air est devenu trop écœurant pour être respirable.

Retour dans la chambre. Un pas vers toi. Arrêt au milieu de la pièce. Couchée là sur le plancher à côté du canapé tu as je ne sais quoi de trop pâle et de menaçant. Peut-être faudrait-il simplement revenir à l'histoire. Du calme. L'histoire. C'est presque la fin. Et je me sens prêt à tout pour découvrir ce qui va t'arriver quand je toucherai au bout.

Sous le coup de l'inspiration, et en visant juste, en plus, j'ai imprudemment glissé une insinuation à propos de sa femme et le magistrat m'a mis à la porte sous la pluie. Les avertissements aboyés par un gros chien de chasse noir suffirent à me dissuader de retourner au chaud pour essayer de faire meilleure impression, d'autant qu'il se mit à aboyer de plus belle quand l'heureux Charlie à la triste figure ouvrit la porte pour balancer notre sac de voyage dehors.

Marché sur la petite route de campagne bordée d'arbres. Col relevé pour me protéger de la pluie d'été, pouce en l'air, je m'aplatissais contre la haie chaque fois qu'une voiture passait en envoyant les flaques gicler. Je ne savais pas trop où mes pas me portaient, je me contentais de suivre le chemin qu'on avait pris à l'aller, dans l'espoir qu'avec ma veine d'Irlandais il se trouverait bien un train, un bus ou un moyen de transport quelconque pour me ramener sain et sauf à Londres.

La voiture qui s'est enfin arrêtée pour me prendre devait être au moins la huitième. C'était un break Mercedes qui a un peu dérapé en freinant. Pendant que j'attendais qu'il recule vers moi, il attendait que je fonce, et comme nous nous sommes tous les deux décidés en même temps la voiture m'a écrasé le pied en faisant marche arrière.

La portière s'ouvrit, poussée par la femme à l'intérieur, je me suis arraché à la haie pour monter à bord en boitillant, et là je suis tombé sur Jane Brougham-Calder qui se penchait derrière le volant pour me passer une bouteille de cognac.

« Tenez. Buvez. Vous devez être trempé.

— Délicate attention. Merci.

— Je vais vous conduire à la gare. Vous rentrez en ville ? Je crains que vous n'ayez quelque peu indisposé mon mari.

— Il m'est venu une idée sur un truc qui l'a plutôt pris à rebrousse-poil. »

Elle fit grincer les vitesses et la caisse partit dans une embardée.

« Cela vous ennuie de me dire de quoi il s'agissait ?

— J'aurais dû me montrer plus diplomate, j'imagine. Merci pour le cognac, je peux en boire encore une gorgée ? J'ai plus ou moins dû lui demander si vous n'aviez pas eu une liaison avec William Ivory. »

Ses yeux n'ont pas quitté la route mais ses mentons se sont agités.

« Et il vous a répondu ?

— Tout ce que je sais, c'est que je me suis retrouvé dans la cour, que Fido s'est mis à aboyer et que ce cher Charlie s'est entraîné au cricket avec mon petit bagage. »

Retirant la paille humide de la bouteille, je l'ai posée dans le cendrier avant de coincer mon pied plein de flotte dans une position légèrement plus confortable.

« Je suis désolé, maintenant vous allez sans doute me chasser de la voiture mais vous avez bien eu une liaison avec Ivory, n'est-ce pas ? »

Elle a eu un petit sourire crâne. Qui la rendait presque jolie.

« Ravello. 1962. Oui ? Par la suite vous avez publié un livre signé d'une Dame de la Bonne Société. Ivor Y. Ivory.

— Vous êtes très futé.

— Non, pas du tout. Ça fait partie des quelques trucs dont j'ai pris conscience depuis mon arrivée. Je ne suis pas futé du tout, juste assez stupide pour ne pas réaliser que les choses me dépassent. On finit bien par dénicher quelque chose. À la longue.

— Mon mari ne va pas apprécier que je sois partie vous chercher.

— Pourquoi l'avoir fait ?

— Vous êtes un ami de Deborah, j'ai beaucoup de peine pour elle, un peu pour vous aussi. Et j'ai une dette envers lui.

— Envers Ivory ? Je croyais que c'était le diable incarné, chez vous.

— Ce n'était pas à proprement parler quelqu'un d'agréable, mais je l'aimais bien. Nous avons eu une aventure, tous les deux. »

J'ai dû laisser échapper une expression pas vraiment flatteuse. Difficile à imaginer, le corrompu magnifique avec cette grosse bonne femme aux nombreux mentons.

« Oui, je sais. Il faut pourtant vous rappeler que nous avons été plus beaux que nous ne le sommes aujourd'hui. »

Petite grimace pour m'excuser. Nous avions pris l'autoroute et là nous roulions vers Londres. Je l'ai remerciée de m'emmener si loin, politesse qu'elle a écartée d'un geste de la main.

« Cette coupure de presse. Il est mort dans un accident de voiture ?

— Il est mort dans un accident de voiture.

— Et il a tué une femme avant ? Comme l'affirme cette coupure ? »

La question la fit sourire. Elle ne répondit ni par oui ni par non.

« Qui est au courant ?

— Plus de gens sans doute que vous ne le pensez. La pauvre Helen très certainement. Deborah, en fait, je ne crois pas. Dans notre famille presque tout le monde, Julian excepté — il ne faut pas trop vous acharner sur Julian : il n'a aucune ressource en propre et il dépend complètement de la rente que lui verse Anthony. Et Anthony, je crois, a un peu fait pression pour qu'il cesse de vous parler. D'autres personnes que Will connaissait savent. Un horrible petit bonhomme qui s'appelle Dibbs, Bibbs ou je ne sais comment.

— Gibbs. Roland Gibbs.

— C'est ça. Mon mari a pris certaines dispositions. L'affaire devait rester confidentielle.

— Pour quelle raison ?

— Eh bien, pour protéger sa réputation, évidemment. Par loyauté vis-à-vis de Helen. Cela vous paraît ridicule ? »

Cela paraissait complètement ridicule. Assez ridicule pour être anglais et donc vrai. Même si ça ne l'était pas. Pas tout à fait.

« Vous voulez bien m'en parler ?

— Je crains d'avoir plus ou moins donné ma parole. Mais retenir la date et vérifier les faits dans les journaux pourrait vous être utile, et par ailleurs il me semble que le policier chargé de l'enquête était un brigadier du nom de Brett, à Paddington. Vous pourriez peut-être en tirer quelque chose.

— Merci infiniment.

— N'allez pas répandre que je vous ai aidé, je vous en prie. Dans ce cas je risquerais d'en prendre pour mon grade. Cela ne vous ennuierait pas trop que je vous dépose ici ? Il vaudrait mieux que je ne m'attarde pas trop longtemps dehors. Je vais leur dire que je suis sortie acheter une douzaine d'œufs. »

Elle m'a lâché devant une station de métro. Je lui ai rendu la bouteille de cognac.

« N'oubliez pas, m'a-t-elle lancé par la vitre tout en se battant avec la boîte de vitesses, c'était un scélérat mais pas seulement. Il s'immisçait de la façon la plus agréable dans des vies qui sans lui seraient restées banales. »

Heinrich von Kleist passa dix ans de sa vie à tenter de convaincre un certain nombre de femmes de conclure un pacte de suicide amoureux avec lui. Combien d'années Mishima a-t-il cherché avant de tomber sur Morita, son pote empoté ? Ivory a failli toucher au but avec Lizzie Sharp, il s'en est approché d'encore plus près avec Helen, mais elle a choisi de se retirer. Certaines choses arrivent à contrer les effets du venin, à rompre le charme. Le catholicisme de Helen, pour commencer. Comme elle ne voulait pas aller le rejoindre sur son lit de mort nuptial il a fallu qu'il trouve quelqu'un d'autre à la place.

Nous avons eu une discussion là-dessus, une fois. Tu t'en souviens ? Un soir tard, dans un restau italien où on s'interrogeait sur la mort de ton père. Ensemble nous avons envisagé le suicide et je t'ai dit qu'il s'était peut-être tué par horreur de sa propre décrépitude. Ça ne t'a pas plu du tout. Tu t'es mise en colère contre moi, tu as élevé la voix. « Espèce d'imbécile, as-tu dit. C'était un jeu pour se faire plaisir. Si vraiment il s'est tué c'est parce qu'il en avait marre. »

Tu m'attendais en haut. Où tu te servais d'un bâton de rouge Braise Écarlate (à qui était-il, celui-là ? À la fille du supermarché ?) pour écrire sur le mur : PAIN. CAFÉ. FROMAGE. Tu as eu l'air très surprise de me voir arriver, on aurait dit une écolière coincée une cigarette à la main.

« Je fais une liste.

— Pourquoi ? »

Tu es allée à la fenêtre. Tu as regardé dans la rue. Il m'a semblé apercevoir un soupçon de gris dans tes cheveux.

« Alors, tu as trouvé ? Maman pense que oui.

— Pour ainsi dire. J'y suis presque. »

Tu ne bougeais pas. Une momie en sursis. Qui attendait.

Après ce que m'avait raconté Jane Brougham-Calder, il n'était pas difficile de découvrir comment il était mort à partir des comptes rendus de presse, du policier chargé de l'enquête (aujourd'hui inspecteur à Palmers Green), des témoins oculaires qui avaient tout vu. Je suis allé rendre visite à un certain Gary qui vendait des bouquets de fleurs coupées dans une rue de Bromley. Je suis même allé voir ton sale frère, Matthew. Belle maison dans d'anciennes écuries à deux pas de l'endroit où vous habitiez petits, dans Tite Street. Quelques rares meubles, des murs blancs, le tout très propre, pas une trace de vie à l'intérieur. Il fait partie de ces gens à la personnalité trop étriquée pour remplir un lieu. J'ai débarqué chez lui à un

313

moment délicieux, alors que sa femme remplissait des papiers de divorce contre lui, ce qui lui donnait l'impression d'être un peu plus important. Il ne savait pas comment son père était mort et je crois qu'il s'en fichait plutôt, si bien que nous avons passé un après-midi délicieux à discuter de l'histoire de la famille. Le seul qui ait refusé de me parler fut Rolf Karlsen, un chauffeur routier à la retraite complètement bousillé nerveusement qui vivait dans une banlieue industrielle de Stockholm.

J'ai également vu Jim Harkin.

Jim Harkin. Un bon naturel, des cheveux blancs, le visage rougeaud. Une rude carcasse, un regard doux, un teint recuit sous les tropiques qui virait au rouge vif chaque fois que la conversation prenait un tour personnel. Criait au lieu de parler, comme s'il avait l'habitude de ne s'adresser qu'à des sourds et à des étrangers. Grand voyageur, à peine rentré du Viêt Nam, il repartait pour le Kutch indien. Le genre d'homme qui a pour vocation de s'immerger dans d'autres cultures que la sienne.

Nous avons parlé du Viêt Nam, nous avons parlé du Japon, et c'est à contrecœur, sur un ton d'excuse, qu'il a répondu à la question que je lui posais sur Reiko.

« Ivory avait rencontré ses parents à Kyoto ? »

Harkin a poussé un soupir. Et baissé les yeux, rougi, croisé nerveusement les doigts sur son ventre. « Pas Ivory. Non. Le père de Reiko était universitaire. Sa mère, assez snob en fait. La petite voulait apprendre l'anglais. Je connaissais le père. À un moment on travaillait ensemble. Des trucs pour l'Unesco. J'ai recommandé la petite à Ivory. Il aimait ce qui venait du Japon, vous savez.

— Vous l'avez envoyée ici. »

Harkin prit un air misérable. Pas pour rien, je le savais.

« Je suis désolé, vous n'aimez peut-être pas trop évoquer tout cela…

— Franchement. Pas de problème. L'eau a coulé sous les ponts. Mais j'ai pas trop le temps, quoi. Je pars bientôt pour le Kutch indien. Vous connaissez ? »

J'ai avoué que non.

« Un endroit superbe. Éblouissant.

— Parlez-moi de Mishima. De son amitié avec Ivory. »

Harkin est devenu encore plus rouge. Il lançait des regards affolés à travers la pièce. « Les ai fait se rencontrer en 1952. Mishima voyageait en Europe. Les mystères de la Grèce. Venu en France pour Baudelaire. N'y a trouvé que le marxisme. Écœuré. J'avais connu Yukio au Japon. Passait me voir quand il venait à Londres. Il aimait le théâtre, les comédies musicales, surtout. Jamais pu rester jusqu'au bout en ce qui me concerne. On est allés voir une représentation de *Beaucoup de bruit pour rien*. J'avais invité Ivory à venir, pensé que ça pouvait l'intéresser de rencontrer Mishima. Pas pu se libérer. Mais il est passé boire un verre à l'entracte. Il ne s'est pas dit grand-chose. Autant que je sache, c'est la seule fois où ils se sont vus.

— Tout de même, ce n'est pas possible ?

— Vous avez sans doute raison. Vous devez savoir mieux que moi. La seule fois où je les ai vus ensemble, alors.

— Et au Japon, jamais ?

— Ivory n'est jamais allé au Japon. »

Une ville s'écroule. Un monde disparaît. Piétiné par un timide rougissant.

« Redites-moi ça.

— Ivory n'est jamais allé au Japon. Pas à ma connaissance. Un roman traduit là-bas. Des pressions pour qu'il aille vendre le livre. Il a surpris pas mal de gens en refusant de partir. Ils sont toujours assez mal à l'aise au sujet de Mishima, là-bas. A priori une situation taillée sur mesure pour Ivory.

— 1955, 1956. J'ai vu ses lettres. Il travaillait à un rapport pour l'Unesco, il écrivait à sa femme. Elle n'était pas encore mariée avec lui, à l'époque. »

Un afflux de sang épais rendit le visage de Harkin lumineux. Des yeux il cherchait désespérément une issue. « Autant ne pas en parler si ça ne vous fait rien. »

Ça ne me faisait pas rien du tout. Je l'ai bousculé. C'était facile de le brutaliser. L'homme était trop bonne pâte pour résister longtemps.

« C'est moi qui travaillais sur le rapport de l'Unesco. Ivory, lui, vivait dans le sud de Londres. On était en contact. Le Japon le fascinait. Il était avide d'informations. Insatiable, si l'on peut dire. Je l'ai invité mais il n'avait aucune envie de voir de visu. Pour lui ça risquait d'interférer avec son imagination. Ce qu'il voulait, c'étaient des détails, un aperçu des choses.

— Alors, les lettres ?

— Ce n'est pas très glorieux », lâcha-t-il dans un beuglement qui remua les habitués sur leurs sièges. « Pas cherché à connaître ses raisons. Savais pas ce qu'il y avait dans les lettres. J'aurais floué quelqu'un ? Désolé. Il me les envoyait dans des enveloppes cachetées. Je les réexpédiais à Londres. J'espère que je n'ai rien fait de mal… »

Il avait l'air affreusement malheureux.

Un petit Asiatique qui disparaissait sous un drôle de chapeau a traversé la salle en boitillant. Il est passé près de notre table et son visage s'est éclairé lorsqu'il a reconnu Harkin. À la question qu'il lui posait en anglais, Harkin tout content répondit dans une langue résolument étrangère. Puis l'Asiatique s'éloigna clopin-clopant et Harkin se retourna vers ma chaise avec un bon regard confiant, comme s'il y avait des chances que j'en aie profité pour filer à l'anglaise.

« Ses traductions ?

— Là, c'est du sérieux. Très bonnes. Vraiment très très bonnes. » Cet éloge des traductions d'Ivory lui tira un sourire de bonheur. « Il sentait parfaitement le tempérament japonais. Ce sont des interprétations excellentes. Vraiment excellentes. Il y en a deux, c'est cela ? Pourtant il n'a jamais mis les pieds là-bas. Oh, ça il aimait me poser des questions. Il lui arrivait de m'arrêter quand il trouvait mes réponses trop laborieuses. Je suis sûr qu'il avait d'autres sources que moi. »

Dans ma tête, un déclic. Des éléments qui se connectent. Je l'ai interrogé sur Roland Gibbs et l'histoire qu'il m'avait servie. Ce dîner chez Ivory, le soir où, au lieu de laisser Harkin développer son anecdote sur le Japon, l'hôte généreux lui avait coupé la parole, bien décidé à humilier son ami le voyageur.

316

Harkin a acquiescé de la tête. Congestionné. Le sang bouillonnait sous sa peau. C'était un douloureux souvenir.

« Sais pas ce que vous avez découvert sur Ivory. Mais il y avait des gens qui le détestaient, d'autres qui l'adoraient. En société, il m'arrive de ne plus savoir ce que je dis, Ivory pouvait tout à fait penser que j'allais lui couper l'herbe sous le pied en racontant un truc de moi qu'il avait déjà présenté comme étant de lui, mais, encore une fois, ça me paraissait tout à fait normal. Il tirait toujours beaucoup mieux parti des choses que moi. C'est bien Gibbs qui a écrit la nécrologie d'Ivory ? Il y a toujours eu beaucoup de bruits sur le compte d'Ivory. Lui-même y poussait, parfois. Après sa mort on a parlé d'un livre qu'il était en train d'écrire et qui, paraît-il, devait tout dévoiler, pas mal de gens ont alors commencé à protéger leurs arrières. J'avais trouvé cette nécrologie bien mesurée, je m'en souviens. Et le dernier livre n'est jamais sorti ? Il faut croire que la nécro aura fait l'affaire. Vous avez besoin d'en savoir beaucoup plus long ?

— Comment est-il mort ? Vous êtes au courant ?

— Jamais demandé. Ça ne me regardait pas. Entendu dire que l'autopsie était tenue secrète mais, puisque personne ne m'en parlait, je n'allais pas demander. Je vais bientôt vous prier de m'excuser. Le temps file.

— Il avait les yeux de quelle couleur ?

— Verts. Ou bleus. Marrons ? Verts ? Drôle de question. Jamais été très fort sur la couleur des yeux. Oublié. Désolé. »

Il a regardé sa montre. Je l'ai remercié, je l'ai excusé, il a fermé les yeux de plaisir à l'idée de ne pas avoir à en dire davantage. Serrant étroitement contre moi la vérité sur le Japon, j'ai repris le chemin de Holloway Road.

Quand je suis rentré ce jour-là après avoir discuté avec Harkin, je marchais d'un pas léger, mon visage rayonnait de fierté. Tu as dû sentir que ça y était. Tu m'as souri. Tu t'étais maquillée pour ressembler à ta mère. Tu avais même arrangé tes cheveux comme elle.

« Sortons faire un tour », as-tu lancé.

317

On est allés chercher ta voiture, tu m'as filé les clefs et on est partis se promener du côté de Banlieue Panique, un lotissement des années trente, tu disais que tu voulais voir comment vivent les gens vrais. Banlieue Panique n'en finit pas. Elle se propage comme une hystérie de masse. On a roulé dans des galeries marchandes à sens unique, le long d'une morne enfilade de logements années trente, de tours années soixante, ou de pastiches de la réalité années quatre-vingts, avec toi qui passes ton temps le nez à la fenêtre et ne me regardes que quand tu crois que je ne te vois pas. Tu appuies la tête contre la vitre et tu souffles dessus, tu te mets à dessiner une forme dans la condensation pour l'effacer avant que j'aie pu deviner ce que c'est tout en marmonnant je ne sais quoi pour toi seule, un mantra ou une comptine, impossible de savoir, jusqu'à ce qu'enfin tu le craches, ce morceau qui depuis le début te trotte dans la tête.

« Je ne veux pas finir comme lui.

— Tu n'es pas obligée.

— On a ça dans le sang.

— Pas du côté de ta mère.

— Tu l'as regardée ? Brisée, défaite, dévote.

— Une sacrée bonne femme.

— Il n'y a que toi pour le penser. C'est ce qu'elle essaie de faire croire. Il n'y a que toi pour t'y laisser prendre. Mais peu importe. J'ai le sang de mon père, du sang bien trop vif pour elle, il a submergé le sien, il l'a cerné, à gros bouillons. Viciant ou vicié. Qu'est-ce que j'ai comme exemple ?

— Parle-moi de Reiko.

— Que veux-tu savoir ? C'était comme une esclave pour lui. Elle s'occupait de nous, elle nous donnait le bain, nous racontait des histoires sinistres dans son anglais bancal. Une victime de plus, c'est tout — comme toi, je te fais exactement ce qu'il a fait à toutes ses femmes — tu t'en rends compte, non ? —, il les suçait jusqu'à la moelle, et une fois qu'il avait sucé tout le suc vital il les jetait ; je ne sais pas où elle est aujourd'hui, quelquefois je pense que j'aurais voulu qu'elle garde le contact, on l'aimait beaucoup, mais je m'en fiche.

Qu'est-ce qu'on fait dans ce coin ? J'en ai ma claque. Tu as des choses à me dire. On rentre. »

On est rentrés. J'avais toujours ces choses à te dire mais d'abord tu tenais à ce qu'on observe le bon rituel. Tout en pilotant ta voiture de sport éraflée, cabossée, je te regardais — appuyée contre la vitre, pensant à ton suicide pendant que les rues, les routes, les artères, les villas, les jardins, les boulevards, les avenues défilaient au passage, petits culs-de-sac de vie qui n'avaient rien à t'offrir.

À la fin de *Plaisirs décadents*, arrivé au terme de ses histoires sur la magie, la beauté, l'imagination et la mort, Ivory conclut par ce petit passage triste :

> Croire au progrès, a dit Baudelaire, est une extase pour imbéciles. Nous vivons dans un pays culturellement défait. La critique littéraire analyse les piqûres d'épingle des patrons de broderie de romans sans ambition ; dans les beaux-arts, tout est pastiche ; à la passion s'est substituée cette ironie de mort que produit le savoir de la nullité ; machines imparfaites, nous moulinons nos productions faisandées, et puis nous mourons. Aucun progrès n'est plus possible, pas même à l'état d'idées dont gaver les enfants pour les nourrir de fausses espérances. Désormais nous sommes tous des baudelairiens décadents. La fin du millénaire approche. Célébrons-la en usant d'imagination et tout de même d'un peu de style.

Ses productions faisandées : *Plaisirs décadents*, bien sûr, l'écœurant *Morita* et ses *Derniers Points*. Ces pages mystérieuses qu'il t'a laissées par testament, confiant qu'après sa mort elles resteraient suspendues au-dessus des vies imparfaites de ses vieux partenaires et ennemis. Seul Julian Brougham Calder paraissait indifférent à la menace funeste de l'ouvrage. Peut-être parce qu'il n'avait rien à cacher, peut-être parce que son reniement du trait d'union familial lui assurait l'immunité à l'égard de ce genre de chose, encore que certaines fois il donnait lui aussi l'impression de se réjouir de l'existence du livre retors, de ses histoires légendaires propres à mater son frère. Helen la voulait à tout prix, l'œuvre absente de son époux si longtemps hors de sa portée, pour la chérir enfin, la publier, la célébrer. Et toi tu y voyais une possibilité de troc à offrir en échange de la vérité sur sa mort, sauf que personne ne voulait marcher là-dedans.

Quant à l'imagination, c'est sûr qu'Ivory en avait à revendre. Certains traiteraient peut-être de mensonges ce que ses patients appelaient fantasmes et lui-même « pouvoir de transformation de l'imaginaire ». Prends par exemple le Japon, cadre de sa cour à Helen, ou Mishima, le double obscur qu'il s'était choisi, son clown combattant. Il n'a jamais assisté aux soirées du mercredi chez Mishima, jamais mis les pieds dans cette maison de style occidental basse de plafond pour que le narcissique écrivain ait l'air plus grand qu'il ne l'était. Ivory ne l'a rencontré qu'une seule fois, après lui avoir été rapidement présenté par Jim Harkin à l'entracte d'une représentation d'une pièce de Shakespeare donnée à Londres en 1952.

Comme Ludwig le roi fou qui voyageait la nuit autour du manège du château, Ivory n'est jamais allé au Japon, il estimait que ce n'était pas nécessaire. Il s'est construit un Japon imaginaire à lui, aux fondations assises sur ces journées lointaines passées en compagnie de Mattie à faire surgir des contes cruels du vieux papier peint. Il s'est créé un lieu froid bien à lui, extérieurement parfait, peuplé de femmes enclines à la mélancolie et d'élégants suicidés.

Mais qu'est-il arrivé à Ludwig quand il a fini par en avoir assez de tourner à cheval autour du manège du château, quand il a enfin pigé que tout cela était un mensonge, qu'en réalité il n'allait nulle part ?

Tu as commencé à te préparer pour le bain. Tu disais qu'avant tu voulais d'abord qu'on se lave. Tu as ouvert les robinets, tu as versé de l'huile parfumée dans la baignoire, tu t'es mis des épingles dans les cheveux pour les tenir perchés sur ta tête. Et tu n'as pas entendu ta mère se faufiler dans l'appartement. Le bruit de l'eau du bain couvrait ses pas feutrés dans le salon. Elle s'est dirigée vers la fenêtre mais ce n'est pas la rue qu'elle voyait. Le mur couvert de graffitis ne lui a arraché ni sursaut ni cri de surprise, elle suivait une piste sérieuse. Le tremblotement de sa tête branlante s'est accentué quand elle a poussé mes papiers sur la table. Et soudain elle l'a repérée, l'inoffensive mallette ornée d'un monogramme, une mallette marron cabossée posée dans le coin contre le mur. Un frêle gloussement de bonheur s'est alors échappé de sa gorge, et ce fut sa première erreur. Il coïncida avec le moment où tu fermais le robinet d'eau chaude. Percevant le cri étouffé de la chasseresse, tu t'es précipitée hors de la salle de bains dans ton kimono bleu et tu es arrivée dans le salon à temps pour voir ta mère tendre ses griffes vers la mallette.

« Tierney, arrête-la.

— Ce n'est pas mon affaire. »

Helen attrapa la mallette, la serra fort contre elle, eut un sourire de triomphe tout de traviole quand elle vit la tête que tu faisais et se mit à parler d'une voix débarrassée de l'habituel staccato.

« C'est très mal de ta part Deborah d'avoir essayé de me le soustraire. Tu n'avais pas le droit. » Tenant l'objet dans ses deux mains crispées, elle commença d'avancer vers la porte qui se trouvait derrière toi.

« C'est à moi. Il me l'a laissé. Il m'a choisie.

— Tu ne te rends pas compte de l'importance de la chose. Ce n'est pas de la monnaie de singe pour faire des affaires. C'est son œuvre.

— Tu ne sais pas ce qu'il y a dedans. » Tu boudais, tes cheveux défaits te tombaient sur les épaules. Tes joues semblaient bizarrement plus rondes, plus enfantines.

« Ça lui appartient. C'est ce qui est vraiment important, et ça ne doit pas disparaître. »

Elle s'est avancée jusqu'à l'endroit où tu te tenais, et ce fut sa deuxième erreur. Les traits de son visage s'adoucirent en te voyant l'air si triste, elle tendit la main vers toi pour te caresser les cheveux et te tranquilliser un peu dans un geste qui vous était devenu étranger à l'une et à l'autre, un geste qu'elle avait sans doute quand tu étais petite et plus jamais depuis.

« Ne t'inquiète pas, ma chérie. Tu as été très vilaine mais ce n'est pas grave maintenant. Quand le livre sera publié, il te sera dédié. Tu ne seras pas oubliée. »

C'est ton sourire qui a réveillé les craintes de ta mère. Elle a esquissé un pas en avant, mais il était déjà trop tard. Tu empoignais la mallette à laquelle elle essayait de s'accrocher alors qu'elle ne la tenait plus que d'une main et que de toute façon ses forces déclinantes ne pesaient pas lourd en face des tiennes. Et quand ce fut fini, la mallette était passée de ton côté et tu avais l'air presque coupable devant ta mère qui fixait ses mains vides tremblantes comme si elle les haïssait de l'avoir lâchée.

« Je suis désolée, maman. Va en bas. Tu devrais te reposer.

— Je ne. Me. Reposerai pas. » Défi courageux, désespéré. Elle est passée près de toi pour franchir le seuil et elle avait commencé à descendre l'escalier quand elle eut l'idée de revenir jusqu'à la porte pour la claquer de toutes ses forces, et après nous avons écouté le bruit de ses pas qui titubaient lentement jusqu'en bas des marches dans une retraite de vaincue.

Tu as emmené la mallette en un lieu plus sûr, dans la chambre. Quand tu es revenue, tes cheveux étaient à nouveau soigneusement ramassés à la verticale sur ta tête.

« C'était tout de même un peu moche, non ? Elle ne s'en rend pas compte mais j'essaie de la protéger, ce n'est pas simplement de l'égoïsme. Bon, nous n'avons pas que ça à faire. N'est-ce pas ? Maintenant je vais prendre mon bain. » Tu as pris un bâton de rouge et tu as écrit MISHIMA sur le mur.

Ça ressemblait à un rite funèbre. Tu disais qu'avant tu voulais d'abord qu'on se lave.

Tu étais dans la baignoire. Tu t'es enfoncée sous l'eau quand je suis rentré pour me servir du miroir puisqu'il fallait que je me rase. Tu m'avais dit de me raser.

« C'est drôle comme tes cheveux forment toujours une raie naturelle », as-tu dit.

J'ai amené la lame du rasoir sous mon menton, je l'ai raclée sur ma gorge. « Tu ne m'as jamais raconté ce que tu avais fait, entre-temps, pendant toutes ces années. »

Tu as levé les épaules au-dessus du niveau de l'eau, tu les as laissées retomber. « J'ai eu des aventures, je ne me les rappelle pas toutes... C'est ta mère qui t'obligeait à te coiffer comme ça ? Tu avais cette tête-là quand tu allais à l'école ? » Je me suis pincé le nez d'un côté, prêt maintenant à actionner le rasoir dans un mouvement de va-et-vient entre ma bouche et ma narine. Ça t'a fait rire. « Tu es vraiment très vieux jeu, non ? Je ne connais personne qui ne se serve pas d'un rasoir électrique aujourd'hui. Mon père n'en avait pas.

— Je crois que je vais la garder, ai-je dit. Je crois que je vais me laisser pousser la moustache. »

Tu as levé le bras droit pour te frotter sous l'aisselle avec le savon. Puis tu as examiné tes poils mouillés.

« Tu aimes bien les poils, chez une femme ? Si j'étais ta petite amie, c'est comme ça que tu voudrais que je sois ? »

Je suis passé au reste de ma figure. Je me rasais vite, mais à fond.

« Passe-moi une serviette. Je crois que je suis prête à sortir. »

Je t'ai passé une serviette sans me retourner. Debout dans l'eau tiède, tu me défiais de prêter attention à ton corps. Je me suis frictionné la figure avec un aftershave. Penhaligon, il avait appartenu à ton père.

« C'est agréable de sentir bon. Je suis contente de penser que tu vas sentir bon. »

J'ai plongé les doigts dans un pot de graisse de coiffeur, j'ai frotté mes mains l'une contre l'autre et je me suis passé la pommade dans les cheveux pour éliminer la moindre trace de raie. « Qu'est-ce que tu vas te mettre ?

— Je ne suis pas sûre de mettre quoi que ce soit. Qu'est-ce que tu mets ?

— Mon costume. Mon costume en toile blanche, celui que j'avais sur moi quand je suis arrivé en Angleterre. »

Tu es venue derrière moi. Tu as posé ton menton sur mon épaule. « Il paraît que les couples se ressemblent. Comme les maîtres et leurs chiens. On ne se ressemble pas. À part la forme du visage. On a la même forme de visage.

— Sèche-toi. Je vais dans la chambre. »

J'ai quitté la salle de bains. Et je t'ai regardée par la porte. Tu croyais que j'étais dans la chambre. Tu t'es approchée du miroir. Ta serviette a à moitié glissé sur ton corps. L'attente de la mort de ton père faisait un effet bizarre sur la couleur de ta peau. Je t'ai regardée lever la main sur ton visage et le gifler comme si tu giflais un amour étrange et merveilleux.

Je t'attendais dans la chambre. Assis par terre, jambes croisées. Tu avais mis ton kimono de soie bleue. Tu t'es avancée vers moi, et puis brusquement tu as viré de bord et tu es allée à la fenêtre. T'asseyant sur le radiateur tu as tiré le rideau pour regarder dans la rue. La lumière d'un réverbère moribond tremblotait sur ton corps.

« Ça devrait être le bonheur à présent, as-tu dit. En principe c'est ce que nous devrions éprouver, non ?

— Je suis heureux.

— Heureux ? J'espère. C'est à une sorte d'extase que je m'attendais.

— Tu es prête ?

— Il y a des gens, là, en bas. Je vois des femmes avec des caddies, certaines essuient la sueur sur leur front. Regarde. Là-bas c'est les champions de karaté du quartier qui s'escriment à prendre l'air agressif et méchant. Les banlieusards changent de trottoir pour les éviter. Ils sont souvent là ? Je ne me rappelle pas les avoir jamais vus, avant. Et il y a plein de chats, je n'avais pas réalisé qu'il y avait tant de chats.

— Tu écoutes ? Je sais tout maintenant. L'heure est venue d'en parler. 16 mars 1980. Sur l'autoroute en direction de l'ouest...

— J'ai peur, Tierney. Peut-être que je n'en ai plus besoin maintenant. J'ai peut-être atteint le point que j'avais besoin d'atteindre.

— Heinrich von Kleist s'est tué à trente-quatre ans. Il a passé les dix dernières années de sa vie à chercher la personne avec qui il affronterait la mort. »

Tu as frotté la fenêtre pour en effacer ton haleine. « Affronter est un mot idiot. Mais tu as raison. C'est un moment à passer, et il n'aurait pas de sens si la suite ne venait pas. N'empêche que je ne veux rien mettre d'autre. C'est ainsi que je le veux. J'ai froid. »

Tu as laissé retomber le rideau pour venir à l'endroit où j'étais assis. Tu t'es installée face à moi, jambes croisées, comme moi.

« Je suis prête, as-tu dit.

— Je ne t'épargne rien ? »

On s'est regardés. Enfin en phase.

« Ta raie commence déjà à se reformer. Tu sais que ça me fait beaucoup de peine de penser que je ne la remarquerai sans doute plus jamais ?

— Sur l'autoroute », ai-je dit.

Tu es assise sur le plancher, la tête appuyée contre le mur. L'heure est venue de parler. Il la tue.

16 mars 1980. Tard dans la matinée. Tu écoutes ? Il fait beau et froid. Ivory quitte le Norfolk pour Londres au volant de sa Jaguar. Il règle du courrier dans son cabinet de West Hampstead puis se rend en voiture de l'autre côté de Holloway Road. Là, le temps peut-être d'une tasse de thé ou si ça se trouve d'un breuvage plus fort, il tente une dernière fois de convaincre Helen. Rien à faire. La faiblesse catholique l'emporte sur la force décadente. Elle se déteste à cause de ça, c'est le seul truc qu'elle n'a jamais pu lui accorder.

Il la laisse, sans doute en train de pleurer, dans le salon de tous les jours. Il lui faut quelqu'un pour l'accompagner dans sa dernière entreprise. Il passe un coup de fil sans résultat — à toi. Il monte à l'infirmerie, ouvre le bureau de médecin, en sort un objet enveloppé d'un fourreau en coton blanc, puis il va au dernier étage, chez Reiko. On part au Japon, lui dit-il.

Helen les voit quitter la maison. Elle agite la main pendant que la Jaguar s'éloigne. Elle savait où ils allaient.

Reiko a-t-elle réalisé qu'ils n'avaient pas pris la bonne route pour Heathrow ? Quoi qu'il en soit elle n'aura sans doute pas bronché, se contentant de rester assise sur son siège, les mains croisées sur les genoux, attendant avec une infinie patience les instructions de son époux. 16 mars 1980. Sur la route qui sort de la ville par l'ouest, Ivory range la voiture sur le bas-côté. Il y a une confiserie juste à cet endroit, mais ce n'est pas pour elle qu'ils se sont arrêtés. Du fourreau en tissu posé sous ses pieds, il tire sa lame Mishima. Reiko l'aura vu faire, elle aura compris ce qu'il préparait, l'outrage final qui la destinait, elle qui voulait tant devenir européenne, à mourir comme on meurt dans les B.D. de samouraïs. Pas d'autre issue pour elle que d'accepter. Ivory brandit la lame dans l'espace étroit de l'habitacle. Reiko lève le menton. À côté d'eux, sur le trottoir, une famille pénètre dans la confiserie. Le plus jeune des enfants, un garçon prénommé Gary, en anorak vert, pose les yeux sur la voiture. Gary fera beaucoup de cauchemars, à dater de ce jour. La même image à chaque cauchemar : l'air grave et souriant, Ivory enfonce la lame dans la gorge de sa seconde épouse, surgit une bulle de sang, puis tout un flot de rouge, il laisse échapper la lame, elle le blesse aux genoux, les entaille, tombe enfin sur ses pieds qui s'agitent nerveusement. Peut-être qu'à ce moment-là Ivory a dit quelque chose en japonais, je ne sais quoi, ou peut-être qu'il a tout simplement demandé à Reiko si ça allait, en tout cas Gary a vu ses lèvres bouger. Et là-dessus il a jeté un coup d'œil dans le rétroviseur latéral avant de reprendre la route.

Sur la route qui va vers l'ouest, la tête de la femme pend sur le siège passager, sa gorge béante fauchée par la lame samouraï. Ivory roule vite. Il passe l'usine Hoover désaffectée. Le panneau du cimetière polonais. File sous les réverbères bas, rapetissés par la proximité de la route avec le terrain d'aviation militaire. Laisse derrière lui le panneau de l'aéroport. Des avions virent sur l'aile, bas dans le ciel. Ivory oblique à droite vers la voie rapide. Tous ceux qu'il dépasse entraperçoivent en un horrible éclair la femme morte qui continue de saigner et le conducteur moustachu qui se tient à ses côtés, calé au fond de son siège, les bras presque à l'horizontale pour tenir le volant, avec sur le visage un sourire ou peut-être simplement un rictus d'asthmatique tentant coûte que coûte de chasser l'air de ses poumons et de respirer. Travaux en cours, juste devant. Comme un dingue qui fauche les bagnoles pour s'envoyer en l'air ou un as de la cascade d'Hollywood, il tire sur le frein à main tout en braquant le volant et la voiture, fumant des quatre pneus dans un gémissement de gomme arrachée, traverse en trombe la brèche ouverte dans la séparation médiane et exécute un tour complet sur elle-même — frein à main desserré cette fois elle repasse dans la brèche, la voiture frémit, tangue, mais elle est reprise en main, et la voilà qui fonce vers l'est, qui fonce à contresens pendant qu'en face les voitures s'éparpillent comme de timides insectes de métal qui détaleraient pour fuir le danger. Là, à tous les coups, Ivory, le pilote dingue d'un suicide longuement mûri, sourit dans l'attente du choc qui va mettre une éternité à se produire. L'espace d'un moment il est intouchable. Les bagnoles s'écrasent contre le terre-plein central, partent en vol plané sur l'accotement gazonné, de grands coups de volant rageurs les envoient filer sur deux roues ou sur le toit à travers champs, vers le cimetière polonais. Des taxis voltigent dans d'autres taxis, des cars de tourisme zigzaguent, dérapent, exécutent des huit sur la chaussée, les coffres s'ouvrent, les serrures et les sangles des bagages sautent, les chapeaux s'offrent au vent et s'élèvent haut dans l'air, jusque vers les avions qui descendent du ciel. Des hommes et des femmes s'extirpent à grand-peine des tôles tordues de leurs automobiles, il y en a qui saignent, d'autres sont blessés, d'autres couvrent de la main les yeux de leurs enfants en pleurs ou brandissent le poing, et Ivory, lui, fonce toujours. À contresens de la circulation, la gorge de la femme fendue d'un grand rire à l'hémoglobine, le voilà à présent qui tremble de peur, de plaisir et d'anticipation alors qu'arrive vers lui le camion, son adversaire indestructible, un semi-remorque suédois avec son chargement de harengs marinés, un énorme monstre Volvo — il ne peut rien faire, qu'il risque un geste et il se condamne à basculer en travers et à partir affreusement en fumée. Les gens ferment les yeux, se mettent la main sur la bouche. La Jaguar se chiffonne, le poids lourd poursuit sur sa lancée, un bout de la voiture entre les roues, et sous le châssis, même pas cabossé ou si peu, le rugissement des freins à air comprimé ne réussit pas à couvrir le hurlement strident de métal et d'humain pris en sandwich entre le châssis et le bitume. Un frisson affreux secoue ceux qui sont là pour voir ou pour entendre. De la fumée monte de la chaussée marquée à mort. Les passagers des avions qui approchent du sol distinguent des individus à taille d'insecte qui détalent ou restent figés sur place. Des voitures comme empilées à l'horizontale, entassées pêle-mêle, les capots défoncés embrassent les coffres défoncés. Çà et là, les gyrophares des secours. Plus bas, près de l'usine Hoover, il y a du sang sur la route, des larmes dans l'air. L'odeur de la mort rôde, odeur de peau qui brûle et d'automobiles à l'agonie. Ivory est mort. Sa femme morte et archimorte.

J'ai attendu, long silence lourd. Pour toute réaction tu t'es contentée de secouer la tête.

« Et maintenant ? On peut regarder le livre maintenant ? Il ne me manque plus que ça.

— Nous avons d'abord quelque chose à faire, as-tu répondu. Une récompense, disons. »

Tu t'es levée pour aller dans ta chambre et je t'ai attendue, et quand tu es revenue dans le salon tu étais parée pour la baise.

Déshabillée, tu as toujours eu l'air vulnérable. Quand tu étais sortie du bain, juste avant, les cheveux étalés sur ton épaule tatouée, ta peau blanche humide teintée d'une nuance nicotine, tu m'avais regardé, brusquement saisie, et ta main s'était levée pour aller se poser sur tes yeux.

Tu n'es pas nue, ceci dit. Tu portes une guêpière en dentelle qui laisse voir les poils bruns frisés de ta chatte. Ta tenue sexy ringarde, à croire qu'une fois que tu es parée pour, le sexe n'a plus aucun rapport avec les autres parties de ton corps. Tu t'approches de moi, le visage vide ou presque, rien qu'un froncement de sourcils, le plus doux, le plus solennel qui soit. Je vais vers toi et tu t'arrêtes. En haut de ta cuisse un muscle pâle se contracte. Tu recules d'un pas, tu ne veux pas que je vienne à toi, pas encore, mais j'y vais quand même, je te coupe la retraite, je prends tes épaules dans mes mains, tu as la peau un peu huileuse à cause du truc que tu as mis dans ton bain, et terriblement lisse pour les mains d'un receveur de base-ball.

Tu t'écartes, repars vers le bord de la pièce en hochant la tête à chaque pas. Tu me souris et cette fois j'ai le droit de t'approcher, cette fois j'ai le droit de délacer le haut de ta guêpière, pas plus, tes bouts de seins à découvert, peau grenue par la chair de poule.

Puis tu gagnes l'espace entre le mur et le canapé où tu attends que je te rejoigne. Je te tiens par la taille, ta taille étranglée. Je te caresse les cheveux, les écarte de ton front. Je passe les doigts sur tes lèvres larges, au milieu une vieille gerçure pas complètement guérie, ta langue flâne le long de mes doigts, commence par les lécher, et puis ta bouche se presse contre eux et tes narines s'évasent chaque fois que tu respires. Tes lèvres s'écartent et mes doigts humides de ta salive se retirent pour tracer dessins et mots sur ton visage, sur ta gorge, sur tes froids tétons découverts ; tu frissonnes et je continue, mots d'insulte et de désir, noms propres, Lizzie Sharp, pauvre Reiko, le nom de ton père en majuscules autour de ton sein droit et dans un essai d'italiques de salive autour du gauche.

Je te retiens là, tentant de te faire croire avec la force de mon étreinte qu'il n'y a rien d'autre, ma main gauche s'est plantée dans ton cœur fané sanguinolent, son pouce trace un cercle parmi les poils de ton aisselle, ma main droite descend, suit le doux chemin de la veine bleue sur ta poitrine, se heurte ensuite à tes côtes et vient claquer contre ton nombril ; elle se plaque contre le renflement de ton ventre — et tu essaies de t'écarter mais je te tiens fixement en place, statue désaxée de danseuse, maintenant j'ai les doigts dans la fourche de ton cul et mon pouce cherche l'ouverture de ta vulve pendant que j'essaie de trouver ta bouche avec la mienne alors que ton visage se dérobe toujours au mien — joues qui balaient le nez, la bouche trouve une oreille, les paupières, des mèches de cheveux, jamais la bouche, mes doigts à présent suivent les contours de ta chatte en essayant de comprendre quelle émotion, quelle image forte accompagne les pulsations qui battent le long de ton corps en réponse à chaque longue caresse silencieuse, et enfin ma bouche qui trouve la tienne, le goût de sel de ta langue coincée contre la mienne, ta bouche qui s'ouvre plus grand, s'étire soudain en un étonnant sourire.

Instants où la lutte se fige, moments bras contre bras, front contre front, mains qui étreignent avant d'être obligées de lâcher prise, ma queue contre ta chatte, bientôt repoussée, ton cul qui l'embrasse, la chambre qu'emplit presque le bruit de nos souffles, les vêtements, mes dépouilles, petits tas de toile et de coton offerts en sacrifice au fur et à mesure que notre cérémonie privée nous expédie de tous les côtés, dans tous les coins, les angles et les espaces libres de la chambre, notre chambre, la chambre qui fut autrefois celle de Reiko, le canapé, la fenêtre, le plancher, contre la table pendant que j'essaie de complètement aspirer au fond de mes poumons ton odeur, de plus en plus forte, douce-amère, et que pour finir tu me ramènes une fois de plus à la fenêtre comme si depuis toujours c'était la seule arène possible.

Ta tête posée de côté contre la vitre, seuls bougent tes yeux qui balaient le centre de la chambre puis se lèvent au plafond. Tu bascules le cul en l'air cramponnée au rebord de la fenêtre à deux mains, de petites mains, moi je me tiens derrière toi, tu passes un bras entre tes jambes et tu me tires vers toi en m'attrapant la queue. Le menton sur ton épaule, le visage près du tien, joue contre joue, tous deux nous regardons par la fenêtre la rue vide en contrebas.

Tous les deux, ma poitrine moite de sueur contre ton dos chaud qui se cambre, le contact glacial de ta guêpière qui découpe des lanières dans mon ventre, mes mains qui s'écrasent sur le devant de tes cuisses, ton cul qui s'ébranle dans mon ventre, mes yeux que tes cheveux aveuglent et ma queue dans ton con. Tu remues pour qu'elle aille à ton cul, je réussis à la ramener à ton con et là maintenant je te bloque entre la fenêtre et moi, tu essaies de t'écarter, tu appelles en criant ton nom, mais je te fourre de force ma queue et, de la force, il m'en faut, c'est ça qui me paraît le plus incroyable.

Je m'enfonce en toi. Le mouvement s'accélère, ces bruits que tu fais ne s'accordent pas du tout avec ce que je sais de toi. Tu pousses en arrière avec tes cuisses, je pousse en avant avec les miennes, un transport, un frisson qui dure toute une éternité spectrale, ton front n'arrête pas de frapper dans la vitre mais c'est ce que tu as choisi, et nos grognements, on n'arrête pas, bêtes du manque, tes cheveux dans mes yeux, dans ma figure, dans ma bouche, j'en ai une mèche entre les dents.

Et puis j'ai joui, j'ai joui en toi, j'ai fait un peu de bruit et c'est peut-être ça qui t'a fait rire. Un court instant, nous deux ensemble, amis intimes qui souriaient hanches collées en regardant une rue vide d'en haut. Puis tu t'es écartée, esquivée, sans fausse modestie, sans rien nier, sans rien de moche, tu t'es simplement doucement reglissée dans la peau de la personne que tu es la plupart du temps.

Je suis allé chercher mes cigarettes pendant que tu restais près de la fenêtre où tu tapotais négligemment du bout des doigts le mélange liquide répandu sur tes cuisses, les yeux tournés vers le plafond parce que, si ça se trouve, ton père y était. Moi ça m'était égal, je pouvais bien t'accorder cet instant puisque pour moi c'était forcément un commencement, mais naturellement je me trompais.

Je ne sais quelle sorte de magie j'escomptais. Un grand bond soudain dans la liberté, peut-être. Un sourire heureux et innocent, peut-être même un bout de danse au son des cordes virevoltantes d'un orchestre invisible. Ce n'est peut-être pas la bonne façon de s'y prendre. Peut-être bien que tu avais raison, avant. Se dérober à la vérité, éluder. Faire comme si les choses dangereuses qui nous menacent n'existaient pas et se débrouiller avec le reste.

« Tierney ?

— Oui ?

— Je sens une odeur de brûlé. »

J'ai enfilé mon costume pour aller mener ma petite enquête en bas. Dans le salon des dimanches, j'ai trouvé ta mère tapie devant le feu. Qui lançait des lettres et des carnets dans la cheminée en se bourrant de bonbons qu'elle tirait d'une boîte Quality Street en plastique. Quand je suis entré, elle m'a lancé un regard terrifié — je me suis flatté de penser que c'était le genre de regard qu'elle réservait à son mari.

« Je ne peux pas me fier à vous », dit-elle, et du coup j'ai su ce qu'elle brûlait, alors qu'il était trop tard pour sauver quoi que ce soit. « Vous avez cherché. À me tromper. Tous les deux. Mais avec moi. Sa mémoire. Ne craint rien. »

Et là-dessus elle est partie en courant. En titubant à toute vitesse pour gagner la rue, puis cherchant maladroitement un bus susceptible de la conduire à l'église, en Albanie ou tout bonnement chez Matthew. Histoire d'y trembloter, d'y chérir, d'y aimer son mort en se consolant avec son fils qui la détestait autant qu'il se détestait lui-même pour sa faiblesse.

Je l'ai suivie. Je l'ai repérée à sa façon de frissonner au soleil à un arrêt de bus de Holloway Road, elle serrait sur sa poitrine maigre sa carte de transport d'invalide et des bouts de papier cramés. J'ai essayé de la persuader de revenir à la maison. J'ai essayé de lui faire du charme. Je l'ai implorée, les passants cessaient de passer pour me dévisager comme s'ils assistaient au prélude d'un viol.

Elle m'a tranquillement insulté. Elle était folle de colère. Elle agitait les bras pour m'éloigner, comme un prêtre qui voudrait chasser un fantôme.

« Je l'ai déjà. Laissé tomber. Deborah l'a. Déjà laissé tomber. Nous n'étions pas assez fortes. Pour mourir avec. Lui. Mais vous ne. M'aurez pas. Je protégerai sa mémoire. Je suis, dit-elle avec superbe, prête à vivre à jamais. »

Je l'ai laissée là-bas. Tu comprends ce que je suis en train de dire ? C'est une vieille dame malade, elle ne devrait pas être toute seule dehors. Ça ne te fait donc rien ? J'ai essayé d'appeler Matthew chez lui mais je n'ai eu que son répondeur. Elle n'est pas rentrée. Si ça se trouve elle est toujours dehors.

Quand je suis remonté tu étais toujours au même endroit, entre le canapé et la grande fenêtre d'où tu contemplais la rue. Tu avais mis le kimono bleu et tu t'étais peinturlurée en image de l'horreur. Des bandes sanglantes t'éclaboussaient les joues d'écarlate. Du Bleu Minuit s'étalait autour de tes yeux, du Rose Indien s'écrasait sur tes lèvres. Tes paupières ployaient sous des tonnes de mascara, tes sourcils disparaissaient sous le khôl, du rouge à joues empourprait tes bouts de seins découverts. Tu t'es regardée dans le miroir pendant que tu faisais ça ? Qui es-tu à présent ? Toutes les femmes de ton père ?

Et à nouveau tu n'étais plus là. Retirée au fond de toi-même. Près de la fenêtre d'où tu regardais la rue d'en haut. Vide dans ton kimono. À en attendre plus que je ne pouvais en donner. La fille d'Ivory aimait se faire niquer par-derrière, c'est ce que

335

m'avait dit Wheel, sauf que tu n'aimais pas particulièrement, si ? Ta bonne action ici-bas c'était de te protéger la chatte. L'amour, ça fait des bébés, et tu avais hérité du venin de papa, et tu ne voulais pas le transmettre à d'autres petits bébés, hein ? À moins que tu aies voulu te réserver pour lui ?

Des gens frappent à la porte. Tu entends les coups sur la porte ? Si je te touche maintenant, tu vas crier ? Fais ce que tu veux, un infime tressaillement suffirait. Rien de plus. Les mots peuvent me servir à te ramener. L'homme tue la femme. Il t'a passé ce dernier coup de fil le jour de sa mort, son dernier coup de séduction raté, avec Reiko l'indéfectible remplaçante. Comptons les morts — la maman de Miss P***, la pauvre petite Reiko, George de Silvertown, peut-être Lizzie Sharp, personne ne sait ce qu'elle est devenue... trois et demi, c'est tout, et il y en a au moins une qu'il faut annuler puisque Helen, après tout, va vivre à jamais.

Reprends. Recommence.
Tu sais comment cela a commencé, et tu sais où. Cet après-midi dans le parc, le pique-nique sur la colline, et Boston en contrebas.
Quoi ? Tu lèves le bâton de rouge pour écrire. YANKEE GO HOME. Passons. Tu me rends dingue. Continue. MY HEART BELONGS TO DADDY.
On avait fini une bouteille de vin et on commençait à en entamer une autre et tu ne voulais toujours pas me dire pourquoi tu détestais tant les pique-niques ni m'accorder que celui-ci était différent.
Je sais pourquoi tu détestes tant les pique-niques. Il y a de ça des années, c'est à un pique-nique dans Regent's Park que tu as pour la première fois découvert à quel point tu détestais ton père.
IL LA TUE. Eh oui, un homme tue une femme. C'est ce que disait le journal et c'est aussi ce que tu crois. Chante avec moi. Répète avec moi. L'homme tue la femme. L'homme tue la

336

femme. Ça te plaît, ça, hein ? Je te vois sourire derrière tes couches de peinture. D'après toi c'est comme ça que les choses se passent. Elles ne se passent pas forcément comme ça. Tu peux me mépriser si tu veux, mais pour moi elles peuvent être plus simples que ça. Tu secoues la tête, le même geste heurté que ta mère.

On n'avance pas beaucoup. Tu peux prendre un nouveau départ, tu peux. Table sur les petites choses que tu dis savoir. Achète un clebs. Appelle-le Gaspard. Ou Reiko, Lizzie. Ou alors un nom neutre et tout neuf. Appelle-le Fido, Rex ou Goofy.

Tu peux toujours me chasser, c'est ce que tu es en train de faire ? Tu n'as pas l'air d'un si beau parti que ça, tu sais, dans cette tenue. Avec cette mélasse vaudoue qui te barbouille la figure. Ce sont des larmes qui coulent ? Sur ta cuisse s'est écrasé un filet de sang craquelé qui a coulé de ton hymen bousillé. Regarde-moi. Allez, regarde-moi. Je ne me débrouille pas si mal. J'ai trouvé ce que tu voulais. Peut-être que j'arriverai à écrire le bouquin. En commençant par la fin, peut-être. J'ai le début d'un premier jet quelque part, une poignée des premières vies du petit Ivory. Ce qui déjà signifie que j'ai de l'avance sur Julian Brougham Calder, mon livre en devient moins imaginaire que tous les siens. Il ne manque plus que les *Derniers Points* et alors je saurai tout.

Il y a trop de voix différentes, trop d'histoires. Le baratin de Brougham Calder sur les perfidies et les amours en temps de guerre, tes histoires d'enfance de haine et de manque, les dérobades staccato de Helen, les abominables lamentations de ton frère. Les transcriptions des cassettes sont toutes mélangées — Mishima cherche l'associé de son suicide dans la chambre de Reiko, la mort rôde sur une pelouse du Sussex où la Truffe joue au croquet alors que sous les décombres de l'après-midi gisent des corps en sang qui respirent, un car de tourisme japonais emmène en plein Blitz à Hampstead Miss P*** et sa mère morte qui pique-nique encore, Nick Wheel et sa grosse brute le pingouin font une partie de strip-poker avec Lizzie Sharp pendant que la consciencieuse Reiko en grand attirail maso punk passe consciencieusement l'aspirateur dans le couloir, et par-dessus le marché, par-dessus tout ça, regarde, lève les yeux, vois comme il sourit là-haut, Ivory qui plane avec son grand sourire de monstre, sa moustache brune, ses yeux étincelants de cruauté et d'une totale absence d'espoir.

Regarde dans la rue. J'ai l'impression qu'on a de la visite. Il y a des gens dehors. Je reconnais Nick Wheel, je reconnais Roland Gibbs. Qu'est-ce qu'ils ont à nous raconter, à ton avis ?

Voilà que tu bouges, tout à coup. Une statue barbouillée de graffitis s'anime. Qu'est-ce que tu fabriques ? Où tu vas ? À la cuisine ? Tu as faim ? Une incursion post-coïtum du côté du frigo ? Non, ce n'est pas la cuisine, tu te diriges vers la chambre et j'y vais avec toi. J'observe l'assurance avec laquelle tu te tiens devant ta penderie ouverte. Au tapis le kimono, tu passes d'autres vêtements sur toi, une mince petite robe de cocktail blanche, autour de ton cou un des colliers de perles de ta mère, oui. Et après ? Dans la salle de bains. Tu ne peux pas me semer si facilement, à l'aveuglette tu t'appuies contre le lavabo, yeux fermés, ton visage touche le miroir. Je reste sur le seuil, admirant tes doigts qui dévissent habilement le couvercle d'un pot de lotion démaquillante. Quelques tampons en coton et c'en est fini de la mélasse. Un peu de lotion, un bout de coton, des gifles mouillées, du boulot approximatif, tu as la figure toute rouge. « C'est la fête, Tierney. » Tes mots, rauques d'avoir trop peu parlé. Un sourire te déforme les lèvres. Tu lèves les bras pour examiner la peau lisse qu'on peut encore abîmer. « Et j'ai un truc à te montrer. Il y a plein de pages, mais ça se lit vite. »

Je te suis dans la chambre, je te regarde t'accroupir par terre, je te regarde passer le bras sous le lit et sortir une mallette en cuir marron cabossée, avec le monogramme *W.I.* sur le rabat. Et en tirer, c'est magique, un manuscrit assemblé à l'aide de gros élastiques épais, la feuille du dessus porte, griffonné en grandes lettres arrogantes : *Derniers Points. La doctrine de William Ivory*. On sort de la chambre, on passe dans le couloir et de là dans le salon où avec infiniment de respect le manuscrit est déposé dans le coin, sous les inscriptions au rouge à lèvres.

Je le ramasse. Je l'ai dans les mains. Le dernier livre, la seule chose qui manquait. Je ferme les yeux et tourne les pages dont les coins me mordent la peau.

Il avait laissé la lettre sur son bureau dans la petite chambre de sa maison du Norfolk. Regarde l'océan, là-bas au loin. Regarde le prieuré en ruine sur l'horizon. Écoute le vent se déchaîner sur les champs. Sa maison impeccable et délaissée, vieilles briques et silex du Norfolk, complètement vide à l'intérieur. Son maître est mort il y a treize ans, et à l'époque, il y a treize ans, ta mère, ton frère et toi jetiez à la hâte un drap poussiéreux sur le piano à queue. Tu empilais sa vaisselle noire dans les placards en bois. Tous trois vous erriez dans la maison, inconsolables, chacun de son côté, le dos voûté tous les trois pour vous protéger de sa présence. Tu fus la première à pénétrer dans la petite chambre, à trouver la lettre sur son bureau. Un jour il serait à toi, le dernier livre ; tu t'emparas de la lettre sans en souffler mot aux autres, puis, comme convenu, le notaire de Norwich te l'a envoyé par la poste. Il avait marqué ton nom sur un bout de papier agrafé sur la feuille du dessus, écrite à la main. Ton héritage.

Toi tu n'en voulais pas mais eux oui, tous. Et par la suite, alors que tes rares tentatives pour découvrir la vérité (combien de fois as-tu essayé ? combien y en a-t-il eu avant moi ?) se heurtaient au silence d'une jolie porte bien verrouillée, le dernier livre a fini par devenir ta jolie clef, ton sésame.

Tous ils le voulaient. Roland Gibbs, l'homme de paille (quel minable petit secret sans intérêt protège-t-il ?), Brougham-Calder le magistrat, Nick Wheel (ton agent secret à toi, celui que tu envoyais me surveiller, le plus objectif de tous ces traqueurs de vérité, tout ce qu'il voulait c'était savoir ce que son héros monstre avait dans la tête), jusqu'à la nounou Brennan, toujours fidèle au poste pour défendre la mémoire de ses morts. Ils en avaient entendu parler, il y avait fait allusion dans des lettres, des conversations, au cours d'un entretien à la télé. Le monde vu par William Ivory, les secrets de son milieu. La légende qui courait sur son dernier livre s'est imposée, a pris de l'ampleur. Tel un maître chanteur qui siffle entre ses dents, impassible, Ivory a semé la terreur une fois mort. Il fallait qu'ils se tortillent, ceux qui l'avaient offensé. Le livre passait pour mettre un point final, dire la vérité telle qu'il la voyait avec ces yeux dangereux dont personne ne me dira jamais de quelle couleur ils étaient.

Qu'est-ce que c'était, ce bruit ? La porte d'entrée qui claque. Des pas, en bas. De la musique. D'où sort cette musique ?

Cette lente mélodie française. On dirait que ça vient de l'infirmerie. Tu l'entends ? Où es-tu ? Ton père nous régale d'une langoureuse sérénade. De la musique pour ne pas oublier. Je descends, tenant sous le bras le manuscrit dont le vent d'automne retrousse les pages ; rien dans l'infirmerie, plus loin en bas, alors, au rez-de-chaussée, dans le salon du dimanche où le piano à queue a subitement été réaccordé. Nick Wheel au clavier joue un air fin de siècle éthéré, de douces mélodies tristes arrivées à épuisement. Tu t'appuies contre le piano dans ta robe de cocktail blanche, tu fumes malhabilement une cigarette aplatie d'un côté. Wheel m'adresse un gentil signe de tête en mesure, sans casser le rythme de son jeu. L'air s'achève lentement. Tu applaudis pour remercier, tu dis mon nom tout haut.

« Tierney. Quel plaisir que tu aies pu t'en sortir. »

Wheel entame un autre morceau, tête en avant tout près des touches, épaules prises dans le mouvement. Tu jettes un regard autour de la pièce, l'air déçu, une main tristement levée, comme si c'était ton anniversaire, comme si tu tenais un ballon solitaire et que personne n'était venu fêter ça avec toi.

Ta mère l'aimait et le craignait. Elle essayait de protéger sa mémoire. Toi, tu voulais détruire jusqu'à son souvenir. Mais tu as au moins eu le cran de prendre la première page de ses *Derniers Points* et tu t'es armée de courage pour la lire. Comme moi, pour finir. Avec Wheel à mes côtés, le piano délaissé, toi qui tournais toute seule au milieu de la pièce, l'envie teintée maintenant de convoitise de savoir de quoi Wheel discutait avec Gibbs, les dollars défilent dans ses yeux comme sur une caisse enregistreuse pendant qu'il imagine le pognon que vont rapporter ces secrets chimériques. Je réprime la peur, l'inquiétude qui m'étreint à l'idée de ce que je vais trouver là-dedans, de la vérité qui va se répandre sur mon humble tâche. C'est là qu'elle se trouve. Approche-t'en. Possède-la.

Je retire les élastiques. Fais comme si je n'entendais pas le bruit du souffle cupide de Wheel qui me halète dans l'oreille.

341

Je ne vais pas le laisser me bousculer. Ces pages sont bien trop précieuses pour être traitées autrement qu'avec soin. La feuille du dessus, avec ton nom inscrit de la main de ton père. Je la mets de côté, reforme la pile du tas qui reste. J'enlève la page de titre. *Derniers Points. La doctrine de William Ivory.* Je découvre la première page. Blanche. Puis la deuxième. Blanche. Il n'y a rien du tout dessus. Rien que le numéro de page, 2. Je les feuillette toutes. Je les balance. Regarde Wheel, la larme à l'œil, qui fabrique des bateaux en papier, des avions en papier, des chapeaux en papier. Il n'y a absolument rien d'écrit sur aucune d'entre elles. Six cent soixante pages blanches scrupuleusement numérotées. Douze pages blanches pour chacune des années de la vie d'Ivory.

Plaisirs décadents fut bel et bien son dernier mot, après ça il ne lui restait plus rien à faire. Il y a eu l'écœurant désir de mort de *Morita*, et puis le tri des secrets névrotiques que lui offraient des patients qui le payaient au-delà de leurs moyens. *Derniers Points*, c'était sa dernière blague, sa dernière leçon, et d'ailleurs je ne l'en admire que plus. Démontrer qu'il n'y a rien qui vaille la peine qu'on l'attende, c'est presque une façon d'exprimer l'espoir.

Nick Wheel sort dans la rue, un chapeau en papier sur la tête, un avion en papier dans la main. Montons, prends ma main, retournons dans notre chambre et allons l'observer de la fenêtre.

Le voilà, tu le vois ? Il plante là Roland Gibbs (peu importe ce secret qu'il gardait, maintenant il est bien à l'abri et il peut prévenir les autres : en voilà au moins un pour qui Ivory est mort et bien mort... Ce secret éculé de Gibbs n'aurait rien à voir avec toi, par hasard ?) et regarde-le, regarde Wheel qui lance l'avion en l'air et qui lui court après ; l'avion s'offre au vent, et il lui court après, tu n'as pas envie d'applaudir au moment où il l'attrape enfin, très grand style, de la main gauche qu'il tenait derrière son dos ?

Toutes les nuits William Ivory appelle. L'ombre du moustachu grand sourire, l'homme qui détient le pouvoir. Il emplit cette maison de son orgueil, il emplit de cruauté nos rêves. Je le vois dans l'infirmerie, dans le salon du dimanche, dans la cuisine en train de préparer un plat grandiose, ou qui s'éloigne de la maison au volant de sa Jaguar ratatinée.

Et le jour nous regardons son image sur le magnétoscope. Interminablement. Ivory au cours d'une émission en noir et blanc enregistrée au début des années soixante-dix. Allons regarder la télé, ma puce.

Oh, qu'est-ce qu'il en impose, papa en gros plan. Il passe naturellement à l'écran, l'air flirteur, batailleur, il est beau, anachronique et hardi. Dans son visage musclé, ses yeux vifs luisent de plaisir à l'idée du triomphe inévitable qui l'attend à la fin de ce duel. Le concept visuel de l'émission, c'est le monde de l'ombre autour du visage en pleine lumière, l'obscurité environnante, si bien que le visage devient tout, la clef, la fenêtre, le mur, l'âme. Ses yeux, on dirait des trous découpés dans des miroirs, sa voix ressemble à celle de James Mason, égale et étouffée. Il porte de temps en temps une cigarette à sa bouche, et ce qui se passe alors a bien plu aux réalisateurs, avec le nuage de fumée qui lui sort de la bouche pour se disperser autour de sa tête dans un halo déçu. De temps en temps aussi, quand il veut souligner un point ou juste dévier l'attention de celui qui l'interroge, il lève les mains, et pendant qu'il parle de décadence et des occasions fugaces d'atteindre à la perfection, ses mains hachent l'air tout près de sa figure, puis ses doigts forment une cathédrale en ruine devant sa bouche et sa voix glisse au travers comme celle d'un dieu particulièrement funeste.

Tu dégobilles. Bon, c'est un début. Appuie sur l'arrêt image. Regarde bien son visage, là, qui se cache derrière la cathédrale en ruine de ses doigts. Allez. Avance. Insiste encore un peu. Dégobille encore un coup. Je te nourrirai et je t'enfoncerai les doigts au fond de la gorge. Je resterai avec toi. Je nettoierai ta merde et tes dégueulis. Je te raconterai des histoires. Comme tu étais proche, dans ta robe d'été bleue. Tu te rappelles ? À Boston. Dans le parc.

Où es-tu à présent ? Ne regarde pas dans la rue. Il n'y a rien, dans la rue. Gibbs et Wheel qui vont et viennent, et disparaissent dans l'ombre. Tu as envie d'aller en Suède maintenant ? D'aller dans la banlieue de Stockholm trouver un chauffeur routier à la retraite bousillé nerveusement ? Regarde-moi. Ne crois pas que tu vas t'enfuir. J'ai de quoi te ramener. De quoi prouver que tu existes avec mon histoire. Autant de fois qu'il faudra. Toute la vérité est là. Comme tu étais proche, dans ta robe d'été bleue. Tu as chassé une guêpe des tranches de jambon italien qui se racornissaient et tu m'as regardé, l'air solennel. Ça faisait un bout de temps que tu ne me regardais pas. Puis tu as sorti l'enveloppe de ton sac. L'étui argenté d'un rouge à lèvres de marque française s'était glissé à l'intérieur et tu l'en as retiré, tu l'as contemplé un moment comme si tu ne voyais pas de quoi il s'agissait...

Collection de littérature étrangère

Les Chutes de Slunj
traduit de l'allemand par Albert Kohn et Pierre Deshusses
Les Fenêtres éclairées
traduit de l'allemand par Pierre Deshusses
Divertimenti
traduit de l'allemand par Pierre Deshusses

Anne Enright
La Vierge de poche
traduit de l'anglais par Édith Soonckindt-Bielok

Franco Ferrucci
Les Satellites de Saturne
traduit de l'italien par Alain Sarrabayrouse

Eva Figes
Lumière
traduit de l'anglais par Gilles Barbedette

Ronald Firbank
Les Excentricités du cardinal Pirelli
traduit de l'anglais par Patrick Reumaux
La Fleur foulée aux pieds
traduit de l'anglais par Jean Gattégno

Mario Fortunato
Lieux naturels
traduit de l'italien par François Bouchard

Jane Gardam
La Dame aux cymbales
traduit de l'anglais par Suzanne V. Mayoux

William Gass
Au cœur du cœur de ce pays
traduit de l'anglais par Marc Chénetier et Pierre Gault

Kaye Gibbons
Ellen Foster
traduit de l'anglais par Marie-Claire Pasquier
Une femme vertueuse
traduit de l'anglais par Marie-Claire Pasquier

William Goyen
Une forme sur la ville
traduit de l'anglais par Patrice Repusseau
Le Grand Réparateur
traduit de l'anglais par Patrice Repusseau

Un tout petit monde
traduit de l'anglais par Maurice et Yvonne Couturier
La Chute du British Museum
traduit de l'anglais par Laurent Dufour
Nouvelles du Paradis
traduit de l'anglais par Maurice et Yvonne Couturier
Jeux de maux
traduit de l'anglais par Michel Courtois-Fourcy
Hors de l'abri
traduit de l'anglais par Maurice et Yvonne Couturier
Thérapie
traduit de l'anglais par Suzanne V. Mayoux
L'Art de la fiction
traduit de l'anglais par Michel et Nadia Fuchs

Rosetta Loy

Un chocolat chez Hanselmann
traduit de l'italien par Françoise Brun

Alison Lurie

Liaisons étrangères
traduit de l'anglais par Sophie Mayoux
Les Amours d'Emily Turner
traduit de l'anglais par Sophie Mayoux
La Ville de nulle part
traduit de l'anglais par Élisabeth Gille
La Vérité sur Lorin Jones
traduit de l'anglais par Sophie Mayoux
Des gens comme les autres
traduit de l'anglais par Marie-Claude Peugeot
Conflits de famille
traduit de l'anglais par Marie-Claude Peugeot
Des amis imaginaires
traduit de l'anglais par Marie-Claude Peugeot
Ne le dites pas aux grands
Essai sur la littérature enfantine
traduit de l'anglais par Monique Chassagnol
Comme des enfants
traduit de l'anglais par Marie-Claude Peugeot
Femmes et Fantômes
traduit de l'anglais par Céline Schwaller

Norman Maclean

La Rivière du sixième jour
traduit de l'anglais par Marie-Claire Pasquier
La Part du feu
traduit de l'anglais par Jean Guiloineau

Bernard Malamud

Le Peuple élu
traduit de l'anglais par Martine Chard-Hutchinson

Pluie de printemps
traduit de l'anglais par Martine Chard-Hutchinson

Javier Marías

L'Homme sentimental
traduit de l'espagnol par Laure Bataillon

Le Roman d'Oxford
traduit de l'espagnol par Anne-Marie et Alain Keruzoré

Ce que dit le majordome
traduit de l'espagnol par Anne-Marie et Alain Keruzoré

Un cœur si blanc
traduit de l'espagnol par Anne-Marie et Alain Keruzoré

Demain dans la bataille pense à moi
traduit de l'espagnol par Alain Keruzoré

Vies écrites
traduit de l'espagnol par Alain Keruzoré

Yann Martel

Paul en Finlande
traduit de l'anglais par Émilie de Riaz

Aidan Mathews

Du muesli à minuit
traduit de l'anglais par Édith Soonckindt-Bielok

Drôles de sensations
traduit de l'anglais par Édith Soonckindt

Steven Millhauser

La Galerie des jeux
traduit de l'anglais par Françoise Cartano

Le Royaume de Morphée
traduit de l'anglais par Françoise Cartano

Le Musée Barnum
traduit de l'anglais par Françoise Cartano

Lorrie Moore

Des histoires pour rien
traduit de l'anglais par Marie-Claire Pasquier

Anagrammes
traduit de l'anglais par Édith Soonckindt

Vies cruelles
traduit de l'anglais par Édith Soonckindt

Que vont devenir les grenouilles ?
traduit de l'anglais par Oristelle Bonis

*La composition de cet ouvrage
a été réalisée par l'**Imprimerie BUSSIÈRE**
L'impression et le brochage ont été effectués
sur presse Cameron dans les ateliers
de **Bussière Camedan Imprimeries**
à Saint-Amand-Montrond (Cher)
en avril 1997*

N° d'impression : 442-1/836
Dépôt légal : avril 1997
Imprimé en France